Pôle fiction

Du même auteur
chez Gallimard Jeunesse :

La Ballade de Cornebique

Le Combat d'hiver

La prodigieuse aventure de Tilmann Ostergrimm

Terrienne

La Troisième Vengeance de Robert Poutifard

Jean-Claude Mourlevat

Le Chagrin du Roi mort

GALLIMARD JEUNESSE

Je dédie ce roman, une fois n'est pas coutume,
à mes camarades de littérature,
celle qu'on dit « de jeunesse ».
Je le dédie aussi, une fois de plus,
à mes trois amours.

PREMIÈRE PARTIE

L'ENFANCE

1 *Le feu qui brûle, Majesté ?*

– Es-tu bien sûr, Aleksander, que tu veux piétiner dans la neige glacée pendant des heures, te geler les pieds et les doigts, te faire bousculer par des adultes et revenir déçu parce que tu n'auras rien pu voir ? En es-tu bien sûr ?

– J'en suis sûr, maman, et puis Brisco vient avec moi. Hein, que tu viens avec moi, Brisco ?

Il faisait encore sombre chez les Johansson. Le jour se levait tout juste et filtrait par les petits carreaux embués de la fenêtre. Assis côte à côte à la longue table commune, les deux enfants ébouriffés, les yeux encore encombrés de sommeil, se tenaient exactement dans la même attitude : les épaules rentrées dans le cou, les mains enserrant le bol rempli de lait fumant. La mère, debout près du fourneau, les observa, amusée une fois de plus par leur façon de s'imiter l'un l'autre sans le vouloir. C'était une belle jeune femme, sereine et tranquille. Ses cheveux étaient tenus dans un fichu noué derrière la tête. Quelques mèches blondes s'en échappaient.

– C'est vrai que tu veux y aller aussi, Brisco ?

– Si Aleks y va, j'y vais…, grommela le plus rond des deux, sans lever du bol sa tête bouclée.

– Tu vois, maman, il veut ! fit l'autre.

La femme, habituée à l'infaillible solidarité de ses garçons, sourit et retourna les tranches de pain de seigle qui commençaient à dorer sur la fonte brûlante du fourneau. En dessous, les flammes vacillaient derrière la vitre du foyer. De l'autre côté de la salle, la vaste cheminée ouverte était encore éteinte.

– Bien, dit-elle après un temps, je vous laisse y aller, mais promettez-moi de ne pas vous séparer, et de bien vous tenir.

– Maman… ! soupira Aleks sur le ton las et agacé de celui qui a entendu cent fois déjà la même recommandation superflue.

– Je sais que vous êtes raisonnables, se reprit-elle, mais aujourd'hui, ce n'est pas une fête. Tout le monde est triste. Alors pas de course ni de cris, c'est promis ?

– Promis…, dit Aleks, répondant pour les deux.

Au fond, la jeune femme était heureuse que son fils montrât autant de détermination. Dès qu'il les avait vus rentrer, son mari et elle, au petit matin, il avait voulu savoir « comment c'était » et insisté pour y aller à son tour. Et rien ne l'avait dissuadé, ni le froid annoncé, ni la longue attente probable.

– Qu'est-ce qui t'intéresse autant ? lui avait-elle demandé. Pourquoi veux-tu tellement y aller ?

– Ben, je veux dire adieu au roi quand même, avait-il argumenté. Je l'aimais bien, moi.

Elle n'était pas dupe. Ce qu'il voulait voir, c'était le roi, certainement, mais le roi mort surtout. Il n'en avait jamais vu, de mort, jusqu'à ce jour. Et c'était là une formidable occasion. Ses parents l'avaient dit eux-mêmes en revenant : « Son visage est paisible, on dirait qu'il dort, il est très beau... » « Ainsi, pensait Aleks, je pourrai faire l'expérience de voir un vrai mort, sans avoir à la payer de ma peur. Il y aura plein de gens, ce sera dehors et pas dans une chambre sinistre, et je serai avec Brisco. »

La mère ne craignait pas de laisser partir seuls les deux garçons de dix ans. Ils avaient prouvé plus d'une fois leur prudence et leur débrouillardise. Tous deux connaissaient la ville comme leur poche, ses moindres recoins. Ils couraient vite et, en cas de danger, savaient se cacher de façon à rester parfaitement introuvables. Elle posa les tranches de pain sur la table et les tartina de beurre, puis elle prit une pince et tira du four quatre briquettes qu'elle enroula dans un tissu et glissa dans les moufles accrochées au clou de la porte.

– Et vous ne traînerez pas, après. Le froid est tombé, cette nuit. Je ne veux pas que vous reveniez gelés.

Jamais de leur vie, les deux enfants n'avaient vu autant de monde en ville. À peine eurent-ils tourné au coin de leur ruelle qu'ils se trouvèrent pris dans le flot humain qui descendait vers la Grand-Place. Ils se laissèrent porter, tout étonnés de ne plus rien reconnaître des rues qui leur étaient si familières. Ils ne voyaient que des dos, des fesses, des jambes et, en levant le nez, le ciel blanc.

Mais le plus impressionnant, c'était le silence. Les gens marchaient sans parler, ou bien alors à voix basse. Pas d'appel ni de cris. Juste le bruit assourdi des pas et celui des respirations.

À mi-chemin, ils grimpèrent sur un muret et, de là, sur un rebord de fenêtre. Ainsi perchés, ils découvrirent bouche bée le spectacle saisissant de la Grand-Place sous la neige. C'était comme le tableau d'un peintre, un tableau immense, lointain et silencieux, mais un tableau mouvant. Une foule innombrable progressait au pas entre les barrières de bois, dessinant un interminable serpent replié vingt fois sur lui-même.

– On en aura pour des heures ! soupira Brisco.

– On verra, répondit Aleks. Peut-être que les gens nous laisseront passer entre eux ?

Moins d'un quart d'heure plus tard, ils prenaient place dans la file, l'écharpe enroulée autour du cou, les mains au fond des poches, les doigts serrés sur la chaleur des briquettes, s'apprêtant à patienter le temps qu'il faudrait.

Ils ne se ressemblaient pas autant que cela. Brisco, sous sa tignasse bouclée, était plus dense, plus massif. Seule la douceur du regard venait contredire un peu cette solidité. Il y avait dedans l'expression d'une confiance enfantine qui attendrissait.

Aleks était plus fragile, plus délié. Ses cheveux courts et bruns tombaient sur son front. Et si l'inquiétude était d'un côté, alors c'était du sien. Mais ils avaient la même taille et la même façon de regarder autour d'eux avec une intense curiosité. Et surtout, tous deux obéissaient à ce même réflexe de se rapprocher l'un de l'autre, de se toucher du bras afin de ne pas perdre le contact. Ils le faisaient sans même se regarder, sans y penser, comme si un fil invisible les avait reliés.

Au bout d'une heure d'attente, ils commencèrent à trouver le temps long, et dans leurs poches les briquettes avaient tiédi. Parfois, les adultes s'esquivaient et les invitaient à gagner quelques places.

– C'est bien, les enfants, vous êtes courageux, leur dit un gros homme au crâne chauve qui les précédait. Le roi aurait aimé ça. Passez donc devant.

Et il ajouta pour son voisin :

– Je suis venu spécialement de Grande Terre, j'ai tout laissé en plan : mon bateau, mes affaires, et je suis venu.

Malgré tout, cela dura encore une éternité avant qu'ils puissent apercevoir le grand lit de pierre dressé au milieu de la place. On ne pouvait passer qu'à son pied, les trois autres côtés s'ouvrant sur des espaces interdits d'accès. À distance, on ne distinguait pas le visage du roi, mais on devinait le grand corps allongé, le manteau royal rouge et or, et les bottes qui pointaient en l'air. Brisco tira sur la manche de son frère.

– C'est lui ?

– Ben, qui veux-tu que ce soit ?

Malgré son air bravache, Aleks était très impressionné et les yeux lui sortaient de la tête. Aux coins du lit, quatre soldats montaient la garde. On avait juste le droit de toucher la botte ou la jambe du roi, enfin c'est ce que faisaient les gens, semblait-il.

Le passage entre les dernières barrières était

tellement étroit qu'on avançait en file indienne. Bientôt, il ne resta plus qu'une dizaine de personnes devant eux. Aleks poussa Brisco devant lui.

– Vas-y ! Passe le premier !

Soudain, ils furent au pied du lit. La tête du roi était nue, auréolée de l'abondante chevelure argentée. Les flocons de neige qui voletaient tout autour donnaient un peu le vertige et faisaient croire à un rêve, et pourtant c'était vrai : le roi était mort, et son corps reposait là, dans le froid, au milieu de la Grand-Place.

Le visage barbu était paisible, comme si le roi faisait la sieste. On aurait dit que les vieilles mains croisées sur la poitrine allaient se soulever, poussées par la respiration, mais elles ne bougeaient pas, elles étaient figées comme les mains d'une statue. On aurait dit que les paupières allaient s'entrouvrir et que les yeux bleus allaient regarder le ciel, mais elles ne s'entrouvraient pas. Elles étaient fermées pour toujours. Le roi Holund ne dormait pas, il était mort.

– Allez, allez, fit le soldat, passez !

Brisco tendit le bras, toucha le bord du lit de pierre et passa. Aleks, lui, fit un pas de plus et il avança sa main vers la botte du roi. Le contact de ses doigts sur le cuir lui donna le frisson. « J'ai touché le roi mort ! »

– Allez, passe ! dit le soldat qui veillait à ce que personne ne s'attarde.

Il le dit avec bienveillance, ce n'était pas un jour où l'on avait envie d'aboyer.

Mais Aleks n'avait pas son compte, il voulait rester encore, alors il improvisa une chose insensée. Il n'y avait pas songé dans la seconde précédente, mais il osa : au lieu de s'en aller, de suivre le mouvement, sur les talons de Brisco et des autres, il fit un pas de côté, puis un autre, un autre encore, et il s'immobilisa. Les soldats ne réagirent pas. Pourquoi ? C'est difficile à comprendre. Peut-être parce qu'il avait exécuté son mouvement avec tellement de naturel et d'innocence, sans se cacher. Peut-être parce que chacun des quatre soldats avait compté sur les trois autres pour le faire déguerpir. Peut-être parce qu'il était un enfant. En tout cas, il était là maintenant et c'est tout juste s'il respirait. « Si je bouge un cil, se disait-il, ils me chassent. » Alors il ne bougea pas un cil, pendant plusieurs minutes. La neige s'accumulait sur la capuche de son manteau. Il ne la secoua pas, et cela fit sur sa tête une petite galette blanche qui monta, centimètre après centimètre.

Quand il sentit que sa place était gagnée, qu'il était presque oublié, qu'on avait sans doute admis qu'il ne gênait rien ni personne, il osa mieux regarder.

Le visage du roi, d'abord. C'était le plus passionnant, car les flocons de neige s'y déposaient avec délicatesse. Ils se prenaient d'abord dans la barbe fleurie, les sourcils, les cheveux, puis finissaient par blanchir le front, les joues, les tempes. Un soldat, toujours le même, un grand efflanqué qui se tenait à gauche de la tête du lit, s'approchait alors et soufflait. Il soufflait à plusieurs reprises, avec respect, à petits coups délicats *fhout fhout*... La neige s'envolait et le visage réapparaissait. Aleks avait l'impression que le roi s'en amusait et qu'un sourire se dessinait sur sa bouche, mais c'était plutôt le froid qui raidissait ses traits et donnait cette illusion.

Le roi semblait dormir et devant lui passait son peuple emmitouflé. Aleks observait ce défilé sans fin. Des gros, des maigres, des tassés, des grands dégingandés. Ils étaient venus de l'île entière, de ce bout du monde appelé Petite Terre. Seuls manquaient les malades et les mourants. Tous les autres étaient là : de très vieux et de très vieilles qui avaient connu le roi enfant, et qui s'avançaient, presque cassés en deux par l'âge et le chagrin ; des hommes et des femmes plus jeunes qui s'arrêtaient un instant, touchaient la pierre du bout des doigts, ou la botte, ou posaient leur front sur la jambe du roi. Si quelqu'un s'attardait un peu trop, un soldat s'avançait et le poussait avec ménagement de la crosse de son fusil.

– Allons, madame, allons, monsieur, passez, il y a encore beaucoup de monde qui attend.

Aleks ne sentait plus ses doigts. Les briquettes étaient froides maintenant dans ses moufles. Et ses pieds ? Étaient-ils gelés ou bien est-ce qu'ils brûlaient ? Voilà plus d'une heure qu'il était là sans bouger, dans le froid glacial. Il ne grelottait pas. Il avait eu très froid au début, et puis c'était passé. Il avait dû perdre conscience un instant, s'endormir debout, puisque les quatre soldats n'étaient plus les mêmes. Ils avaient été relevés sans qu'il s'en aperçoive. Et les nouveaux ne le chassaient pas non plus. Si ceux d'avant avaient toléré ce gamin, qu'il reste ! avaient-ils dû penser. Il était pétrifié. Le froid figeait tout, sauf les larmes salées qui coulaient sur les joues.

Le roi était comme une statue couchée, et lui

comme une statue debout. Il rit à l'idée que, s'il restait encore un peu, la nuit allait venir, que tous rentreraient chez eux, les hommes, les femmes, les chevaux, les soldats, et qu'il n'y aurait plus qu'eux deux sur la place déserte : le roi mort, sur son lit de pierre, et lui Aleks, debout à côté. La neige tomberait sur eux toute la nuit. Et au matin le premier passant s'étonnerait de le trouver là, il le basculerait, raide comme un bâton, sur son épaule ou sous son bras, et l'emporterait pour le faire dégeler.

Sur sa capuche, le chapeau de neige montait sans cesse. Il mesurait au moins vingt-cinq centimètres à présent et penchait dangereusement sur le côté gauche. Il en sentait le poids. « Si Brisco voyait ça, il éclaterait de rire », pensa Aleks sans secouer la tête.

C'est là, juste au moment où il imaginait le rire de son frère, que cela arriva. C'était un rêve, bien sûr, un simple rêve, puisque les morts ne bougent pas, c'est connu. Alors que le roi Holund, qui était bien mort pourtant, venait d'ouvrir ses yeux bleus comme de la glace. Ses longs cils blancs étincelaient de givre. Il se redressa lentement et s'assit sur le bord du lit de pierre. La neige glissa de son manteau royal et tomba en douce avalanche autour de lui. Son regard était rieur, comme il l'avait toujours été, mais l'expression du visage était inquiète et le sourire douloureux.

– Brisco..., soupira-t-il en regardant l'enfant.

– Je ne suis pas Brisco, voulut le corriger Aleks, je suis...

Mais ses joues, sa bouche et ses lèvres étaient

dures comme du bois et il ne parvint à émettre aucun son.

– Brisco, attention au feu…

Le roi hocha la tête à plusieurs reprises et répéta :

– Attention au feu, n'est-ce pas…

Sa voix était douce et calme. Triste.

– Le feu ? Quel feu ? demanda muettement Aleks.

Le roi sembla comprendre et répondit :

– Le feu qui brûle…

« Le feu qui brûle ! Je suis bien avancé avec ça, pensa le garçon. Le froid qui gèle, tant qu'il y est ! Et l'eau qui mouille ! »

Les gens continuaient à défiler au pied du lit et à s'incliner devant la dépouille du roi mort, parce qu'elle reposait toujours sur la pierre, comme avant. D'ailleurs, un soldat venait de souffler une fois de plus sur le visage pour en chasser les flocons. Le roi assis sur le bord du lit était comme un double qui serait sorti de l'autre, une sorte de fantôme chagrin que seul Aleks pouvait voir.

– Le feu qui brûle…, gémit-il. Le feu qui brûle…

Il se comportait comme un enfant qui connaît trois mots et les répète à l'infini en espérant qu'on finira par le comprendre.

Mais Aleks ne comprenait pas. Le feu n'était pas un ennemi, sur l'île froide de Petite Terre. Au contraire, on le chérissait, on le protégeait, on le couvait, depuis les braises rouges qu'on garde dans le fourneau pour le rallumer au petit matin jusqu'au grand feu qui crépite et monte dans le ciel nocturne, les jours de fête.

– Le feu qui brûle..., ânonna le grand roi, et il eut l'air de plus en plus triste. Attention au feu qui brûle...

Il soupira de plus belle, découragé par sa propre impuissance.

– Expliquez-vous mieux, Majesté, lui demanda Aleks. De quel feu parlez-vous ?

Mais l'effort était trop grand pour le roi mort. Sans doute avait-il épuisé toutes ses forces pour sortir de son corps, s'asseoir sur le bord du lit et dire quelques mots.

– Le feu qui brûle..., répéta-t-il une dernière fois, et il était près de pleurer.

Ensuite tout s'enchaîna très vite. Dans la foule, un homme traversa la file en bousculant tout le monde.

– Laissez-moi passer ! C'est mon fils qui est là !

Aleks tourna la tête et son chapeau de neige, qui atteignait trente centimètres au moins, s'effondra enfin.

– Aleks, bon Dieu ! Qu'est-ce que tu fabriques ? Tu es devenu fou ou quoi ?

Les soldats n'eurent pas le temps d'intervenir. L'homme se précipita sur l'enfant, le souleva comme une plume, le plaqua contre sa poitrine et l'emporta. Par-dessus l'épaule, Aleks vit encore le roi qui agitait sa main vers lui en un pauvre signe désolé.

– Brisco est rentré depuis plus de deux heures, et sans toi ! s'emporta le père. On s'est fait un souci !

Aleks essaya de parler, mais sa mâchoire tremblait et il bégaya :

– Je… je voulais… v-v-v-voir… le… le r-r-roi… m-m-mort…

– Tu voulais voir le roi mort ! Je sais ! Mais il est vieux le roi, il a le droit de mourir ! Toi, tu as dix ans !

– Il… il m'a… p-p-p-arlé, le r-r-roi…

– Qu'est-ce que tu racontes ?

– Il… m'a p-p-parlé… il m'a dit de f-faire at… attention au f-f-f-eu… au f-f-eu… mais il m'a pris pour B-b-brisco…

Le père posa sa large main calleuse sur le front de son garçon, mais il n'y trouva nulle trace de fièvre. Le front était comme tout le reste du corps : gelé. Les dents claquaient comme des castagnettes. Les lèvres étaient bleues.

À la maison, on fit en quatrième vitesse un grand feu dans la cheminée. On plaça Aleks tout nu devant, et on frotta sa peau blanche avec des serviettes chaudes. Ils s'y mirent tous les trois : Selma, la mère, frotta le dos et la tête, Bjorn, le père, le ventre et les jambes. Brisco frotta le derrière. Au bout d'un quart d'heure, le garçon se détendit un peu et on put l'asseoir sans le casser en deux dans le fauteuil réservé à son père, près de l'âtre. Il cessa de trembler et on comprit mieux ce qu'il disait :

– Je voulais juste rester un peu, ils m'ont laissé. Après, j'ai voulu partir, mais je pouvais plus, j'étais gelé…

– Aleks, bon sang, Aleks…, gémit la mère.

Elle aurait voulu se mettre davantage en colère, pour que ça lui serve de leçon, mais elle n'y arrivait pas. Le soulagement de retrouver son fils sain et sauf était trop fort. Le plus surprenant fut qu'il n'attrapa pas de bronchite, ni d'angine ni aucune autre maladie. Une fois réchauffé, il se retrouva en parfaite bonne santé, juste un peu hébété, comme s'il n'était pas tout à fait sorti de son rêve.

Ce soir-là, Brisco alla au lit à neuf heures, comme à son habitude, et dix minutes plus tard, il dormait, le nez contre le mur. Mais Aleks ne trouva pas le sommeil. Il resta longtemps étendu, les yeux grands ouverts, dans le lit voisin. En bas, les voix des adultes faisaient un bourdonnement auquel il était accoutumé.

Un soir par semaine au moins, on se réunissait dans la grande salle et l'ambiance était souvent joyeuse. Douze personnes pouvaient se trouver à la table ou bien autour de la cheminée. Il avait toujours aimé le brouhaha rassurant de ces conversations d'adultes, même quand il n'y comprenait pas grand-chose. Il écoutait les rires, les éclats de voix, les protestations, les monologues ou les disputes amicales. Au milieu de cette cacophonie, il reconnaissait parfois la voix claire et familière de son père ou celle douce de sa mère, mais sa préférée était celle profonde et naturelle de son oncle Ketil. Elle prenait le pas sur toutes les autres, cette voix, sans effort. Tantôt elle racontait une histoire, tantôt elle donnait des explications. Cela pouvait durer longtemps, si longtemps qu'il s'endormait souvent avec elle, rassuré.

Mais cette fois c'était différent. Il y avait de longs silences et comme une sourde inquiétude qui se propageait dans la maison, montait l'escalier et parvenait jusqu'à sa chambre, à l'étage. Et Ketil ne disait rien.

Quand il en eut assez, au bout d'une heure,

Aleks descendit les marches, en chemise de nuit, sur la pointe des pieds, presque certain d'être grondé. Mais toutes les têtes se tournèrent vers lui, souriantes, et il eut l'impression qu'on était content de le voir, content qu'un enfant vienne rompre la gravité de l'instant avec son insouciance et sa bonne bouille.

Une dizaine de personnes, assises en désordre, sur des fauteuils, des chaises ou un coin de banc, s'étaient rassemblées autour de la cheminée où dansaient des flammes jaune et rouge. Ketil chevauchait une chaise, accoudé à son dossier.

– Tiens, tiens, fit-il seulement, voilà notre Aleks !

Le garçon se dirigea droit vers sa mère qui le prit dans son giron et l'entoura de ses bras. Peu à peu la conversation reprit, à mi-voix. Il ferma les yeux. Des bribes de phrase lui parvenaient, cotonneuses :

– Pas pendant le deuil, quand même… il n'oserait pas…

– Si tu crois qu'il aurait le moindre scrupule…

– Un coup de force… tôt ou tard…

– Il faut réunir le Conseil…

– Qu'en penses-tu, Ketil ?

La main de sa mère caressait doucement le dos de la sienne. Il sentit qu'il allait s'endormir pour de bon. Avant de sombrer, il voulut les aider : son père, sa mère, son oncle, ces hommes et ces femmes qui semblaient soudain si fragiles et inquiets. Il savait quelque chose qu'eux ignoraient et il voulut le dire, pour leur porter secours. Mais le sommeil le tenait prisonnier, englué dans une coque de silence. Il eut l'impression d'être comme le vieux roi mort et que la force lui manquait.

Quelqu'un, son père sans doute, jeta dans la cheminée une bûche qui fit crépiter le feu. Les braises, déjà ardentes, redoublèrent de rouge, comme si elles étaient furieuses.

2 *La nuit des deux bébés*

Dans les jours qui suivirent, la maison des Johansson fut le théâtre d'allées et venues incessantes. L'oncle Ketil resta souvent pour partager les repas, et d'autres personnes, qu'Aleks n'avait jamais vues auparavant, s'ajoutèrent parfois. Bjorn, le père, s'absenta presque tous les soirs pour participer à des réunions. Il régnait dans la maison une tension inhabituelle. Aleks et Brisco furent tenus à l'écart de ce remue-ménage, mais on leur interdit de s'éloigner, même ensemble, et ils durent attendre la fin des funérailles pour avoir le droit de sortir. Comme c'était un jeudi, ils se rendirent à la bibliothèque royale.

Les lames du traîneau à deux places crissaient sur la neige durcie par le froid. Les deux garçons, assis épaule contre épaule et blottis sous la même couverture, regardaient la croupe du cheval sautiller en cadence juste devant eux. À l'arrière, le cocher se tenait debout, les rênes à la main, et il dirigeait l'animal d'un mouvement souple du poignet, d'un claquement de langue ou bien de quelques mots grommelés :

– Doucement, Tempête ! Va, va, mon grand ! Là, là…

Tout à l'entour était d'une blancheur éclatante : la route, les toits, les barrières de bois. L'attelage avançait maintenant entre des rangées d'arbres que le gel faisait étinceler. Aleks adorait ce trajet. Il l'avait parcouru des dizaines de fois mais le plaisir restait le même. Se laisser transporter, bien au chaud, serré contre Brisco, écouter le chant du traîneau sur la neige, la voix tranquille du cocher. Il fallait d'abord suivre, au trot, la rue principale, obliquer vers le nord en longeant le palais, contourner un grand étang gelé, enfin gravir au pas une montée sinueuse entre les pins. Cela prenait vingt minutes environ, un peu moins au retour.

– On est arrivés ! fit le cocher en stoppant son cheval juste devant l'escalier qui conduisait au perron de la bibliothèque.

Celle-ci se dressait au milieu d'un parc qui lui faisait un écrin de neige. On l'avait construite trois siècles plus tôt, sur un soubassement de pierres, puis tout entière de bois rond : mélèze, chêne ou pin. Sans un seul clou. On y avait travaillé comme ailleurs on travaille aux cathédrales. Avec le même soin, la même persévérance et la même ferveur.

– Mais *c'est* une cathédrale ! disait d'ailleurs l'oncle Ketil. Une cathédrale sans évêque peut-être, mais une cathédrale !

Le roi Holund s'était pris de passion pour ce lieu hérité de ses prédécesseurs et qui renfermait des dizaines de milliers de volumes rares et anciens. Il y passait le plus clair de son temps, penché sur des enluminures ou plongé dans la lecture d'une saga. Certains le lui reprochaient, pensant qu'il ferait mieux de construire des remparts pour se défendre de l'ennemi.

– L'ennemi ? répondait-il, moqueur. Quel ennemi ?

Sur ses vieux jours, les rhumatismes avaient commencé à lui faire des misères, et il peinait de plus en plus pour se déplacer dans les salles. Or, elles étaient nombreuses et vastes, ces salles, et quelquefois bien éloignées les unes des autres. Un architecte avait alors eu l'idée de concevoir pour Sa Majesté un rail qui desservirait l'ensemble de la bibliothèque et sur lequel circulerait un confortable petit chariot. Qu'en pensait-il ?

Le roi Holund était certes un bon roi, mais il pouvait se montrer tout à fait farfelu quelquefois.

– Soit, avait-il dit, mais je veux que tous les visiteurs puissent en profiter au même titre que moi. Réfléchissez donc à une installation qui le permette. N'ayez pas peur d'être fou ! Je vous soutiendrai.

Ce n'était pas tombé dans l'oreille d'un sourd. L'architecte avait imaginé un projet très déraisonnable qui consistait en un prodigieux réseau de galeries, plus de soixante kilomètres en tout, chacune habillée de parois lambrissées, équipée de son rail et d'élégantes lampes à huile accrochées tantôt à droite et tantôt à gauche. Il fit construire par les menuisiers de la Cour une « flottille » de cent jolis chariots, tous identiques. On pouvait s'y asseoir à quatre personnes et se faire face deux à deux pour la conversation. Les cordes de traction couraient, invisibles, dans les cloisons, si bien qu'on avait la sensation d'être emporté par magie. En réalité, ces cordes aboutissaient toutes dans une même salle où des équipes de jeunes gens les actionnaient sans trop de peine grâce à un ingénieux système de poulies. Les travaux durèrent plusieurs années et, à la grande surprise des esprits sceptiques, cela fonctionna à la perfection. Dès lors, la bibliothèque devint davantage qu'une attraction : les habitants de la Petite Terre, qui l'aimaient déjà beaucoup, en firent leur lieu préféré entre tous.

Les garçons repoussèrent la couverture et sautèrent du traîneau.

– Merci, monsieur Holm, à tout à l'heure!

– À tout à l'heure, les jumeaux! Et n'oubliez pas de donner le bonjour à Mme Holm de ma part.

– C'est promis, on n'oubliera pas.

C'était un jeu entre eux. M. Holm les conduisait depuis des années chaque semaine, le jeudi, à la bibliothèque royale sur son traîneau tiré par le cheval Tempête. Et Mme Holm les y accueillait avec son immuable sourire. Ils lui donnaient le bonjour de son mari, elle remerciait, et quand ils quittaient la bibliothèque, quelques heures plus tard, c'était le contraire. Elle leur disait :

– Au revoir, les jumeaux, et n'oubliez pas de donner le bonjour à M. Holm de ma part.

Ils ne manquaient jamais au rituel.

Avant de se lancer dans la descente, l'homme prit le temps de regarder les deux enfants monter les marches, pousser à deux la lourde porte et s'engouffrer à l'intérieur. Des bons petits, ceux-là, toujours polis et de bonne humeur. Il bourra sa pipe et se retourna. D'ici, la ville semblait dormir. Des fumées paresseuses montaient en volutes grises qui se dissipaient dans le ciel clair. La neige avait cessé de tomber la veille, dès la fin des funérailles du roi, comme si elle avait voulu l'accompagner jusqu'au dernier moment, pour l'honorer. Au-delà, la campagne s'étendait, toute blanche, en bois et collines. Holm la contempla et fouilla l'horizon, là-bas, vers l'est, où commençait la mer. Plus loin encore, de l'autre côté de l'eau, c'était Grande Terre, où il n'était jamais allé.

« Les jumeaux », avait-il dit, et tout le monde les appelait ainsi, or jumeaux, ils ne l'étaient pas, en réalité. Très peu de gens le savaient. Aleks seul était le fils de Selma. Elle l'avait mis au monde, au milieu de l'hiver, dix ans plus tôt, mais pas Brisco. Et cela vaut la peine de raconter dans quelles circonstances étonnantes.

Il est trois heures du matin et il y a trois personnes cette nuit-là dans la chambre au premier étage de la maison des Johansson : la sœur cadette de Selma, venue de province pour aider, une sage-femme accourue de la rue voisine et elle, Selma, la toute jeune maman, avec son ventre tendu comme une outre. Trois personnes donc, puis quatre avec l'arrivée de ce petit bout d'humain rose et vociférant qui deviendra Aleksander Johansson.

En bas patiente Bjorn, le père, inquiet comme tous les pères en cette occasion. Il est contremaître à la menuiserie royale et sait faire face en toutes circonstances, mais là il se sent inutile. Il entend les gémissements puis les cris de celle qu'il aime, là-haut au-dessus de sa tête. Il assiste aux allées et venues, montées et descentes pressées des deux femmes qui viennent chercher de l'eau chaude, des serviettes. Et quand on l'appelle enfin pour qu'il voie son fils – car c'est un fils – il gravit les marches de bois, le cœur près d'exploser dans sa poitrine. Bjorn veut dire «fort comme un ours», mais cet ours-là semble bien inoffensif et pataud en soulevant dans ses larges mains le nouveau-né qui ne pèse presque rien. Larmes, rires, embrassades, enfin tout ce qu'il faut pour fêter la naissance comme il se doit. Mais les jeunes parents ignorent encore l'incroyable surprise qui les attend dans la même nuit.

Le bébé dort à peine contre sa mère, dans le calme revenu de la maison, qu'on frappe à la porte, en bas : bam bam bam! *Dix fois au moins. Bjorn descend ouvrir, s'attendant à trouver devant lui un collègue ou un soldat. Pour frapper aussi fort, il faut avoir des poings et des bras. Surprise, c'est une toute petite femme noiraude, bossue et ratatinée qui se tient là, dans le froid, et qui s'impatiente. Bjorn la connaît bien, c'est Brit, la vieillarde mi-sorcière mi-bonne fée.*

D'ailleurs tout le monde la connaît. Et les enfants en ont peur. On raconte qu'elle se régale de rats crus, qu'elle mange même les têtes mais qu'elle garde les queues, par centaines, dans des boîtes. Pour quoi faire? Elle les dépose sans se faire voir chez ceux à qui elle veut du mal. Les queues sont si rabougries et elle les cache si bien qu'on ne les trouve jamais, et les malheurs arrivent sans qu'on sache comment. Un jour, Brisco a cru en trouver une sous la huche à pain.

– Maman! Papa! Aleks! a-t-il hurlé, saisi de

terreur. Une queue de rat de la sorcière Brit ! Une queue de rat de la sorcière Brit !

Mais ce n'était qu'un fil de laine poussiéreux oublié par terre. Tout le monde a bien ri et l'histoire a fait le tour du quartier. Quand Aleks veut faire enrager son frère, il l'imite en prenant une petite voix geignarde et ridicule : « Maman ! Une queue de rat de la sorcière Brit ! Au secours ! » Alors Brisco fait semblant d'être furieux, se jette sur lui et ils se battent en riant. Ils ont même décidé que, si un jour l'un des deux était en danger, alors il dirait ça : « Queue de rat de la sorcière Brit », comme un mot de passe, un code secret qu'eux seuls pourraient connaître, et l'autre volerait à son secours, au péril de sa vie, sans que rien ne puisse l'arrêter. Ils ont fait le serment, juré à la vie à la mort, craché au sol et mélangé leur crachat avec un bâton.

On dit aussi que Brit peut résister des nuits entières dehors, dans le froid glacial, sans mourir ni même s'enrhumer, preuve évidente que le feu de l'enfer la chauffe de l'intérieur. De la même façon, elle peut marcher pieds nus sur des braises ardentes sans se brûler, preuve supplémentaire qu'elle y est habituée.

Voilà pour le mal. Mais si on a besoin d'elle du côté du bien, elle est là aussi et ne demande rien en retour. Par exemple, elle peut courir au bout de la lande, s'écorcher les jambes et les bras pour cueillir au fond d'un ravin inaccessible une herbe connue d'elle seule et qui va guérir un enfant malade, faire tomber sa fièvre, arrêter sa toux ou sécher sa plaie.

– Bjorn, laisse-moi entrer hu-hu… vite !

Elle tient dans ses bras un deuxième nouveau-né enveloppé dans une couverture, aussi braillard et affamé que le premier, mais avec une différence : il est tout fait, celui-ci ! Il la laisse entrer, bien sûr. Dehors, il doit faire quinze degrés en dessous de zéro !

– Il a juste un jour... il a faim hu-hu..., dit la vieille.

Quand elle inspire, elle émet un bruit bizarre qui rappelle celui du vent glacé dans la plaine : hu-hu... C'est impossible à imiter, et c'est très inquiétant. C'est peut-être l'air qui siffle dans les trous de ses dents ?

– Sa mère est morte en couches... elle a perdu trop de sang... hu-hu... il faut que Selma le prenne... on trouvera une autre nourrice après... c'est juste pour l'allaiter quelques jours en attendant hu-hu... moi je peux rien pour lui, mes seins sont comme des vieux pruneaux secs hu-hu... tu comprends ?

Il comprend, et Selma n'y voit pas d'inconvénient non plus. Si ça peut rendre service... si c'est pour quelques jours... On lui monte le bébé dans la chambre. Il est beau et dodu. À l'intérieur de son pouce gauche, dans le gras, il y a le léger relief en croix d'une marque brune bien dessinée, comme une brûlure. Qu'importe. Comme Selma a du lait plus qu'il n'en faut, elle lui donne la tétée. Il boit goulûment et, un quart d'heure plus tard, les deux nourrissons dorment blottis l'un contre l'autre, exactement comme s'ils étaient de la même couvée. Pour la première fois, les voilà bras contre bras, collés l'un à l'autre, et c'est parti pour longtemps !

Car d'autre nourrice, il n'en vient pas, ni les jours qui suivent, ni jamais, et personne ne réclame l'enfant. Et Brit ne se montre pas.

En quittant la maison, elle s'est retournée, sur le seuil, elle a vissé ses yeux minuscules et délavés dans ceux de Bjorn et lui a chuchoté :

– C'est pas la peine d'en parler à tout le monde hu-hu... ça pourrait porter malheur au petit... je vous conseille de vous taire... en attendant, vous aurez qu'à dire hu-hu... que Selma a eu des jumeaux et voilà... c'est pas si étonnant hu-hu... son ventre était tellement rond, hein ? Et ça pourrait porter malheur au petit, je te l'ai déjà dit, Bjorn...

– Comment s'appelle-t-il ? a-t-il demandé tandis que le tablier noir de Brit s'éloignait déjà dans la nuit.

Sans se retourner, la sorcière a levé les bras en signe d'ignorance et elle a disparu.

Alors, même si les Johansson ne croient guère à toutes ces fadaises, ils se disent qu'il s'agit d'un enfant après tout, qu'il vaut mieux ne prendre aucun risque, et ils se taisent. La sœur et la sage-femme se tairont aussi, c'est promis. Pour le prénom, ils ont longtemps hésité entre Aleksander et Brisco, au cas où ce serait un garçon. Aleksander est pris, reste Brisco, alors va pour Brisco.

Ils grandissent l'un à côté de l'autre, comme des frères jumeaux qu'ils ne sont pas, mais qu'ils sont tout de même, enfin c'est tout comme. Ils ont la même taille et peuvent échanger leurs vêtements sans y penser. S'il y a deux manteaux accrochés à la porte, le premier arrivé prend le premier manteau qui lui tombe sous la main et voilà. Le second prend celui qui reste. Pareil pour les pantalons, les chaussures, les écharpes, les bonnets. Ils mangent les mêmes aliments, boivent le même lait, attrapent en même temps les mêmes maladies dont ils *guérissent en même temps. Se font gronder pour les mêmes bêtises et féliciter ensemble s'ils le méritent. Ils jouent des milliers d'heures sans se lasser l'un de l'autre, ne se disputent jamais. Aleksander devient Aleks parce que c'est plus court à dire, et plus gentil. Brisco reste Brisco.*

Les années passent et dix fois Selma est près de lui dire, à Brisco. Il a le droit de le savoir tout de même, et ce n'est pas si difficile à expliquer :

– Écoute, Brisco. Tu es grand maintenant, puisque tu as l'âge de raison, sept ans, alors il faut que je te dise ceci : je suis ta mère, bien sûr, et je le resterai toujours, mais voilà, lorsque tu es né, ta vraie mère, enfin je veux dire la femme qui… Non, ça ne va pas.

– Écoute-moi, Brisco, tu es en âge de comprendre puisque tu as huit ans, alors voilà : tu n'es pas sorti de mon ventre comme Aleks. On t'a amené à moi tout petit parce que… Non, ça ne va pas non plus.

– Brisco, maintenant que tu as dix ans, il y a une chose que je voudrais te dire : ce qui compte le plus pour une mère, ce n'est pas forcément d'avoir porté son enfant, enfin ça compte bien sûr, mais le plus important c'est tout ce qu'elle… tout ce qu'il… enfin tout ce qu'ensemble…

Non, décidément ça ne va pas non plus. Rien ne va. Elle a peur qu'il la regarde avec des yeux effarés et qu'il éclate en sanglots.

– Mais alors, j'ai pas de maman…

Elle a surtout peur de sa colère :

– Pourquoi tu me l'as dit ? J'avais pas besoin de le savoir, moi ! J'étais heureux ! À quoi ça me sert de le savoir, hein ?

Alors elle se tait.

De plus, elle n'a jamais oublié le terrible avertissement de la sorcière Brit : « Ça pourrait porter malheur au petit... » La vieille l'a dit et répété : « Ça pourrait porter malheur au petit. » Jusqu'ici, il n'a eu que du bonheur. Est-ce que ce n'est pas justement parce qu'ils se sont tus ? On a beau ne pas y croire...

Sa hantise, c'est qu'un jour quelqu'un qui voudrait du mal à Brisco, pour une dispute, pour une bêtise, lui jette la terrible insulte à la figure :

– Hé, Brisco ! T'es pas le fils de Selma, t'es un bâtard ! Tu le savais pas, hein ? Eh ben, tu le sais maintenant ! Un bâtard, ah ! ah ! un pauv' bâtard ! Demande-lui, à ta mère, demande-lui donc ! Et regarde bien la tête qu'elle fait quand tu le diras ! Et tu verras si j'ai pas raison !

Mais personne, pour l'instant, ne veut de mal à Brisco. Comment pourrait-on vouloir du mal à ce gentil garçon ? D'ailleurs, il y a si peu de personnes dans le secret. Il y a elle, bien entendu, Selma. Il y a sa sœur cadette. Il y a Bjorn et il y a la sage-femme. Alors que craindre ? Aucun de ceux-là ne parlera jamais. Elle sait bien, cependant, qu'elle se ment à elle-même pour se rassurer, car il y a forcément d'autres personnes qui savent. Brit la sorcière, d'abord, qui fait comme si rien n'était jamais arrivé.

Selma a essayé de l'interroger, un jour, mais la vieille a tourné les talons sans répondre, même pas un petit hu-hu... *Et d'autres savent. Cet enfant n'est pas tombé du ciel. Selma fait souvent le même cauchemar : trois cavaliers vêtus de noir viennent frapper à la porte et lui disent : « Merci, Selma, d'avoir pris soin du petit, mais ce n'est pas le tien, tu le sais. Nous sommes chargés de le reprendre. Allez, donne-le et ne fais pas d'histoires. »*

Elle se réveille en nage, court au lit de Brisco et pleure en caressant la main de l'enfant endormi.

– Mon enfant, dit-elle. Mon petit garçon…

Car c'est son garçon, maintenant, autant que l'autre, oui, autant que l'autre, aussi fort. Elle ne se doute pas qu'il y aura bien un drame, mais qu'il ne ressemblera pas du tout à son cauchemar. Et qu'il est très proche.

3 « *File la lune…* »

Aleksander et Brisco traversèrent le hall d'accueil de la bibliothèque royale. Ils semblaient minuscules dans ce décor grandiose surmonté par la haute voûte du plafond. Des milliers de volumes en exposition emplissaient les étagères. Cela sentait bon le bois, le cuir, le papier. Les deux enfants se retinrent de courir jusqu'au long bureau où Mme Holm officiait en compagnie de trois autres dames. Elle les regarda s'approcher à travers ses lunettes à verres épais qui la faisaient ressembler à une chouette.

– Vous avez le bonjour de M. Holm ! lui lança Brisco sans avoir la patience d'être devant elle.

– Ah, très bien, merci ! répondit-elle avec autant de sérieux que possible. Il va bien, j'espère ?

– Parfaitement ! enchaîna Aleks. Je lui ai trouvé une mine superbe ce matin !

Elle éclata de rire. Elle non plus ne se lassait pas de ce petit jeu. Ils bavardèrent quelques instants puis, comme d'autres visiteurs se présentaient, elle dut abréger.

– Alors, les enfants, où voulez-vous aller ce matin ?

– *Njall le Brûlé* ! répondirent-ils d'une même voix.

– Encore ! Mais vous le connaissez par cœur !

– Oui, mais on veut le relire. Et puis on s'arrêtera en route.

– Bon. Eh bien vous connaissez le chemin : chariot 47, changement à la salle des Fumées puis chariot 47 B jusqu'au terminus. Bonne route ! Et si vous avez le moindre problème, n'oubliez pas…

– … la poignée rouge ! acheva Brisco. On sait !

S'ils adoraient lire et relire *La Saga de Njall le Brûlé*, c'était bien sûr parce qu'elle rassemblait des histoires drôles et palpitantes, mais aussi parce qu'il fallait effectuer, pour atteindre ce livre, un des voyages les plus surprenants de la bibliothèque.

– À tout à l'heure ! dirent-ils gaiement et ils s'en allèrent.

Mme Holm, comme l'avait fait son mari, les regarda s'éloigner avec attendrissement, puis elle les oublia.

Les deux garçons marchèrent vers un panneau de bois blanc sur lequel était peint le mot DÉPARTS en lettres de couleurs vives. Le mur était constitué d'une centaine de niches superposées et alignées en rangées régulières. Dans la plupart de ces loges attendait un chariot sur son rail. Pour accéder à celui qui portait le numéro 47, ils montèrent un escalier latéral et empruntèrent une passerelle sécurisée par une rampe. Ils prirent place côte à côte sur le siège rembourré, ravis de constater qu'ils étaient les seuls passagers pour leur destination.

Ils quittèrent leur manteau, qu'ils posèrent sur leurs genoux. Brisco étendit ses jambes devant lui et passa son bras gauche sur les épaules d'Aleks. De sa main libre, il caressa le bois lustré de l'accoudoir du chariot. Il aurait été difficile de trouver une seule écharde dans toute la bibliothèque.

– À toi l'honneur, Aleks ! Donne le départ !

Au-dessus de leur tête pendaient deux cordons tressés, avec une boule à leur extrémité. Aleks tira sur le jaune. Ils attendirent moins de trente secondes, puis une trappe à deux volets s'ouvrit dans le mur et le chariot s'engagea dans la pente douce d'une galerie éclairée tous les dix mètres environ par une lampe à huile. Ils roulèrent ainsi pendant quelques minutes, puis la route s'incurva sur la droite et commença à monter. Le chariot semblait maintenant tracté par une force silencieuse et invisible.

Il y eut ensuite un long replat et ils débouchèrent dans la salle des Fumées. Elle était faite d'une succession de petits bassins de pierre remplis d'une eau bleutée à la surface de laquelle flottait une vapeur légère. Une dizaine d'hommes et de femmes vêtus de longues chemises de bain y étaient immergés jusqu'au cou.

– On y va ? proposa Aleks.

Ils adoraient se baigner dans cette eau délicieusement chaude venue du fond de la terre. Parfois même ils venaient à la bibliothèque juste pour passer une heure à paresser dans un des bassins.

– Pas le temps ! répondit Brisco. Viens, on va prendre le 47 B !

Ils sautèrent de leur chariot et montèrent dans celui qui conduisait à la chambre des Sagas, son terminus. Après quelques centaines de mètres plutôt paisibles, la pente se faisait si forte qu'on avait l'impression de plonger dans un gouffre puis, pendant plusieurs secondes, de tomber en véritable chute libre. Comme d'habitude à cet endroit, ils hurlèrent d'excitation et de plaisir, agrippés l'un à l'autre. Les adultes appréciaient moyennement ce moment de la traversée, mais les enfants y tenaient tellement qu'on l'avait finalement conservé.

Peu après, ils parvinrent à une nouvelle salle dont les murs étaient faits d'étagères chargées de livres. Une dizaine de personnes étaient installées sur des fauteuils et lisaient. Quelques enfants assis sur des bancs écoutaient un conteur qui faisait la lecture, debout. Il était vêtu d'une cape et ses cheveux blancs hérissés lui donnaient l'air d'un savant fou.

– On s'arrête un peu ? proposa Brisco.

– D'accord, souffla Aleks.

Il tira le cordon vert. Le chariot ralentit et s'immobilisa.

– Comme vous le savez, expliquait le conteur en donnant son poids à chaque mot, les *afturganga* sont de terribles revenants. Ils viennent chercher les vivants pour les entraîner dans l'au-delà. Pour en venir à bout, il faut les pouvoirs occultes d'un prêtre ou bien la force d'un colosse. Voulez-vous que je vous raconte une de ces légendes ? Je vous préviens, elle est un peu effrayante. Y en a-t-il parmi vous qui préfèrent partir ?

– Non, non ! firent les enfants, et pas un ne bougea.

– Bien, voici donc la légende du diacre de Myrka.

– Ouais ! souffla Brisco, je la connais, elle fait drôlement peur !

Un agréable frisson leur parcourut les reins.

– Un jour, commença le conteur, le diacre de Myrka décida de se rendre à Baegisa pour inviter sa fiancée Gudrun à fêter Noël avec lui.

– C'est quoi un diacre ? demanda une fillette à qui il manquait deux incisives.

– Un diacre est celui qui se charge de distribuer les aumônes pour l'église. Le diacre de Myrka prépara donc ses bagages, sella son cheval Faxi et prit la route. C'était au milieu de l'hiver…

Déjà le petit auditoire était sous le charme de la voix précise et bien timbrée. Les adultes écoutaient aussi, mine de rien, on le voyait à leur attitude. Le conteur décrivit la robe claire du cheval Faxi et sa crinière grise, le détail des provisions emportées, la neige sur la route, les cris des oiseaux dans le ciel bas. Il raconta comment le diacre, pour franchir la rivière Höörga, s'aventura imprudemment sur un pont de glace et comment celui-ci s'effondra.

– Le diacre sombra dans la rivière, dit-il, et il mourut noyé, ou de ses blessures, ou peut-être des deux à la fois ! Quand on retrouva son corps, plus tard, on vit qu'un bloc de glace lui avait brisé la nuque. Mais le jour même, personne ne sut rien de l'accident car c'était dans un endroit absolument désert. Ainsi, quand le lendemain Gudrun vit le cheval Faxi devant sa maison, elle pensa que l'homme qui se présentait à elle était…

– … le diacre !

– Oui, son fiancé, le diacre. Alors que c'était son revenant, l'*afturganga*, vous l'avez compris.

Elle ne se douta de rien, accepta volontiers l'invitation, rassembla à son tour ses affaires et monta en croupe.

Arrivait maintenant le moment de l'histoire tant attendu par Brisco. Il poussa son frère du coude.

– Tu vas voir, ça fait peur.

Le conteur baissa la voix et ses yeux s'arrondirent.

– Ils chevauchèrent un moment sans se parler. Puis la lune sortit des nuages, et le diacre se retourna vers Gudrun. Il dit ceci : « *File la lune… chevauche la mort… ne vois-tu pas la tache blanche sur ma nuque… Garun… Garun…* »

Le conteur avait chuchoté ces derniers mots et on aurait pu penser qu'à cet instant c'était lui l'*afturganga*. Sur les bancs, les bouches s'étaient ouvertes et les enfants se tenaient aussi immobiles que des pierres.

– Je comprends…, se dit Gudrun et elle sauta à terre, épouvantée ! Il était plus que temps car, au même moment, l'équipage entrait dans un cimetière et se précipitait dans une tombe ouverte ! Le revenant s'était trahi : comme tous ceux de son espèce, il ne pouvait pas prononcer le nom de Dieu : *Gud*, ni donc le prénom de *Gud*-run qu'il était obligé de transformer en *Ga*-run. La jeune fille, terrorisée, sonna la cloche du cimetière jusqu'à ce qu'on vienne à son secours. Dans les jours qui suivirent, elle ne put rester seule et il fallut veiller sur elle chaque nuit. Enfin elle alla mieux, mais on dit qu'elle ne fut jamais plus comme avant…

L'histoire était finie. Le dernier mot fut suivi d'un silence, puis les enfants applaudirent, un peu pour remercier l'artiste, et beaucoup pour entendre un bruit rassurant.

Pendant le récit, les deux garçons étaient restés tournés vers le conteur. Quand ils se remirent dans le bon sens pour continuer leur route, ils sursautèrent. Une femme, debout à côté du chariot, leur souriait. Une très élégante femme blonde.

– Oh ! s'amusa-t-elle, je suis désolée de vous avoir fait peur. Vous allez aussi à la chambre des Sagas, je suppose ?

– Oui, répondit Brisco.

– Alors je suis chargée de vous dire que le 47 B n'y va pas aujourd'hui. Il y a des travaux sur la ligne et nous devons emprunter une déviation. Je vous conduis.

Sa voix était grave et elle avait une façon singulière de rouler les *r* et de moduler ses phrases, un peu comme quelqu'un qui ne parlerait pas dans sa langue maternelle. C'était une étrange musique, à la fois ensorceleuse et inquiétante.

– Ah, bon ? firent les garçons et ils la suivirent sans méfiance.

Tous les trois marchèrent vers un autre chariot qui attendait contre le mur. Aleks remarqua les planches mal rabotées et la rouille sur le métal des roues.

– Pas très confortable…, grogna Brisco en s'asseyant à côté de son frère, dans le sens de la marche.

– Rassurez-vous, le voyage sera court, fit la dame et elle prit place en face d'eux. Nous allons suivre une ancienne galerie.

L'éclairage posait une lumière dorée sur le satin

de ses joues et de ses mains. Ses ongles longs et soignés n'étaient pas ceux d'une femme d'ici. Un manteau de fourrure, du renard peut-être ou bien de la loutre, recouvrait ses épaules fines, son corps svelte et ses longues jambes croisées. Ses yeux brillaient d'un éclat jaune comme ceux des louves. Elle portait un bonnet, de fourrure lui aussi.

Le chariot, bien que grossièrement construit, était équipé de la poignée rouge et des mêmes cordons que les autres. Sans attendre, Brisco tira sur le jaune et ils s'engagèrent dans la galerie qui trouait le mur sur la gauche. Les murs étaient faits de terre et les lampes tout juste suffisantes. Ils voyagèrent d'abord dans le silence. Comme l'*afturganga* du diacre de Myrka et sa fiancée Gudrun ! se dirent les deux garçons sans se concerter. Ils étaient déçus de devoir partager le chariot désormais, et d'être ainsi empêchés de s'amuser à leur guise. Mais la jolie dame ne leur prêtant aucune attention, ils finirent par s'accommoder de sa présence et presque l'oublier.

Comme ils suivaient un couloir obscur, Aleks se pencha à l'oreille de Brisco, prit sa voix la plus sinistre et chuchota :

– *File la lune… chevauche la mort… Garun… Garun… Ne vois-tu pas la tache blanche…*

– Arrête ! cria Brisco et ils s'empoignèrent en un simulacre de bagarre.

Le calme revenu, ils glissèrent un long moment sans rien dire dans une côte assez raide, puis à nouveau sur un plat. Même s'il s'agissait d'une déviation, le voyage leur semblait étrangement long. Comme si le chariot s'était perdu dans le dédale des galeries, ou bien comme si les distances s'étaient allongées. À présent, on était dans la pénombre.

– Vous êtes les fils Johansson ? demanda la dame d'une voix veloutée.

C'était tellement inattendu qu'ils sursautèrent une seconde fois.

– Oui, répondit Brisco, le plus prompt des deux.

– Oh, très bien ! approuva la femme, et elle eut l'air ravi.

Aleks se demanda ce qu'il pouvait bien y avoir d'aussi réjouissant pour cette dame qu'ils soient les fils Johansson comme elle disait. Mais il eut surtout, dans la seconde même, la brève et puissante envie de tirer sur la poignée rouge. Ce fut comme un mouvement instinctif de survie, quelque chose d'animal et d'irrationnel. Au lieu de cela, il se raisonna, ainsi que ses parents le lui avaient enseigné : est-ce qu'une jolie dame qui vous demande poliment si vous êtes les fils Johansson représente un danger ? Non, bien sûr que non ! Mais d'autre part, son père le lui avait souvent répété : « Suis ton intuition, mon garçon ! écoute ton cœur et ton intuition... Ils ne te tromperont jamais. » La vie est décidément compliquée... En tout cas, il ne tira pas sur la poignée rouge.

S'il l'avait fait, le chariot se serait arrêté à la première station rencontrée, et quelqu'un serait venu à l'aide, avec des flambeaux qui auraient tout éclairé en grand. Peut-être la dame serait-elle alors partie sans demander son reste. Peut-être aurait-elle même purement et simplement disparu, comme ces créatures des ténèbres qui ne supportent pas la lumière du jour et s'éclipsent à la première lueur de l'aube. Il ne tira pas sur la poignée rouge.

– Vous êtes jumeaux, n'est-ce pas ? demanda l'élégante dame blonde.

Ils opinèrent. Elle sourit.

– Et vous vous appelez Aleksander et Brisco…

Ils ne purent qu'approuver à nouveau.

– Voyons, lequel de vous deux est le plus rapide à la course ?

– On est à égalité…, répondit Brisco, et Aleks confirma en hochant la tête.

– Oh, je vois ! fit la dame.

Au passage de chaque lampe, l'émail étincelant de ses dents brillait entre ses lèvres parfaites. Aleks et Brisco avaient croisé beaucoup de jolies femmes dans les rues de la ville, mais celle qui était assise là, à moins d'un mètre d'eux, les surpassait toutes. Elle ne les lâchait pas des yeux, allant de l'un à l'autre, et elle semblait les trouver prodigieusement intéressants.

– Et le plus gourmand ? Lequel de vous deux est-il le plus gourmand ?

– Je crois que c'est moi, répondirent-ils dans un ensemble parfait.

Cette fois, elle éclata d'un rire clair. « Comme ils sont charmants ! » semblait-elle penser.

– Et lequel des deux est-il le plus… chanceux ? Dites-moi…

Les garçons se regardèrent. Ils ne s'étaient jamais posé cette question-là. La chance venait pour les deux à la fois ou pour aucun, sans doute. Leur silence ne découragea pas la dame.

– Montrez-moi donc vos mains et je vous le dirai.

– Nos mains ?

– Oui. Il y a dans vos mains des lignes qui parlent. Vous ne le saviez pas ?

Aleks secoua mollement la tête. Il n'avait pas envie de poursuivre la conversation. Le charme affiché de cette inconnue le mettait mal à l'aise. Brisco, en revanche, n'y semblait pas insensible.

– Non, dit-il. On savait pas.

Aleks le poussa du genou pour l'alerter : « Méfie-toi, Brisco, méfie-toi ! Tu ne sens donc pas qu'il faut se méfier ? » Mais il vit que son frère était déjà ailleurs.

– Vraiment ? fit la dame.

Et elle se pencha vers eux.

Elle saisit sans manières la main gauche d'Aleks et la retourna vers le haut, paume ouverte.

– Voyons... Oh, mais tu as une ligne de cœur magnifique ! Regarde comme elle est bien tracée et comme elle va du poignet jusqu'au mont de Jupiter, là sous ton index ! Une splendeur !

Les doigts doux et tièdes s'attardaient sur ceux d'Aleks qui se sentit partagé entre le bien-être et la gêne.

– J'ai rarement vu une ligne de cœur aussi parfaite, tu sais ? Tu vivras un grand amour, je te le prédis.

Il y eut un silence, puis elle le regarda en plissant les yeux d'un air canaille.

– Mais tu as peut-être déjà une amoureuse ?

– Non, bredouilla Aleks, et Brisco pouffa de rire.

– Un très grand, très long et très bel amour..., continua la dame, rêveuse. Quelle chance !

Aleks ne savait que dire.

– Merci…, fit-il bêtement, pour abréger, et il retira sa main.

C'était au tour de Brisco, maintenant, et il tendait déjà la sienne, impatient de savoir. Curieusement, la femme ne la saisit pas tout de suite. Elle se contenta de regarder de loin la paume ouverte de Brisco, mais ce qu'elle y vit suffit à la transfigurer. L'espace de quelques secondes, elle ne se ressembla plus. Comme si elle oubliait le rôle qu'elle était en train de jouer. Ou plutôt comme si une autre personne, plus dure, et cachée sous les traits de la première, venait de prendre sa place. C'était dans la lueur jaune et froide des yeux, dans l'arête trop sévère du nez.

– Montre-moi ça…, dit-elle, puis lentement, très lentement, elle avança ses deux mains, prit celle de Brisco et observa.

– Oui… oui…, murmura-t-elle. C'est bien ça… Tu…

– J'ai une belle ligne de cœur moi aussi ? demanda le garçon.

– Oui, enfin non, c'est-à-dire que tu…

Cette femme si sûre d'elle un instant plus tôt semblait maintenant en proie à une émotion violente.

Le chariot glissait à faible allure le long d'une galerie terreuse. Les têtes des voyageurs touchaient presque le plafond trop bas. On avait de plus en plus l'impression d'être engagé dans un tunnel à l'abandon et qui n'aboutirait nulle part.

– Eh ! s'exclama Aleks. Où on est ? On s'est perdus !

– Ouais, confirma Brisco, je suis jamais passé par là !

– Ne vous inquiétez pas, dit la dame sans quitter des yeux la paume ouverte de Brisco. C'est juste une déviation. On ne vous l'a pas dit ?

Non, Mme Holm ne leur avait rien dit, et Aleks ne put s'empêcher de penser que c'était une chose tout à fait impossible. Cette bonne personne n'aurait manqué pour rien au monde de les prévenir si elle avait su quoi que ce soit. L'angoisse lui serra la poitrine. Il fit un mouvement en direction de la poignée rouge, prêt à la tirer. Mais il fut stoppé net. La dame emprisonna son bras dans l'étau de ses longs doigts fins, et il fut stupéfait de la force qu'elle possédait.

– Ne touche pas à ça ! aboya-t-elle puis, consciente de sa brusquerie, elle continua d'une voix plus douce : Laisse, mon garçon, laisse. Nous allons arriver bientôt.

Le chariot grinçait péniblement sur son rail. Ils suivirent un long boyau obscur qui se fit de plus en plus étroit. Les deux garçons se serrèrent l'un contre l'autre.

– Regarde, chuchota Brisco en pointant son doigt vers le sol, devant eux, on dirait la corde qui tire le chariot ! Elle traîne par terre !

– Oui, c'est pas normal. Et puis on n'avance pas comme d'habitude.

Effectivement, au lieu de progresser avec régularité, le chariot faisait des à-coups, comme si le tireur ne savait pas s'y prendre, là-bas, au bout.

– Où tu crois qu'on va ? chuchota Brisco.

– Je sais pas...

Une lueur apparut enfin dans le lointain, comme un rai de lumière sous une porte.

– Nous y voilà..., dit la dame.

C'était une porte, en effet, faite de planches grossières, et si basse qu'on ne pouvait la franchir qu'accroupi. Elle bouchait le fond de la galerie et en constituait la fin. Le chariot buta contre elle. La dame, sans avoir à descendre, se retourna et frappa plusieurs petits coups. Comme personne ne répondait, elle cogna du poing, beaucoup plus fort.

– C'est vous, m'dame ? demanda une voix bourrue, de l'autre côté.

– Bien sûr que c'est moi, imbécile ! Lâche la corde et ouvre donc !

La porte, mal ajustée, frotta sur la terre, les gonds hurlèrent, et la lumière éblouissante du jour se déversa à flots dans la galerie. Les trois occupants du chariot, aveuglés, couvrirent leurs yeux à deux mains.

Ensuite, tout alla très vite. Une tête énorme et hirsute apparut dans l'encadrement. Une véritable hure de sanglier. L'homme s'avança à quatre pattes et demanda simplement :

– C'est l'quel ?

– Celui-ci ! fit la dame en désignant Brisco.

Alors l'homme déplia son bras puissant, empoigna Brisco par le col de sa veste, l'arracha à son siège et le tira vers lui.

– Brisco ! cria Aleks, et il s'accrocha à son frère.

Pour la seconde fois, la dame donna la preuve de sa force : elle cogna avec furie sur le bras d'Aleks jusqu'à ce que la douleur l'oblige à lâcher prise.

Dès que l'homme et son butin eurent disparu à l'extérieur, elle sauta elle-même par-dessus le bord du chariot et franchit la porte en rampant, indifférente au mélange de terre et de neige qui souillait ses jambes et ses vêtements.

– Brisco ! hurla Aleks et il tenta de les suivre.

Il engagea l'avant de son corps dans l'ouverture, mais la femme, couchée sur le dos à l'extérieur, le bourra de coups de pied pour l'empêcher de passer.

Comme il ne cédait pas, l'homme vint à la rescousse et lui porta un violent coup de genou dans le visage. Aleks fut projeté en arrière dans la galerie, sa tête heurta le chariot. Quand il parvint à se relever, étourdi par le choc, la porte s'était refermée, le laissant dans le noir. Il se jeta dessus, espérant l'ouvrir, mais il n'y avait aucune prise. Il s'y cassa les ongles. Il tambourina. Puis il posa sa tête contre le bois, suffoquant de sanglots.

Soudain, dans son désarroi, il pensa à la poignée rouge. Il la chercha à tâtons, la trouva et tira dessus si fort que le cordon se rompit et lui resta dans les mains. Est-ce que quelqu'un là-bas, au bout, avait tout de même reçu son appel ?

De l'autre côté de la porte, le bruit de lutte continuait. Brisco ne se laissait pas faire. Il résista jusqu'à ce que l'homme s'impatiente et lâche un juron suivi d'un coup plus brutal.

– Tu vas te calmer, oui !

Mais sa colère eut l'effet inverse de celui qu'il escomptait. Brisco, qui s'était tu jusque-là, se mit à appeler d'une voix déchirante :

– Aleks ! Au secours ! Aleks ! Aleks ! Au secours ! Aleks !

Entendre le cri terrorisé de son frère et ne rien pouvoir faire pour l'aider plongea le garçon dans le désespoir.

– Laissez-le ! pleura-t-il. Laissez-le !

Puis quelqu'un, l'homme ou la femme, entreprit de camoufler la porte, sans doute avec des branches. Le mince interstice d'où filtrait encore un peu de lumière fut vite obstrué. Aleks se retrouva dans le noir absolu et le silence. Il prêta l'oreille, mais plus aucun bruit ne lui parvint. Tous étaient partis.

Le chariot roulait mal, même dans la descente, et il l'abandonna bien vite. Il alla à quatre pattes puis debout dès que la galerie fut assez haute. Il se lança alors à la course, les bras tendus devant lui. Il tomba dix fois, s'abîma les genoux et les mains, se perdit. Quand il retrouva enfin l'artère principale et la lumière, un chariot arrivait justement, chargé de quatre voyageurs.

– Au secours ! hurla-t-il en se campant au milieu de la voie. Aidez-moi !

À l'accueil, personne n'avait vu la femme blonde. La description qu'en fit Aleks ne servit à rien. Les employées assurèrent qu'aucune dame de ce genre n'était entrée dans la bibliothèque royale ce matin-là. À croire qu'elle était une apparition.

– C'est de ma faute…, sanglotait Aleks dans les bras de Mme Holm. C'est de ma faute… On n'aurait pas dû suivre la dame… Je le savais bien… J'aurais dû empêcher Brisco…

4 *Le Conseil*

Pour accéder au palais, il fallait franchir la grille, traverser la cour d'honneur et monter un grand escalier de pierre. Aleks le gravit à pas lents, son père le tenant par une main.

– Ne t'en fais pas, le rassura ce dernier. L'endroit est un peu impressionnant, mais on ne t'embêtera pas longtemps. Juste quelques questions et tu pourras rentrer à la maison.

– On est venu l'année dernière avec la classe, fit le garçon, et on a visité.

– Ah oui, c'est vrai, mais cette fois tu auras le droit de siéger à la table du Conseil ! C'est encore mieux !

L'effort que faisait Bjorn pour ne pas être sinistre toucha Aleks, qui esquissa un pauvre sourire en signe de remerciement. Depuis l'enlèvement de Brisco, l'avant-veille, on ne le laissait jamais seul. Des bras de Mme Holm, à la bibliothèque royale, il était passé à ceux de sa mère, puis à ceux de son père, à ceux de son oncle. À défaut de trouver d'impossibles paroles de consolation, on le serrait contre soi, on le caressait. Mais ceux qui lui dispensaient ce réconfort en avaient tout autant besoin que lui. Bjorn, qui avait participé aux recherches avec Ketil dès la première minute, n'avait pas dormi depuis plus de quarante-huit heures. Il était rentré deux fois au milieu de la nuit, tombé épuisé sur son lit mais reparti au bout d'une heure, incapable de trouver le repos. Il allait maintenant comme un automate, les mâchoires serrées, avec sur le visage la pâleur d'un homme malade.

Selma, après s'être lamentée longtemps telle une demi-folle, était entrée dans une inquiétante prostration, et seul le souci de veiller sur le fils qui lui restait la tenait encore debout.

On avait très vite localisé la porte, à flanc de colline, par laquelle Brisco s'en était allé. Il s'agissait de l'accès à un boyau utilisé pour le transport des matériaux lors de la construction des galeries et du rail. Il restait dans la neige les traces d'un traîneau tiré par un cheval, mais elles se mélangeaient vite à d'autres sur la piste voisine et il fut impossible de les suivre. Des volontaires partirent par groupes de trois dans toutes les directions. Ils chevauchèrent jour et nuit, interrogèrent des centaines de personnes. Tout cela en vain. Brisco et ses ravisseurs restèrent introuvables.

La salle du Conseil se trouvait au premier étage du palais. Son plafond ressemblait à la coque renversée d'un navire. Il en descendait un lustre imposant où brûlaient des chandelles. Elles éclairaient d'une lumière chaude la grande table ovale où se tenaient assis une vingtaine d'hommes et de femmes. L'arrivée d'Aleks et de son père interrompit le brouhaha des conversations et toutes les têtes se tournèrent vers eux. Visiblement, on les attendait avec impatience. Ils prirent place côte à côte sur les deux sièges restés libres. Comme le menton d'Aleks arrivait tout juste à hauteur de la table, quelqu'un apporta un livre épais et le glissa sous les fesses de l'enfant. Au bout de l'ovale, un peu surélevé, trônait encore le fauteuil vide du roi mort.

Aleks jeta un coup d'œil circulaire. La mine grave des personnes qui l'entouraient ne l'impressionna pas plus que la solennité de l'endroit. Depuis la disparition de Brisco, le monde extérieur lui était devenu étrangement lointain. Il ne pleurait plus. Il était comme absent à ce qui l'entourait et rien ne pouvait le distraire de son malheur. Il semblait attendre avec résignation que le cauchemar finît. Il allait se réveiller et la vie normale reprendrait, la vraie vie, avec Brisco à côté de lui. Il lui dirait : « J'ai fait un cauchemar, Brisco, tu étais enlevé et tu revenais pas et j'étais tout seul. Oh là là, qu'est-ce que ça faisait peur ! » Et Brisco rigolerait de son rire clair et ils iraient patiner sur l'étang. Comme avant. Seulement, il ne se réveillait pas. Les adultes qui s'agitaient autour de lui étaient des ombres, des marionnettes inutiles puisqu'ils ne ramenaient pas Brisco. Il les regardait avec indifférence et s'étonnait qu'un mauvais rêve pût durer aussi longtemps.

Il fut malgré tout heureux que la première voix à s'élever fût celle de son oncle Ketil. Celui-ci était assis à la gauche du fauteuil vide du roi.

Selon les règles institutionnelles de Petite

Terre, et en attendant qu'un nouveau souverain soit investi, la permanence du pouvoir était assurée par le Conseil. Ketil, en tant que premier élu, en assurait la présidence.

Aleks le trouva changé. Ce n'était plus le gentil et doux Ketil qu'il avait l'habitude de côtoyer à la maison, celui qui le soulevait et le faisait passer par-dessus son épaule, descendre le long de son dos et ressortir entre ses jambes écartées, un tour complet sans toucher le sol. Non, l'homme qui croisait les bras et le fixait de son œil noir, ce Ketil-là possédait une stature imposante, comme si le lieu et les circonstances révélaient sa vraie nature, celle des hommes qu'on écoute.

– Aleksander, commença-t-il d'une voix bienveillante, nous savons que tu as dû répondre à beaucoup de questions depuis deux jours, et que c'est une dure épreuve pour toi, mais nous devons tout de même t'en poser quelques-unes encore. C'est de la plus grande importance pour nous, pour Brisco, pour notre Petite Terre. Cela ne durera pas longtemps. Es-tu prêt ?

Aleks frissonna. En quelques mots, son oncle l'avait investi d'une mission. Il ferait de son mieux.

– Je suis prêt.

– Bien, j'aimerais d'abord que tu nous racontes le… rêve que tu as fait lorsque tu es allé voir la dépouille du roi sur la place.

– C'était pas un rêve.

– Soit, reprit Ketil, un peu embarrassé, qu'importe, dis-nous ce qui s'est passé.

Aleks se racla la gorge. Dans cette enceinte habituée aux empoignades vigoureuses, son menu filet de voix se détacha, trop fragile, dans le silence.

– Le roi, enfin le fantôme du roi, s'est assis sur le bord du lit de pierre et il m'a parlé.

– Oui, ton père nous l'a dit. Nous aimerions savoir quels mots précis le roi a utilisés. Est-ce que tu serais capable de les répéter ?

– Oui, je crois.

– C'est parfait. Alors dis-nous.

– Il m'a dit de faire attention au feu. Au « feu qui brûle ». Voilà comment il a dit. Même que ça m'a fait rire.

– Oui, ton père nous l'a aussi rapporté. Mais il y a un détail que tu lui as donné quand il est venu te chercher. Rappelle-toi.

– Je me rappelle pas.

– Si, Aleks. Est-ce bien à toi que le roi croyait parler ?

– Ah, non ! Il croyait parler à Brisco.

– Comment le sais-tu ?

– Parce qu'il m'appelait comme ça : Brisco.

– D'accord. Et tu l'as détrompé ?

– Non, parce que j'arrivais pas à parler. Mes lèvres étaient gelées. Il m'a toujours appelé Brisco.

Prononcer le nom de son frère lui fit soudain monter un sanglot, une sorte de hoquet qui ressemblait à un gémissement. Les gorges se serrèrent, et Ketil attendit un instant avant de poursuivre :

– Dis-moi, Aleks, le roi t'a-t-il appelé autrement que Brisco ? Je veux dire avec d'autres mots. Rappelle-toi bien, c'est très important.

Aleks ne voyait pas où son oncle voulait en venir.

– Non, répondit-il, il disait juste « Brisco », rien d'autre.

Ketil laissa passer encore quelques secondes dans l'espoir qu'Aleks se souviendrait peut-être mais, comme rien ne venait, il enchaîna :

– Bien. Le roi t'a-t-il mis en garde contre un autre danger que le feu ?

– Non. Il a parlé que du feu. Je lui ai demandé de mieux s'expliquer, mais ça le fatiguait trop.

– Ça le fatiguait trop ?

– Oui, il avait l'air épuisé. C'est normal. Sortir de son corps, c'est dur, enfin j'imagine.

Plusieurs conseillers se surprirent à hocher la tête, à peine conscients du caractère saugrenu de la situation. Eux, des politiques chevronnés, en pleine réunion du Conseil, étaient en train d'écouter un enfant de dix ans leur expliquer qu'il est fatigant pour un fantôme de quitter son corps, et que faisaient-ils ? Ils approuvaient sans rire.

– Une dernière chose avant de te laisser, Aleks, reprit Ketil. Il s'agit de la dame blonde de la bibliothèque royale.

Aleks se crispa. Penser à cette femme lui faisait mal au ventre chaque fois. Sa beauté diaphane, sa cruauté et l'issue tragique de son apparition, tout cela lui laissait un goût très amer, et surtout le terrible regret de n'avoir rien fait pour empêcher le drame.

– J'ai tout dit sur elle…, fit-il en espérant abréger.

– Oui, bien sûr. Mais je voudrais que tu reviennes sur un point. Ensuite, c'est promis, nous te ficherons la paix.

– D'accord.

– Tu as dit que cette dame avait observé vos mains, c'est ça ?

– Oui, les lignes de nos mains, pour voir qui de nous deux était le plus chanceux.

– S'il te plaît, Aleks, fais un dernier effort et raconte-nous comment elle s'y est prise.

L'enfant inspira profondément et tâcha de se souvenir.

– Elle a d'abord regardé ma main à moi et elle a dit…

– Qu'a-t-elle dit ?

Il hésita un instant. Dans d'autres circonstances, il n'aurait certainement pas osé répéter les mots de la femme, mais dans l'étrange rêve éveillé qu'il vivait depuis deux jours, cela ne le gênait pas plus que ça.

– Elle m'a promis un « très grand, très long et très bel amour », fit-il les yeux baissés et de sa petite voix triste.

Pour la première fois depuis le début de la réunion, quelques sourires apparurent.

– Et pour Brisco ? Qu'a-t-elle dit pour Brisco ?

– Presque rien.

– Presque rien ?

– Non. Parce qu'on était arrivés au bout de la galerie, et puis parce qu'elle a vu quelque chose dans sa main, quelque chose qui l'a impressionnée, mais je sais pas quoi.

Il y eut un silence.

Bjorn Johansson, assis à côté de son fils, sentit que les regards se tournaient vers lui. « Nous y voilà, pensa-t-il, le secret aura tenu dix ans, mais le passé nous rattrape toujours… »

Après les funérailles du roi, il avait fait ce qu'il

estimait être son devoir dans cette période d'inquiétude : porter à la connaissance de ses amis du Conseil « le rêve » d'Aleks et l'avertissement, par-delà la mort, du vieux souverain. Il était un homme raisonnable et respecté. On l'avait écouté sans le traiter de fou. Il n'avait pas omis de mentionner que le roi s'était adressé à Brisco et à personne d'autre. Et voilà que Brisco était enlevé quelques jours plus tard par cette femme blonde… Comment ne pas voir que tout cela était lié ? Il restait à dévoiler le secret, si bien tenu jusqu'à ce jour, de l'arrivée de Brisco, par une nuit d'hiver, chez eux les Johansson. Mais il ne se sentit ni la force de le révéler à cet instant, ni le droit de le faire sans l'avis de Selma. Et puis, surtout, il y avait Aleks, là, juste à côté de lui, qui avait déjà largement son compte d'émotions.

– Je ne sais pas non plus, dit-il, devançant la question que tous avaient sur les lèvres. Je ne sais pas. Selma et moi avons bien remarqué quelque chose sur la main de Brisco, mais je ne vois pas…

– Qu'avez-vous remarqué, Bjorn ?

– Eh bien… Brisco a depuis toujours une cicatrice dans le gras du pouce gauche.

– Une cicatrice ?

– Oui, elle ressemble à une brûlure, en forme de croix.

Il y eut à nouveau un silence, bientôt rompu par la voix douce et pondérée d'une conseillère installée à l'opposé de la table :

– Il l'avait de naissance, cette cicatrice, Brisco ?

Elle se corrigea aussitôt, consciente de sa maladresse :

– Il l'a de naissance ?

Bjorn se troubla. Mentir dans la salle du Conseil ne lui était jamais arrivé en douze années de mandat. Il se rappela le serment prononcé en ce lieu le jour de son investiture. Il s'était engagé, debout et à voix haute, devant tous, à « ne pas mentir en conscience » dans cette enceinte, et aussi à « ne pas taire en conscience ce qui pourrait relever de l'intérêt commun ».

– Tu as entendu la question ? intervint Ketil, avec ménagement.

– Je l'ai entendue..., répondit Bjorn, et il choisit de dire la vérité.

Comment aurait-il pu savoir si Brisco possédait cette marque à la naissance ou bien si quelqu'un la lui avait faite juste après ?

– Je ne sais pas..., fit-il, et il sentit peser sur lui les regards surpris des conseillers. Je... je n'ai pas assisté à la naissance.

– Selma doit le savoir, elle, reprit la femme en bout de table.

– Selma ne le sait pas non plus...

Bjorn était au supplice. L'épuisement, la douleur insupportable d'avoir perdu Brisco et maintenant l'obligation d'avouer en public que son fils n'était pas son fils, tout cela le submergea soudain. Ses yeux se mouillèrent et il fut près de s'effondrer. Seule la présence d'Aleks à son côté l'en retint.

– Excuse-nous, Bjorn, fit Ketil qui s'était rendu compte du désarroi de son beau-frère. Excuse-nous, tu es très fatigué. Je crois qu'il vaudrait mieux...

À cet instant, un garde en tenue poussa la porte, se dirigea vers le premier conseiller et lui parla assez longuement à l'oreille. Ketil l'écouta avec attention puis s'adressa à l'ensemble de l'auditoire :

– Une femme demande à être entendue. Elle prétend que c'est urgent et de la plus haute importance. Je propose qu'on l'écoute. Y a-t-il des objections ?

– Si c'est en rapport avec l'ordre du jour, aucune, fit son voisin.

– D'après elle, ça l'est.

Le garde disparut et revint moins de trente secondes plus tard, poussant devant lui une femme d'une soixantaine d'années, ronde et courtaude, tout essoufflée, et vêtue d'un grossier manteau de paysanne.

– Messieurs dames..., dit-elle, en rabattant la capuche sur ses épaules, et on vit apparaître une lourde face éclairée par deux grands yeux sombres légèrement exorbités.

Ce fut une seule exclamation dans la salle du Conseil :

– Nanna !

Ses joues brillaient de sueur, ses cheveux gris hérissés faisaient autour de sa tête comme une crinière sauvage.

– Eh oui, fit-elle d'une voix forte, c'est moi ! Pardon si je vous fais peur. Excusez ma tenue, j'ai pas eu le temps de me faire belle, enfin... de me faire moins moche. J'arrive juste, comme vous voyez. Excusez le dérangement aussi, mais on m'a dit que vous étiez réunis pour le petit qui a été enlevé et... justement, j'ai des choses à dire... des choses que j'ai pas pu dire il y a dix ans... mais que je peux dire maintenant... parce que... oh, ça fait mal de repenser à ça… si vous saviez comme ça fait mal… mon pauvre Arpius, va… il méritait pas ça… la veille, il m'avait encore dit : « Nanna, tu peux déjà chauffer la marmite… demain il y aura deux beaux lapins rôtis dedans… un pour toi un pour moi… bien mitonnés bien parfumés… » parce qu'on avait bon appétit tous les deux on était capables de manger un lapin chacuns ça vous étonne ? Les lapins, il les a jamais ramenés et vous savez pourquoi… et la grande marmite, je l'ai plus jamais chauffée depuis… mais c'est pas de ça que je voulais vous causer… c'est du petit parce que…

– Nanna, l'interrompit Ketil, calme-toi. On va t'apporter un siège, tu vas t'asseoir et nous expliquer tranquillement pourquoi tu es venue nous voir.

– M'asseoir à la table du Conseil ? Sûrement pas ! J'ai bien trop de respect ! Je préfère rester debout. Je marche depuis huit heures, je peux bien attendre encore un peu avant de me reposer.

– Comme tu voudras, nous t'écoutons.

– Attendez, intervint Bjorn. J'aimerais qu'Aleks puisse quitter la séance. Sa présence n'est plus indispensable, je suppose.

– Bien sûr, fit Ketil, et il se tourna vers le garçon. Aleks, nous te libérons. Un garde te raccompagnera chez toi. Je te félicite au nom du Conseil de Petite Terre. Ce que tu nous as dit nous servira beaucoup. Tu as été courageux.

L'enfant se leva et sortit tandis que les conseillers, en signe de remerciement, frappaient tous ensemble et doucement la table du bout de leurs doigts.

La femme emmitouflée dans son lourd manteau et campée deux mètres derrière le fauteuil vide du roi était connue de tous. Voilà dix ans qu'elle avait disparu de la ville et nul n'avait plus entendu parler d'elle. Mais on ne l'avait pas oubliée. Comment oublier Nanna ? Qui n'avait pas entendu trois fois au moins de sa bouche l'histoire de son « pauvre Arpius » et des deux lapins jamais rapportés ?

– Nous t'écoutons, Nanna, répéta Ketil. Tâche de dire les choses dans l'ordre et n'encombre pas ton récit de trop de détails inutiles, si tu le peux.

– Pour les détails, j'essaierai de garder juste ceux qu'il faut… et pour l'ordre, je ferai de mon mieux parce que c'est pas mon fort… avec moi, ça part un peu dans tous les sens… mais reprenez-moi quand je mélangerai de trop… vous gênez pas… disons que ça commence le soir où mon Arpius est pas rentré de la chasse… il y était parti avec Iwan, le fils du roi Holund… il m'avait promis deux lapins, mais c'est pas pour les lapins que je m'en faisais… même si on les adorait… je les mitonnais à la marmite… bien dorés… mais on peut aussi les faire dans une bonne marinade avec de l'oignon des échalotes des carottes et de l'ail… mais alors il faut pas hésiter à laisser attendrir un jour ou deux…

– Nanna…, l'interrompit doucement Ketil et il fronça les sourcils.

– Pardon… mon Arpius qui rentre pas, donc… et la nuit qui arrive et la neige qui tombe… je sais pas ce qui s'est passé au juste à cette chasse… la seule chose que je sais à coup sûr c'est qu'il est parti le matin et qu'il est pas rentré le soir…

5 Le silence de l'ours

C'est vers la fin de l'hiver. Iwan, fils unique du roi Holund, s'en va chasser en compagnie de son serviteur Arpius. Un pâle soleil dessine sur la neige l'ombre grise de leurs chevaux qui vont l'un derrière l'autre, au pas : le grand cheval noir d'Iwan et la petite jument pommelée d'Arpius. Au-dessus de leur tête, un long nuage blanc s'étire et fait comme une écharpe déployée haut dans le ciel. Ils marchent sans hâte à travers la plaine, en direction d'une lande où quelques lièvres en quête des premières herbes tendres se montreront peut-être.

– À quoi me sers-tu, en fait, Arpius ? demande Iwan.

– Oh, à peu de chose… Peut-être seulement à vous empêcher de devenir ce que vous deviendriez si je ne vous empêchais pas de le devenir.

– C'est-à-dire ? Tu peux parler plus clair ?

– C'est-à-dire un jeune prétentieux imbu de sa personne et persuadé qu'il vaut mieux que les autres pour la seule raison qu'il est le fils de son père.

– Ah, et ce n'est pas vrai ?

– Que vous êtes le fils de votre père ? Si si…
– Non. Que je vaux mieux que les autres.
– Oh, mais si, bien sûr. Tenez, ce matin, quand vous avez glissé en montant sur votre cheval et que vous êtes resté accroché à l'étrier par la cheville, vous étiez vraiment au-dessus du lot. Et la semaine dernière, rappelez-vous, quand ce début de colique vous tordait le ventre…
– Arpius ! Te souviens-tu à qui tu t'adresses à l'instant ?
– Oui, hélas, à notre futur souverain.
– Comment « hélas » ?
– J'ai dit « hélas » ?
– Oui, tu as dit : « hélas, à notre futur souverain ».
– Ah, ça m'aura échappé, ou alors j'ai voulu dire qu'on ne devrait pas s'adresser ainsi à son futur souverain, et c'est pourquoi j'ai poussé ce « hélas ». Pour me désapprouver moi-même, en quelque sorte.
– Menteur ! Tu ne voulais pas plutôt dire que j'allais « hélas » devenir ton futur souverain ?
– Oh, je ne me permettrais pas !
– Même si tu le pensais ?
– Surtout si je le pensais.
– Et tu le penses ?
– Je ne pense jamais rien quand j'ai l'estomac vide, et c'est le cas.
– Tu n'es qu'un ventre !
– C'est vrai, et ça fait l'équilibre avec vous qui n'avez pas de tête.
– Ton raisonnement est tordu.
– Moins que mes boyaux. Vous les entendez qui appellent au secours ? Et ce n'est pas avec ces pauvres armes que nous allons gagner notre repas

de midi ni ramener les lièvres que j'ai promis à ma chère épouse. Un arc et des flèches! Savez-vous qu'on a inventé la poudre? Il faudrait vous tenir au courant de l'actualité.

– Je n'aime pas la chasse à la carabine, tu le sais.

– C'est une opinion que vous partagez avec le gibier et ça vous honore.

Ils vont ainsi, devisant à l'infini, se chamaillant et jouant à se quereller. Arpius accomplit à merveille la mission qui lui est confiée : rappeler au prince qu'il n'est qu'un homme et l'inciter sans cesse à la modestie. Le roi Holund possède lui-même un bouffon qui, sous couvert de pitreries, lui dit ses quatre vérités. Il trouve cela très sage et il a jeté dans les pattes de son fils le meilleur de tous : Arpius. Celui-ci fait office à la fois de serviteur, de confident, de protecteur et de conseiller, mais il lui lâche sans hésitation des horreurs – parfois des vérités – que nul autre que lui ne pourrait se permettre de dire : « Vous puez la sueur, mon prince, ce matin. » Ou bien : « Parfois, je me demande si votre cheval n'aurait pas davantage de vocabulaire que vous. »

Iwan en rit le plus souvent, mais quelquefois les flèches d'Arpius touchent juste :

– À force de se croire aimé de tous, on se fait des illusions sur soi.

– Je me fais des illusions sur moi?

– Je n'ai pas dit ça.

– Si, tu l'as dit.

– Non, je ne l'ai pas dit. Je parlais en général.

Il met son maître en garde contre la flagornerie des courtisans :

– Fréquentez plutôt votre cheval, lui au moins ne vous flattera jamais.

Il ose même s'en prendre à Unne, la belle épouse d'Iwan, ou plutôt au couple qu'ils forment.

– Vous ne la méritez pas.

– Vraiment ? Tu penses qu'elle est trop belle pour moi ?

– Non, je pense qu'elle n'est pas assez laide. Non pas que vous soyez disgracieux (malgré votre nez un peu fort) mais, voyez-vous, mon prince, il est important d'être assorti. Regardez-moi : je suis petit, gros, presque borgne, j'ai vingt ans de plus que vous et je suis pauvre de surcroît puisque mon maître (que vous connaissez bien) me paie mal. Mais tout cela je le sais et j'ai trouvé ma Nanna, qui sans être une mocheté n'est pas non plus... enfin, vous la connaissez. Quoi qu'il en soit, nous pouvons aller côte à côte sans que les gens se retournent sur nous.

– Les gens se retournent sur nous ?

– Sur qui ?

– Sur Unne et moi !

– Je n'ai pas dit ça.

– Si, tu l'as dit !

– Non, je ne l'ai pas dit.

La mauvaise foi d'Arpius n'a d'égale que son insolence. Iwan s'en accommode. Mieux : il s'en amuse. Et Arpius représente pour lui une source inépuisable de précieuses informations. Parler avec lui, c'est comme aller déguisé dans une taverne et écouter ce que disent les gens.

– On a peur pour vous, mon prince.

– Ah oui, vraiment ?

– Oui, enfin ceux qui vous aiment bien, car il y en a, aussi surprenant que cela paraisse.

– Et de quoi ont-ils peur pour moi, ceux qui m'aiment bien ?
– De quoi ? De rien. De « qui » serait plus juste.
– De qui alors ?
– Vous voulez l'entendre ?
– S'il te plaît.
– De votre cousin.
– De mon cousin ? Lequel ?
– Cherchez et vous trouverez. Pour vous aider, je vous rappelle que vous n'en avez qu'un seul.
– Guerolf…
– Oui, Guerolf.

Le nom est tombé. Iwan soupire, agacé. Ce Guerolf lui sort par les yeux, autant le dire. Si Sa Majesté venait à disparaître, Iwan lui succéderait, bien entendu. Mais s'il n'était pas en état de le faire, c'est Guerolf, unique neveu et second prétendant, qui monterait sur le trône. L'ambition le dévore, celui-ci. Il a beau la comprimer de toutes ses forces, elle lui jaillit des yeux, de la bouche, elle sort des manches de son habit, des naseaux de son cheval.

– Je n'ai rien à craindre de Guerolf. Que veux-tu qu'il me fasse ? Qu'il me tue ?
– …
– Arpius, tu voudrais qu'il me tue ?
– …

Arpius a la langue bien pendue, comme son épouse Nanna d'ailleurs, pour ça les deux se sont bien trouvés. S'il se tait, c'est qu'il ne veut pas répondre. Il a tiré sur les rênes et s'est laissé distancer de quelques mètres. Iwan n'aime pas ça et il s'arrête pour l'attendre.

– Arpius, je te prie de me dire ce que tu penses de mon cousin Guerolf.

– Soit. Eh bien, je pense que si la jalousie se pesait en kilos, son cheval s'écroulerait sous lui.

– Sans doute, mais de là à me faire tuer, il y a…

– Il vous étriperait avec autant de regret que j'en ai à vider un poulet.

– Tu exagères.

– Vous avez raison, je n'aime pas vider les poulets.

Ils chevauchent pendant quelques minutes, et pour une fois se taisent. La neige craque sous les fers de leurs chevaux. L'air a fraîchi soudain. À l'horizon, au-delà de la plaine qui scintille, se dressent côté nord les trois cimes d'une montagne glacée. L'année dernière encore, un ours en est descendu et il a attaqué deux chasseurs. Le premier est mort. Le second est rentré seul, l'épaule arrachée. Cela arrive tous les huit ou dix ans, quand l'hiver est plus rude. Les ours, que la faim a rendus fous, s'aventurent jusque dans la plaine et ils s'en prennent aux hommes. Ceux qui en ont réchappé, bien rares, ont tous raconté la même étrange et terrible expérience : on pressent la tragédie. Alors que rien ne l'annonce, on devine que quelque chose de terrible se prépare. Quelque chose qui concerne la vie et la mort.

Il y a deux signes annonciateurs. D'abord l'angoisse irraisonnée qui vous étreint et contre laquelle on ne peut pas lutter. Et surtout, le silence particulier qui précède l'attaque. Aucune parole, aucun cri ne peut le combler. Il ne sert à rien d'appeler. La voix est atone, comme tombée dans un gouffre, comme emmurée. Tout se fige. L'ours est là et c'est trop tard.

Iwan et Arpius ont entendu ces récits. Ils y pensent ensemble, sans l'avouer, au même moment précis, alors qu'ils descendent dans un creux enneigé où poussent en désordre quelques sapins tordus.

– Ce sera plus court ! ont-ils décidé d'un commun accord, mais à peine y sont-ils engagés qu'ils le regrettent. D'ici on ne voit plus le lointain.

Les deux hommes donnent de l'éperon. Sortir de ce trou. Et le plus tôt sera le mieux. Les chevaux s'enfoncent jusqu'aux genoux dans la neige profonde et renâclent. La jument d'Arpius tressaille et se tord le cou d'un côté et de l'autre.

– Va, va ! lui dit son maître. Tout doux, ma fille !

Et soudain, elle est là, dans leur souffle court, dans leur estomac noué : l'angoisse. Ils la reconnaissent mais n'en disent rien. Ils font semblant de l'ignorer pour mieux la tromper.

– Tu as promis deux lièvres à Nanna ? demande Iwan.

– Oui, répond Arpius d'une voix mécanique.

Et voilà qu'il arrive à son tour, d'un coup : le silence. Le silence de l'ours. Cela dure quelques secondes seulement, pendant lesquelles le temps est suspendu. Cela fait comme un presque inaudible sifflement dont ils ne savent pas s'il vient de l'intérieur d'eux-mêmes ou bien d'un ailleurs inconnu.

– Bon Dieu ! jure Iwan dont le cœur bat soudain la chamade. Qu'est-ce qu'on est venus faire dans ce trou ?

Il hurle pour secouer autour de lui ce vide insupportable, mais sa voix n'a pas de portée. Il hurle comme on se débat. Il insulte son cheval.

Arpius se tait. Il cherche autour de lui d'où la bête pourrait surgir. Du sud d'où ils viennent ? Ou plutôt du nord, du côté de la montagne ?

– Faisons demi-tour, mon maître. Suivez-moi.

Ils marchent maintenant dans leurs propres traces, forçant leurs montures qui peinent dans la côte. S'ils arrivent à sortir très vite de cette cuvette, ils pourront fuir au galop et distancer l'animal. Ils sont presque en haut, encore une centaine de mètres pas plus, quand les cavaliers apparaissent. Leurs silhouettes se découpent net sur fond de ciel gris. Car le temps a viré en quelques instants. Le soleil a cédé à la brume. L'air est empli de paillettes glacées qui font plisser les yeux. Le froid cingle.

Ils sont une dizaine dans leurs amples tuniques fauves et ils ne prennent même pas la peine de cacher leur visage. Ils se tiennent droits sur leurs chevaux, copiant ainsi l'arrogance de leur chef. Les rênes en main, immobiles, ils observent leur proie.

– La bande de Guerolf..., souffle Arpius.

Iwan ne répond pas. Il a compris que son destin se noue ici et que sa jeune vie touche peut-être à sa fin. Déjà. L'image d'Unne lui apparaît en premier. Il ne peut pas imaginer qu'elle va l'attendre et qu'il ne rentrera pas, qu'il ne rentrera plus jamais. Arpius doit penser la même chose avec sa Nanna.

– Arpius, je te libère de tous tes devoirs. C'est à moi qu'ils en veulent. Pas à toi. Va-t'en !

Le gros homme ne bouge pas.

– Tu m'entends ! Je te l'ordonne !

– Je ne vous obéirai pas, mon prince. Et j'ai deux raisons pour cela. Laquelle voulez-vous entendre ? La bonne ou la mauvaise ?

Ce n'est pas le moment d'argumenter mais il est incorrigible. Il ne peut pas s'en empêcher.

– Va-t'en! lui crie encore Iwan qui refuse de l'écouter.

Arpius s'entête :

– La mauvaise raison, c'est qu'ils ne me laisseront jamais fuir. Pour que je les dénonce? Ils ne sont pas fous. Et la bonne... la bonne je la garde pour moi. Disons que je vous aime bien...

Leurs regards se croisent et Iwan sait qu'il est inutile d'insister. Arpius ne le laissera pas.

Un cavalier ouvre sa tunique et passe sa main dessous. Ils s'attendent à voir apparaître un fusil, mais c'est autre chose : un bâton d'un demi-mètre au bout duquel sont fixées des griffes. Iwan comprend et frémit : il n'y a pas d'ours, mais ils vont périr tout de même des griffes de l'ours. Du moins, on le croira en découvrant leurs corps déchiquetés. Il reconnaît bien là la perversité de Guerolf. Il le voit et l'entend déjà, la main sur les yeux pour cacher ses larmes absentes : « Quoi, mon cousin Iwan tué par un ours? Quelle horreur! Quelle perte! » Un deuxième cavalier écarte les pans de sa tunique et en tire la même arme. Un troisième, un quatrième... Les autres ont des fusils, dont ils ne se serviront que s'ils y sont obligés, car il serait difficile de faire croire que les ours tirent des coups de feu. En tout cas, les arcs et les flèches ne sont d'aucun secours pour l'instant.

– Ya! Ya! crie Iwan. Il fait volte-face et lance son cheval dans la descente, droit vers le nord.

Arpius le suit, dix mètres en retrait.

– Ya! Ya! Ma fille! Va! Va!

La poursuite ne dure pas. Cinq autres cavaliers

surgissent en face d'eux, les obligeant à stopper leur course. Le piège s'est refermé.

– Par le côté, mon maître ! crie Arpius et il lance sa petite jument pommelée vers la gauche.

Iwan le suit. Ils n'ont pas fait vingt mètres que les deux montures s'empêtrent dans la neige profonde. La jument prisonnière s'affole et hennit. Le grand cheval d'Iwan s'arrache puissamment, fait trois enjambées rageuses qui soulèvent un nuage blanc puis, ne trouvant plus rien de solide sous ses sabots, cesse d'avancer.

Cinq hommes chaussés de raquettes s'approchent, leurs griffes à la main. Les autres sont restés en retrait sur leurs bêtes, armés de leurs fusils. Iwan se rappelle une chasse à laquelle il a assisté autrefois, sur Grande Terre. Le cerf mordu, épuisé, acculé au fond d'un ravin, faisait face aux chiens et aux chasseurs. Il n'a jamais oublié l'œil effaré de l'animal, seul contre tous, incapable de comprendre. « Voilà, c'est mon tour, se dit-il, je suis le cerf. »

Arpius, toujours en selle, saisit l'arc attaché sur son dos.

– Il faut les forcer à tirer, mon maître ! Mieux vaut les balles que les griffes ! Vous m'entendez ?

Il a raison, une fois de plus. Mais le temps de saisir une flèche, ils sont sur eux. Le premier coup est pour la croupe de la jument. Elle rue et désarçonne son cavalier.

– Sauvages ! hurle-t-il, à demi enfoui dans la neige, et il sort son coutelas de sa ceinture. Ils le frappent, le déchirent. Le sang coule sur sa tempe.

– Nanna..., pleure-t-il en se protégeant le visage. Au secours !

Iwan ne le supporte pas. Il saute à bas de son cheval et se jette sur eux, armé de son seul coutelas.

– Arpius, crie-t-il, défends-toi !

Ce sont ses derniers mots.

La scène est étonnamment silencieuse. Les coups pleuvent, lacèrent le cuir des vêtements et celui de la peau, le sang goutte sur la neige. On n'entend que le halètement sourd des assassins qui frappent, méthodiques, et la plainte étouffée des deux qui meurent.

Les cavaliers observent de loin, sans montrer d'émotion. Ils attendent que ce soit « fini ». Quand c'est fini, les tueurs ôtent leurs raquettes et se remettent en selle après avoir vérifié qu'ils n'ont rien oublié de compromettant. Puis tous s'éloignent, au pas, sans dire un mot. Une fois sortis du creux, ils mettent leurs chevaux au trot, puis au galop dans la grande plaine. La brume les avale.

La jument d'Arpius et le cheval d'Iwan réussissent à force de courage à s'extraire de leur prison de neige. Ils gravissent la pente et attendent longtemps, hébétés, des ordres qui ne viennent pas. Ils finissent par s'en aller, côte à côte, avec sur leur dos, deux fantômes qui se chamaillent :

– Vous avez décidément bien fait, mon prince, de laisser les carabines à la maison. Elles nous auraient embarrassés.

– Tu te moques ?

– Pas du tout. D'ailleurs, vous avez vu comme nos arcs et nos flèches les ont impressionnés.

– Tu es en colère parce que tu t'es sacrifié pour moi, c'est ça ?

– Vous êtes bien naïf. Je me serais sacrifié pour

si peu ? Sauf votre respect, j'avais autre chose en tête en tâchant de vous sauver.

– Quoi donc ?

– Mes gages, pardi ! Plus de maître, plus de gages. Et vous me devez mon mois.

– Je te le réglerai demain.

– Cela ne vous ruinera pas...

– Allez, Arpius, rentrons, le temps a tourné. Tant pis pour les lapins...

– De leur point de vue, je dirais plutôt tant mieux...

Pendant des heures, il ne se passe plus rien dans le creux où gisent Iwan, le fils du roi Holund, et son serviteur Arpius. Puis, la nuit venue, la neige se met à tomber, épaisse. Elle recouvre les traces de la lutte et celles des chevaux. Il ne reste bientôt que les deux corps inertes enfouis dessous. Ces deux hommes ont été attaqués par l'ours. Voyez ces griffures. Il sera descendu de la montagne. C'est la faim qui l'aura poussé.

6 *Nanna*

– … il est pas rentré… et le lendemain non plus… et jamais… on a parlé que d'Iwan après et c'est normal parce que le fils du roi quand même… et puis tout le monde l'aimait… il aurait fait un bon souverain comme son père, modeste et raisonnable… oui, on l'a bien pleuré… moi la première… mais mon Arpius ça comptait pas… un serviteur vous pensez… on disait Iwan et son valet… comme s'il avait pas eu de nom lui… et ça je l'ai pas avalé… surtout que l'ours j'y ai jamais cru… pas une seconde… c'étaient des ours à deux pattes, si vous voyez ce que je veux dire… et celui qui les commandait tout le monde sait qui c'est…

– Nanna, intervint Ketil, rien n'a jamais été prouvé.

– Ah, bon ? Et pourquoi que le roi l'aurait exilé, le Guerolf, hein ? Il a pas eu besoin de preuve lui… il lui a dit va-t'en et l'autre a décampé… qui se sent morveux se mouche… il serait parti comme ça s'il avait rien fait ?

Les conseillers sourirent. Nanna exprimait

avec des mots très simples ce dont ils étaient tous convaincus depuis longtemps.

– Bref, j'en avais gros... quelques jours après le drame je suis allée trouver Unne, l'épouse d'Iwan... je sais, on était pas du même milieu, loin de là, mais le malheur nous rapprochait... elle m'a bien reçue... comme son égale... on a pleuré toutes les deux en se tenant les mains... on s'embrassait quand même pas, parce que quand même... elle m'a dit que son mari appréciait beaucoup le mien et moi je lui ai répondu que le mien appréciait beaucoup le sien et on a continué à pleurer comme des Madeleine... et puis elle m'a dit le secret... je sais pas pourquoi elle me l'a dit à moi... enfin si, je le sais... c'est parce que j'étais une femme... parce qu'on partageait la même peine et parce que je me trouvais là à ce moment-là... et parce qu'il fallait qu'elle le dise... bref, elle m'a dit qu'elle attendait un bébé...

Le silence qui régnait déjà dans la salle du Conseil se fit compact. Tous fixaient la paysanne, stupéfaits. De pâle, le visage de Bjorn était devenu livide. Il prit sa tête dans ses mains et ne bougea plus.

– ... elle l'avait dit à personne... j'étais la première et la seule... pour l'ours elle était du même avis que moi... il y avait pas plus d'ours dans le coup que de girafe ou d'hippopotame... c'était un assassinat bien réussi, bien camouflé... et s'ils avaient tué le père ils hésiteraient pas à tuer le fils maintenant... parce qu'il lui fallait le champ libre à Guerolf... il était prêt à tout pour coiffer la couronne... prêt à faire tuer un enfant... j'ai dit à Unne qu'elle ferait mieux de se taire à propos du bébé dans son ventre… tant que ça se voyait pas, il fallait rien dire… et quand ça se verrait, quand son ventre serait rond, elle aurait qu'à se mettre sous la protection du roi et de ses gardes… elle a dit oui que c'était comme ça qu'il fallait faire… et on s'est quittées là-dessus… j'étais contente qu'elle soit raisonnable… mais c'est moi qui ai trahi le secret… c'est moi…

Les sanglots étranglèrent sa voix. Elle sortit de sa poche un grand mouchoir dans lequel elle essuya ses larmes.

– À qui l'as-tu dit ? demanda une femme. Je ne me rappelle pas que quelqu'un ait jamais su qu'Unne attendait un enfant.

– Celui à qui je l'ai dit n'avait pas intérêt à le répéter, madame.

– Guerolf ?

– Oui…, gémit Nanna, Guerolf… le seul à qui il fallait le cacher à tout prix… je m'en voudrai jusqu'à mon dernier souffle… mais je l'ai pas fait exprès… c'est parti tout seul… j'ai le sang trop chaud… c'était une semaine après la mort de mon Arpius… on avait retrouvé sous la neige les corps griffés, déchiquetés et on les avait ramenés et tout le monde parlait que des ours… c'est bien ce qu'on pensait… c'étaient les ours… les ours, mon œil ! Je suis tombée sur Guerolf et sa bande place du Marché… j'étais allée vendre un poulet que ma sœur voulait vendre mais qu'elle pouvait pas venir parce que son mari s'était fait un tour de reins et qu'il était cloué au lit et que bref… ils étaient sur leurs chevaux et moi à pied… un de la bande m'a montrée du doigt et lui a parlé à l'oreille à Guerolf… pour lui dire qui j'étais bien sûr… ça s'est passé vite mais ça m'a pas échappé... il m'a regardée et il m'a narguée avec les yeux... «Assassin!» j'ai crié et comme il y avait du monde autour je me suis pas privée de le répéter : «Assassin!» mais lui ça le faisait rire... cause toujours il avait l'air de dire... et il me méprisait du haut de son cheval... alors c'est sorti sans que j'aie eu le temps de me raisonner... je voulais tellement lui ôter son sale petit sourire de sa vilaine gueule, pardonnez-moi messieurs dames... j'ai pointé le doigt vers le palais et je lui ai crié : «Chante pas trop vite! Tu y es pas encore là-haut! ah! ah! ah! y en a un autre en route et il sera sur ton chemin, figure-toi!» Ça l'a douché... il a stoppé son cheval et s'est retourné vers moi... pendant un moment, il a cherché à comprendre et... il a compris... son sourire est revenu mais, cette fois, ça voulait dire merci pour l'information... j'aurais voulu mourir... me couper la langue... me battre... «Non! non! j'ai hurlé... non!» Mais plus je criais «non» plus ça voulait dire «oui»... j'avais honte de moi... j'ai laissé mon poulet dans sa cage en plein milieu du marché et j'ai couru chez Unne...

Une fois de plus l'émotion l'arrêta.

– Qu'on apporte de l'eau à boire à cette femme, fit Ketil à l'intention du garde qui se tenait à la porte. Et qu'on la fasse asseoir...

Le garde s'exécuta et quelques minutes plus tard, assise sur un siège mais se tenant toujours à distance de la table du Conseil, Nanna put reprendre son récit :

– Je lui ai tout avoué... j'avais fait une terrible bêtise mais je pouvais pas le garder pour moi... elle m'en a pas voulu... elle m'a pardonné tout de suite… elle m'a dit Nanna c'est eux qui sont des monstres c'est pas vous… alors j'ai compris ce que c'était qu'une grande dame et je me suis juré de l'aider autant que je pourrais… on a décidé de partir… j'avais une vieille tante qui vivait toute seule dans une bicoque sur la côte… j'ai dit à Unne venez on va là-bas c'est plus que le bout du monde c'est *après* le bout du monde et ma tante a plus sa tête elle dira rien à personne et vous pourrez faire votre petit bien tranquillement personne vous dérangera je vous ferai du poisson je vous soignerai… Unne a dit d'accord je m'en fiche bien que mon fils soit roi je veux juste qu'il joue qu'il grandisse qu'il devienne un homme je veux qu'il vive… on est parties toutes deux le lendemain sur un traîneau… vous vous rappelez comme elle était jolie cette personne… toute blonde et fine… moi à côté ça faisait la Belle et la Bête… elle s'est déguisée en paysanne moi c'était pas la peine j'étais toute déguisée j'en suis une… là-bas ma tante nous a prises chez elle sans poser de questions… je vous l'ai dit elle avait plus sa tête elle passait son temps à tricoter et détricoter le même chandail en chantant des chansons de marin vous voyez un peu… on a passé l'été comme ça et l'automne et au début de l'hiver Unne a eu les douleurs… j'étais pas fière j'ai jamais fait ça moi accoucher un bébé… ça s'est pas bien passé… elle a perdu beaucoup de sang… j'ai fait de mon mieux… en bas la vieille folle chantait « hardi les gars vire au guindeau… » quelle nuit oh quelle nuit… et Unne qui était pâle tellement pâle on aurait vu à travers… pardon messieurs dames pardon…

Il fallut interrompre une fois de plus. Nanna pleura, se moucha, but un peu d'eau et reprit :

– … elle a fait un beau garçon… bien fort et vigoureux… il a crié tout comme il faut… c'est moi qui ai coupé le cordon… elle a eu le temps de le prendre contre elle mais elle avait plus de forces elle est morte avant le matin… je savais plus quoi faire… vous pensez toute seule dans cette maison perdue avec un nouveau-né qui braille la maman morte et une folle qui chante « hourra les filles à cinq deniers ! » alors j'ai pensé à la sorcière Brit… quelques années avant je l'avais débarrassée d'une bande de chenapans qui lui jetaient des boules de neige avec des cailloux dedans… elle m'avait dit Nanna si jamais tu as besoin je serai là pour toi hu-hu j'oublierai pas… et là j'avais besoin… j'ai envoyé à sa recherche le fils du voisin… me demandez pas comment il a fait ni comment elle a fait mais le soir même elle était là… un problème Nanna ? elle a dit… le problème il était facile à voir… je lui ai tout raconté… je lui ai dit qui était le père… elle a dit t'en fais pas hu-hu… elle a enveloppé le corps d'Unne dans un drap et elle est sortie dans la nuit avec ce chargement sur le dos… quand elle est revenue elle a dit voilà c'est fait hu-hu elle dort dans le Grand Cimetière… ça voulait dire la mer… et puis elle a pris le petit… dès qu'elle l'a mis contre elle il s'est arrêté de brailler… mais avant de l'emmener elle a dit attends il faut que je lui fasse la marque… la marque ? j'ai dit… oui c'est le futur roi quand même hu-hu il faudra qu'on le reconnaisse hu-hu même dans vingt ans… prends une pelle viens m'aider hu-hu…

on est reparties dans la nuit... on a creusé profond à un endroit précis entre deux arbres et puis elle a fini avec ses mains ses ongles noirs... elle a arraché une petite racine blanche... il faut pas la toucher toi elle a dit hu-hu ça brûle... on est revenues dans la maison où ma tante chantait au bébé « saute blonde et lève le pied » vous la connaissez ? ça fait « au port au port sont arrivéééés... trois beaux navires chargés de bléééé... saute blonde ma jolie blonde... saute blonde et lève le pied ! »

– Nanna..., fit Ketil.

– ... pardon... elle a pris le bébé sur ses genoux... moi j'ai tenu sa menotte et elle lui a posé deux petits brins de racine croisés sur le gras du pouce et elle a appuyé dessus et elle a dit des formules dans sa langue de sorcière j'ai oublié lesquelles... le bébé hurlait... quand elle a ôté les racines il y avait la marque... comme une brûlure toute fumante... elle a dit voilà c'est bien hu-hu je l'emmène quelque part en sécurité... je dis pas où même à toi... hu-hu... dis-lui adieu... mais il va mourir de froid si tu le sors d'ici j'ai dit... il mourra de rien du tout elle a répondu... je le tiendrai chaud à mon feu hu-hu... c'est comme ça qu'elle a dit... à mon feu... ça m'a fait frissonner... voilà j'en sais pas plus... j'ai embrassé le bébé et elle l'a emporté dans la nuit...

Nanna soupira et se tut. Quelques conseillers se tournèrent vers Bjorn qui retira lentement les mains de son visage.

– C'est vrai, confirma-t-il d'une voix sans timbre, Brit est arrivée chez nous quelques heures après la naissance d'Aleks. C'est elle qui nous a apporté Brisco.

Sa pâleur fit croire un instant qu'il allait défaillir. Il était en train de vivre un de ces moments rares où la vie se dénoue de ses nœuds anciens et se renoue autrement. Cela lui donna une sensation de vertige, comme s'il tombait. Le secret qu'il partageait avec Selma depuis dix ans n'en était plus un. Brisco n'était pas leur enfant. Mais un autre secret, celui révélé par Nanna, venait remplir ce vide. Le petit garçon qu'ils avaient élevé jour après jour et qu'ils avaient perdu maintenant était le fils d'Iwan et le petit-fils du roi Holund. Bjorn se rappela ce soir lointain où Selma l'avait presque deviné. Brisco n'avait alors que quelques mois et ils étaient tous les deux penchés sur son berceau, à l'observer avec tendresse. « Tu ne trouves pas ça étrange, avait-elle dit, la mort d'Iwan, la disparition d'Unne et maintenant ce bébé qui nous arrive... » Il s'était contenté de secouer la tête, qu'est-ce que tu vas imaginer là... et ils n'en avaient plus jamais parlé.

Nanna n'avait pas tout à fait achevé son récit.

– Il s'est passé un an à peu près, reprit-elle, et ils sont venus... la bande à Guerolf... je pense qu'ils faisaient toutes les maisons pour trouver le petit... pour venir dans notre maison à nous, il fallait vraiment qu'ils les fassent toutes... j'étais pas là je travaillais comme bonne dans une ferme... ils ont interrogé ma tante... elle a dû leur chanter *Pique la baleine* ou quelque chose comme ça... et puis elle leur a raconté le bébé la sorcière Brit la marque sur le pouce et tout ça... elle me l'a dit quand je suis rentrée... elle oublie tout cette folle elle oublierait qu'elle a des orteils aux pieds mais ça il a fallu qu'elle le retienne et qu'elle leur dise... après ils ont dû aller trouver Brit pour lui faire avouer où elle avait mis le bébé... mais Brit vous la connaissez elle a dû les recevoir... voilà cette fois j'ai tout dit messieurs dames... excusez-moi si c'était un peu en désordre... j'ai fait comme j'ai pu...

– C'était très clair, Nanna, fit Ketil. Le Conseil te remercie chaleureusement. Et j'en profite pour te dire que nous sommes heureux que tu sois revenue parmi nous. Nous ne t'avions pas oubliée et nous aimions beaucoup Arpius, tu le sais. On va te reconduire.

Le même garde qui l'avait amenée vint la prendre par le bras. Avant de sortir, elle se retourna sur l'assemblée des conseillers et secoua tristement la tête.

– Tout ça pour qu'il retombe entre leurs pattes... quelle misère... pauvre petit, va...

Le Conseil se prolongea tard cette nuit-là. On évoqua la fuite honteuse de Guerolf, dix ans plus tôt, son bannissement de Petite Terre, ses protestations d'innocence face aux accusations, son humiliation devant son oncle le roi, sa rage et ses terribles promesses de vengeance. Les soupçons portés sur lui à propos de la mort d'Iwan avaient été déterminants dans sa condamnation, mais plus encore son caractère belliqueux, contestataire et violent. La plupart des conseillers présents se rappelaient cette réunion explosive, la dernière à laquelle il ait participé, et où il n'avait pu contenir sa haine. Il avait tonné une heure durant sans que personne ne puisse le faire taire.

– Petite Terre ? vociférait-il, debout et martelant la table de ses poings, Petite Terre ! Tout est dit quand on a dit « petite ». Ah, quel aveu de devoir dire : je suis de « Petite » Terre ! Cette île n'en finit pas de se ratatiner. Elle nous ratatine, vous ne le sentez pas ? Et moi je n'aime pas être ratatiné. J'ai besoin d'espace. L'Histoire ? Il faut l'écrire, l'Histoire, au lieu de la contempler ! Nous sommes l'Histoire ! La bibliothèque royale ? Quelle gabegie ! Et quel symbole ! C'est le lieu de votre abandon et de votre mollesse ! Que racontent les livres que vous y entassez ? Ils racontent comment des peuples étrangers sont venus ici autrefois pour nous envahir et nous soumettre. Et vous les lisez en courbant le dos ! Et vous y trouvez plaisir ! Honte sur vous ! Honte ! Notre pays s'est couché. Voilà la vérité. Il est devenu un pays de femmes ! Enseignez donc plutôt à vos enfants ce qui est vital et glorieux ! Enseignez-leur les armes et le combat ! Donnez-leur des rêves de conquête ! Ils doivent devenir des aigles et vous en faites des poulets !

Il avait poursuivi longtemps cette diatribe enflammée jusqu'à ce que Ketil, encore jeune à l'époque, l'interrompe calmement et lui dise :

– Merci, Guerolf, d'avoir livré le fond de ta pensée. Au moins nous la connaîtrons désormais.

Quand Bjorn rentra chez lui, il trouva Selma profondément endormie. Ce n'était plus arrivé depuis l'enlèvement de Brisco et il n'eut pas le cœur à la réveiller. « Demain, pensa-t-il, je lui dirai demain qui est son fils. » Avant de se coucher, il voulut encore monter à l'étage pour embrasser Aleks. Il gravit pieds nus les marches de bois, attentif à ne pas les faire craquer, et il poussa doucement la porte de la chambre. Un pâle rayon de lune éclairait la pièce. En voyant la forme arrondie dans le lit de Brisco, Bjorn suffoqua.

– Brisco… Brisco…, murmura-t-il.

L'enfant dormait dans sa position préférée, le nez contre le mur. Bjorn s'approcha, pantelant. Il tendit une main tremblante et la posa sur la petite épaule ronde.

– Brisco, mon garçon… tu es revenu…

– Papa ? fit la voix endormie et le visage d'Aleks apparut sous la couverture. Papa… j'ai changé de lit.

7 *Le cadeau de la Louve*

L'équipage menait sa course folle à travers la campagne, droit vers le nord. Les deux chevaux galopaient comme si leur vie en avait dépendu, avalant côtes et descentes dans la même frénésie.

– Hey! hey! lançait la femme pour les exciter davantage encore, et elle leur faisait sentir sur les flancs la brûlure du fouet.

Dissimulé sous la toile qu'on avait jetée sur lui, Brisco entendait ses cris continuels et le bruit assourdissant des lames du traîneau sur la neige. Il avait renoncé à toute révolte maintenant. Les chevilles liées par un cordon serré, et les deux bras collés au corps par les manches d'une chemise d'adulte qui faisaient le tour de sa poitrine comme une camisole de force, il ne risquait plus d'échapper à ses ravisseurs. Pendant les premiers kilomètres, il s'était pourtant débattu avec énergie, non pas dans l'espoir de s'enfuir, mais plutôt pour attirer l'attention avant qu'on l'emporte trop loin. « Bientôt, il n'y aura plus d'habitations, s'était-il dit. Plus je m'éloigne et moins j'ai de chance qu'on me porte secours. » Mais il n'y avait gagné que des coups de poing. Ceux-ci étaient tombés au hasard à travers la toile, sur ses bras, ses reins, sa tête, et il en était tellement endolori qu'il ne savait plus où il avait mal.

– Arrête ! avait finalement ordonné la femme. Tu vas l'abîmer !

– Mais y fait qu'à brailler, m'dame ! s'était justifié l'homme.

– Cogne moins fort et il braillera moins, imbécile !

L'« imbécile » avait donc cessé de frapper, mais il s'était à demi assis sur son prisonnier pour l'immobiliser et il l'écrasait de sa masse. La femme, elle, avait continué à exhorter les chevaux en poussant ses cris farouches.

Plus que la douleur physique, Brisco était torturé par l'incompréhension et la peur. « Qui sont ces gens ? Pourquoi m'enlèvent-ils ? » Et la question la plus terrible : « Que vont-ils faire de moi ? » La violence de cet arrachement le laissait stupéfait. L'instant d'avant, il était encore sous sa couverture à bord du traîneau de M. Holm. Le brave Tempête allait trottinant. Aleks somnolait contre son épaule. Et maintenant des inconnus l'emportaient dans un déchaînement de fureur. « C'est lui ! » avait dit la femme en le désignant. Lui et pas Aleks. Pourquoi ? Qu'avait-il fait de mal ? De quoi voulait-on le punir ?

– J'étouffe ! cria-t-il, et c'était autant à cause de l'angoisse que du manque d'air.

– J'peux le laisser respirer, m'dame ? demanda la brute.

– Bien sûr ! Il n'y a plus personne pour nous voir, ici.

L'homme se déplaça un peu, au grand soulagement de Brisco, et dégagea un bout de toile, juste assez pour qu'il puisse passer sa tête. La femme avait raison : ils glissaient à découvert dans un paysage désert et enneigé qu'il ne reconnut pas. Le froid et la réverbération aveuglante du soleil sur la neige le firent grimacer. Il ne pouvait pas voir l'homme assis tout près de lui, mais la femme qui guidait les chevaux lui apparut d'un coup en une image de splendeur.

Elle se tenait debout, malgré la vitesse et les secousses, tête haute, les rênes dans une main et le fouet dans l'autre. Les pans de son manteau de fourrure ouvert battaient au vent et sa chevelure blonde flottait derrière sa nuque, comme une vague de miel sur le fond bleu du ciel. Brisco ne put s'empêcher de penser qu'elle avait une allure époustouflante, quelque chose qui tenait à la fois de la sauvageonne et de l'impératrice. De la dompteuse aussi à cause du fouet mais, quand elle se retourna vers lui, il vit que son visage était empreint d'une douceur inattendue. Cela dura moins d'une seconde et elle se détourna vivement. Brisco attendit, fasciné, que leurs regards se croisent de nouveau, mais elle ne fixa plus que le lointain devant elle, redoublant d'énergie pour faire avancer les chevaux.

– Ça suffit ! grogna l'homme au bout d'un moment, et il lui renfonça sans ménagement la tête sous la toile.

Le voyage continua ainsi pendant une heure environ avant qu'on le laisse à nouveau respirer l'air libre. La femme menait toujours l'équipage à un train d'enfer. Brisco ne voyait que le profil de son visage immobile et le trait jaune des yeux plissés qui scrutaient la ligne d'horizon.

– Retournez-vous ! murmura-t-il sans savoir au juste pourquoi il le souhaitait. Regardez-moi au moins !

Mais elle ne fit pas un mouvement vers lui. Il remarqua que le soleil avait basculé sur leur gauche à présent. Ils se dirigeaient donc vers l'est, vers la mer.

Ils y furent en quelques minutes. Ce n'était pas un port, mais une petite anse naturelle et sauvage. À deux encablures du rivage mouillait un trois-mâts sans enseigne ni pavillon. Deux hommes attendaient sur les rochers, près d'une barque. Dès qu'ils virent le traîneau s'approcher, ils se levèrent et firent signe à leur camarade.

– Hé, Hrog ! Tout va bien ?

Le colosse, sans doute ravi de s'entendre appeler autrement qu'« imbécile », leur répondit gaiement :

– Ça va ! V'nez m'aider !

Sans libérer ni ses chevilles ni ses bras, ils portèrent Brisco sur la barque.

– Alors, Hrog ? demanda l'un des hommes, rigolard, elle t'a pas croqué, la Louve ?

– Non, plaisanta l'autre, j'ai la viande trop dure, elle s'y serait cassé les dents ! Mais je suis bien content de vous retrouver, les gars ! J'aime pas rester seul avec elle…

En quelques coups de rames, ils atteignirent le bateau. Celle qu'ils venaient d'appeler la Louve le gagna sur une autre embarcation. C'était à croire qu'elle cherchait à se tenir le plus loin possible de Brisco. Il en eut la confirmation dès qu'ils furent à bord. Elle donna quelques ordres nerveux, apparemment très impatiente de lever l'ancre, puis elle disparut dans sa cabine et ne se montra plus.

Les matelots devaient la craindre car ils ne perdirent pas une seconde dans leurs manœuvres. Les voiles furent hissées à grande vitesse, le vent de terre s'y engouffra et entraîna le bateau vers le large. Brisco, qu'on avait abandonné sur le pont, se mit à geindre et à gigoter pour desserrer ses liens.

– Hrog, détache-le ! fit un marin en passant près de lui. Il me fait pitié, ce gosse.

– J'ai pas l'droit. Consigne de la Louve.

– Au moins les chevilles. Il va pas s'envoler.

– Rien du tout. Tout ce que je peux faire, c'est le porter un peu pour qu'il voie son pays. C'est p't-êt' la dernière fois...

– Oui ! cria Brisco. Je veux voir !

L'homme le souleva sans effort, le colla à lui, le dos contre sa poitrine, et marcha jusqu'au bastingage.

– Vas-y, regarde. Mais pas de blague, hein ? J'ai pas envie de sauter à la flotte pour te repêcher. Surtout que je sais pas nager !

La côte aurait semblé très inhospitalière à n'importe qui avec ses blocs de neige prêts à basculer et ses rochers noirs battus par l'eau grise de la mer, mais Brisco reçut en plein cœur l'image de son île qui s'éloignait. Petite Terre... Il n'avait jusqu'à ce jour jamais ressenti à quel point il était de là, à quel point cette île était la sienne. C'était comme marcher ou respirer. Il n'y avait pas pensé.

– Aleks… papa… maman…, gémit-il doucement et, pour la première fois depuis qu'on l'avait enlevé, il pleura des larmes de tristesse.

L'homme n'était pas méchant. Il se contentait d'obéir aveuglément aux ordres et s'il avait fallu battre encore l'enfant, il l'aurait sans doute fait, mais il était aussi capable de compassion.

– Pleure pas, grogna-t-il, p't-êt' que tu reviendras un jour, on sait jamais…

Ils contournèrent un îlot qu'une colonie de fous de Bassan criards avait investi, puis le bateau cingla vers le nord-est. En quelques minutes, Petite Terre fut hors de vue.

La Louve écarta avec agacement et pour la dixième fois au moins le rideau de la fenêtre qui donnait sur le parc. L'impatience la travaillait. Elle n'avait ni l'habitude ni le goût d'attendre, et le retard de Guerolf la contrariait beaucoup. Pendant tout le temps de la traversée en bateau, elle n'avait guère quitté sa cabine, et chaque fois qu'elle était venue sur le pont, elle s'était assurée à l'avance que Brisco n'y était pas. Le reste du voyage lui avait paru interminable. Au port de Grande Terre, ils étaient montés à bord de deux confortables voitures à cheval, elle dans la première, Hrog dans la seconde en compagnie de son jeune prisonnier, et ils avaient galopé une journée entière puis le lendemain encore en s'arrêtant seulement pour manger, se reposer ou changer de chevaux.

À présent, elle était de retour dans leur repaire, comme ils aimaient eux-mêmes l'appeler. Cela allait de soi puisqu'elle était la Louve et lui le

Loup. La grande bâtisse seigneuriale, presque un château, s'élevait au milieu d'un parc protégé par un mur d'enceinte. Au-delà s'étendait le domaine : les terres vers le nord, une sombre forêt de sapins à l'ouest et, en contrebas, un lac pris dans les glaces six mois sur douze. Elle aimait cet endroit sauvage et loin de tout. Elle aimait y retrouver Guerolf. Mais Guerolf n'était pas là.

– Laisse-moi ! dit-elle sèchement à la femme de chambre qui achevait de ranger la coiffeuse. Tu peux disposer. Je n'ai plus besoin de toi.

L'attente était douloureuse, mais délicieuse aussi. Vingt fois depuis deux jours elle avait imaginé la scène : « J'ai une surprise pour toi, Guerolf... » « Une surprise, mon amour ? » « Oui, je pense qu'elle te plaira beaucoup. » Elle en frissonna. Il allait voir ce dont elle était capable.

La nuit tombait quand on annonça enfin l'arrivée du maître des lieux. Le cœur battant, elle jeta un ultime coup d'œil au miroir sur pied qui lui renvoya l'image d'une longue femme racée. La robe crème suivait, docile, la ligne nerveuse de son corps. Les cheveux blonds dégringolaient sur les épaules fines. Elle était prête.

Guerolf entra comme toujours en coup de vent, apportant avec lui dans ses habits et sur sa peau l'air vif du dehors. C'était un homme de grande taille, anguleux, au visage énergique, à la mâchoire brutale. Il marcha droit vers la Louve et ils s'enlacèrent longuement sans dire un mot. Puis il l'embrassa sur le front, sur la bouche, dans le cou.

– Tu es en retard..., souffla-t-elle, la tête renversée en arrière.

Mais il n'y avait là aucun reproche. Cela

s'entendait plutôt comme : tu m'as manqué, chaque instant sans toi est si long…

Au lieu de répondre, il posa son index sur les lèvres de la jeune femme. « Chut, j'ai une raison d'être en retard, dit-il avec les yeux. Viens. » Il la guida doucement jusqu'au rideau de velours qu'il écarta à son tour du dos de la main. « Regarde… » Dans le parc, un homme attendait, tenant par le licol un petit cheval arabe à la robe alezane si ardente qu'on l'aurait dite brûlée. En voyant le couple à la fenêtre, il fit pivoter l'animal pour mieux le montrer à la lumière de sa torche.

– *Un jour*, dit Guerolf à l'oreille de la Louve, *un jour Dieu appela le vent du Sud, il en prit une poignée, la jeta devant lui et dit : « Va, je te nomme "Cheval". »* C'était ce cheval-là, je pense. Je te l'ai apporté.

La Louve tressaillit. Elle brûlait d'une très ancienne passion pour les chevaux, en particulier pour les pur-sang arabes dont elle admirait la fine beauté et l'indomptable vaillance.

– Il est à moi ?

– Il est à toi. Viens le saluer.

– Non, demain…

Il s'étonna un peu. Il avait pensé qu'elle voudrait le voir sans attendre, le toucher, le caresser, le monter malgré l'heure tardive et la nuit. Elle pouvait chevaucher des heures, par tous les temps, épuiser sa monture au mépris de sa propre fatigue.

– Soit, fit-il, tu le célébreras demain… Mais j'ai autre chose à t'offrir. Vois ce qu'il y avait, noué dans sa crinière. Le marchand l'a ajouté pour toi.

Dans la paume de sa main brillait une fine bague d'argent ornée d'une cornaline.

– Elle vient du désert, comme le cheval. Elle a le pouvoir d'arrêter le sang qui coule. Si jamais tu es blessée ou bien si...

– Elle est très belle, l'interrompit la Louve en prenant le bijou entre le pouce et l'index. Je te remercie, Guerolf.

– Tu ne l'enfiles pas ?

– Si, bien sûr...

Cette fois, il fut convaincu que quelque chose ne tournait pas rond.

– Elle ne te plaît pas ?

– Oh si, elle me plaît... mais...

– Qu'est-ce que tu as ?

Brusquement, elle n'y tint plus. Elle prit les mains de Guerolf dans les siennes et les serra.

– Viens.

Elle l'entraîna jusqu'à un fauteuil où elle le fit asseoir, et elle s'agenouilla près de lui.

– Pardonne-moi, mon amour, mais tu pourrais continuer jusqu'au petit jour à couvrir mes doigts de bijoux, à remplir mes coffres de tissus rares et mon écurie de cent chevaux arabes, jamais tes cadeaux ne pourront égaler celui que je vais te faire maintenant.

Guerolf sourit, amusé. Elle ne l'avait pas habitué à cette solennité. Et soudain il comprit, ou plutôt il crut comprendre, et l'émotion retira d'un coup tout le sang de ses joues.

– Louve..., balbutia-t-il, tu... tu attends un enfant ? Un enfant de nous ?

Elle accusa le coup. Elle avait imaginé toutes les réactions possibles de Guerolf, mais pas celle-ci. Ils n'avaient jamais pu concevoir d'enfant jusqu'à ce jour. Comme si leurs deux vitalités hors du commun, au lieu de s'ajouter, s'annulaient l'une l'autre.

– Non, fit-elle douloureusement, non... Ce n'est pas ça, Guerolf.

Et elle se reprit aussitôt, mystérieuse.

– Ce n'est pas ça. C'est... mieux.

Il la regarda sans comprendre, presque inquiet.

– J'ai trouvé pour toi ce que tu cherches désespérément. Attends-moi.

Elle sortit et revint moins d'une minute plus tard, laissant derrière elle la porte entrouverte. Guerolf, calé dans son fauteuil, n'avait pas fait un mouvement. Elle vint se placer debout à côté de lui.

– Je t'amène celui que tu cherches depuis dix ans, Loup, fit-elle à voix basse. Je t'amène le fils d'Iwan, le petit-fils du roi Holund. Mais surtout ne lui dis rien, il ne sait pas qui il est.

Puis elle appela :

– Hrog !

Le colosse apparut, poussant Brisco devant lui. Il le fit avancer à mi-distance entre la porte et le couple, et se retira sur un geste de la Louve. On avait mis à Brisco des vêtements neufs à sa taille. Il était propre et coiffé, mais son visage naguère si rieur était muré dans une expression dure et butée. Il regarda à peine les deux adultes qui lui faisaient face.

– Approche, dit Guerolf.

Comme Brisco ne bougeait pas, ce fut lui qui dut se lever et s'avancer.

– Montre-moi tes mains.

Brisco ne bougea pas.

Guerolf prit la main gauche de l'enfant et retourna la paume vers lui.

– C'est bien. Comment t'appelles-tu ?

Brisco ignora la question.

– Tu ne veux pas me dire ton nom ?

La détermination de cette petite personne à se taire était impressionnante. Guerolf la perçut et ne se hasarda pas à lui poser une autre question.

– Hrog ! appela soudain la Louve. Emmène-le ! Dépêche-toi !

Guerolf, bien qu'étonné par cette hâte, ne s'opposa pas. Une fois la porte refermée, il resta longtemps comme sidéré, la bouche ouverte, les bras pendants le long du corps.

– Es-tu sûre que c'est lui ? demanda-t-il enfin d'une voix tout juste audible.

– Aussi sûre que je suis sûre que tu es toi, Loup.

– Mais comment as-tu réussi ? J'ai envoyé des dizaines d'hommes à sa recherche pendant des années. Ils sont entrés dans mille maisons, ils ont fouillé Petite Terre jusque dans les caves pour trouver l'enfant à la marque. Et toi... Comment as-tu... ?

– Qu'importe, fit-elle, et elle savourait son triomphe avec délectation. Il fallait seulement savoir une chose qu'aucun de tes hommes n'a jamais sue.

– Que veux-tu dire ? Quelle chose ?

– Oh, ce n'est pas très compliqué. C'est : *un et un font deux*. Rien de plus.

Il la regardait sans comprendre. Elle poursuivit :

– Les gars de ta bande n'ont pas de cervelle,

Guerolf. Ils ont cherché un enfant seul. Ils n'ont jamais eu l'idée que le bébé aurait pu être ajouté à un autre pour faire des deux un couple de jumeaux, enfin de présumés jumeaux. Or c'est ce qui s'est passé. La sorcière Brit les a bien eus, mais elle ne m'a pas eue, moi. De nous deux, la plus *sorcière* n'est peut-être pas celle qu'on pense...

Tout autre que Guerolf aurait été effrayé par l'éclat jaune que prirent à cet instant-là les yeux de la Louve.

– La sorcière Brit...

– Oui. Tu le sais, c'est elle qui a recueilli l'enfant à sa naissance. Tes hommes n'ont jamais pu la faire parler. Ils gardent même quelques souvenirs cuisants de leurs rencontres avec elle. Mais ce sont des rustres. J'ai procédé avec plus de finesse et devant moi elle s'est trahie. Je l'ai flattée. Même les sorcières succombent quand on s'y prend bien. Je l'entends encore : « *Un et un font deux... hu-hu... un et un font deux... ma belle...* » Quand elle a su qui j'étais et que je l'avais possédée, elle est devenue presque folle. Je ne crois pas qu'il existe sur la terre une personne qui me haïsse autant qu'elle désormais.

– Tu as pris des risques, Louve. Cette femme est redoutable. Elle a des pouvoirs qui nous dépassent, tu le sais.

– Je le sais. C'est pourquoi j'aimerais ne pas avoir fait cela pour rien. Et si tu veux me remercier, je ne te demande qu'une chose.

– Laquelle ?

– Un cadeau est un cadeau, et l'enfant t'appartient. Soit. Tu feras donc de lui ce que tu désires. Et quelle que soit ta décision, je l'approuverai, sache-le. Mais si tu dois… je veux dire si tu choisis… enfin si tu lui réserves le sort que tu as réservé à son père, alors…

– Alors ?

– Alors, je te prie de ne pas tarder. Je n'ai regardé ce garçon que quelques instants, le temps de le séduire. Mais c'est lui qui m'a séduite. Il est charmant. Il me plaît. Je ne veux pas m'attacher davantage. Je veux que cela aille très vite.

– Demain, Louve.

– Non, cette nuit, Loup.

Il eut un imperceptible mouvement de tête et de paupières.

– Oui, Louve, demain ce sera fait.

Puis il la prit dans ses bras.

De leur étreinte s'échappa une onde glaciale qui se répandit dans la pièce, s'insinua sous la porte et monta l'escalier.

La chambre qu'on avait attribuée à Brisco se trouvait sous les toits. « Pour que je ne saute pas par la fenêtre », avait-il pensé. Il regardait brûler la chandelle sur sa table de nuit, allongé sous ses couvertures, quand le souffle glacé venu d'en bas entra dans la pièce. Il frissonna et serra par réflexe ses bras autour de son torse. Dans le silence compact qui l'enveloppait, il sentit rôder une menace indistincte. Le bruissement des grands arbres dans le parc s'était arrêté. L'angoisse lui serra le cœur.

– Hrog ! appela-t-il doucement. Hrog…

– Qu'est-ce que tu veux ? grogna le gros homme qui luttait contre le sommeil sur sa chaise adossée à la porte.

– Vous resterez là toute la nuit ?

– Oui, toute la nuit.

Et cette brute qui l'avait tabassé à tour de bras deux jours plus tôt ajouta en bâillant :

– Dors tranquille, p'tit gars. Y a personne qui entre et personne qui sort.

8 *Un petit nid d'amour*

Les gens prétendaient que Brit gardait dans des boîtes la queue des rats qu'elle mangeait, mais ils auraient été incapables de montrer ces queues de rat, ni les boîtes qui les contenaient, ni même la maison qui contenait ces boîtes. Car nul ne savait où habitait la sorcière. Elle arpentait sans trêve ni repos les forêts, la lande, les villes et les villages, trottinant de son pas court et pressé. Elle allait dans la neige, le froid, sans faire aucune différence entre le jour et la nuit, toujours en mouvement, toujours à la hâte. On pouvait la rencontrer ici un matin, et à l'autre bout de l'île à midi. À se demander si elle n'était pas capable d'être aux deux endroits en même temps.

– Comment on va la trouver si elle a pas de maison ? demanda Aleks.

– Elle en a peut-être une, répondit son père, mais personne ne l'a jamais vue entrer dedans.

Ils marchaient au hasard depuis un moment déjà dans ce faubourg écarté de la ville. Les rues étaient désertes. La neige montait jusqu'à mi-hauteur de leurs bottes de cuir.

– Tu sais, avec Brit rien ne se passe normalement. On ne prend pas rendez-vous avec elle, par exemple. Si on veut la voir, on le dit autour de soi, on le fait savoir. Ça peut durer longtemps, mais ça finit par arriver jusqu'à ses oreilles. Et c'est elle qui te trouvera au moment qu'elle aura choisi, de préférence celui où tu t'y attends le moins. Mais elle ne viendra jamais frapper à ta porte. Il faut sortir, se promener et attendre qu'elle se décide.

– Et elle a quel âge, la sorcière Brit, papa ?

– Alors ça, personne ne le sait ! Tu connais le vieux M. Holgersson, celui qui fabriquait des barques, et qui a plus de cent ans aujourd'hui ?

– Oui.

– Eh bien, il dit qu'il l'a toujours connue vieille.

– Elle a au moins cent soixante ans, alors ?

– Oui, ou peut-être cent quatre-vingts.

– Ou trois cent douze…

Bjorn nota avec plaisir le sourire fugace d'Aleks. Depuis que ses parents lui avaient révélé le secret de l'origine de Brisco, au lendemain de la fameuse réunion du Conseil, le garçon allait plutôt mieux. Rien n'était résolu, bien sûr, et sa peine restait immense, mais au moins il possédait une explication à son malheur. On avait enlevé Brisco parce qu'il était le petit-fils du roi. Cela avait un sens. Et cela avait suffi à dissiper un peu de cette angoisse qu'on éprouve quand on ne comprend pas.

Bjorn et Selma avaient pris beaucoup de précautions pour lui expliquer que Brisco n'était pas son vrai frère, mais à leur grand étonnement, il n'avait pas été bouleversé par cette révélation. En réalité, cela lui était bien égal que Brisco ne soit pas sorti comme lui du ventre de leur mère. Cela ne changeait rien à rien. Ce garçon auprès de qui il avait mangé, dormi, ri, pleuré, joué et rêvé jour après jour pendant les dix années de leur vie commune, ce garçon était son frère. Définitivement. Incontestablement.

Il s'ajoutait à cela que Brisco n'était pas n'importe qui. Le petit-fils du roi ! L'héritier légitime du royaume de Petite Terre ! Il y avait de quoi éclater de rire à cette idée. Brisco, hilare, la couronne royale posée de travers sur sa tête bouclée ! Brisco assis sur le trône avec ses jambes trop courtes qui pendouillent dans le vide ! Brisco qui brandit son sceptre et claironne : « Salut, c'est moi le roi ! Je nomme le cheval Tempête premier conseiller, et mon frère Aleks ministre des Gâteaux secs ! »

Mais l'éclat de rire ne venait pas. Bien au contraire. évoquer Brisco faisant des pitreries le rendait si présent que son absence devenait brutalement insupportable. Aleks la ressentait comme une vraie douleur, et sa gorge se nouait à faire mal.

– Tu crois que Brit pourra nous aider, papa ?

– Je ne sais pas, Aleks. Je l'espère. Tu sais, on a beaucoup débattu au Conseil après ton départ et celui de Nanna. C'est une affaire compliquée.

– Qu'est-ce qui est compliqué ? Brisco a été enlevé. Il faut aller le chercher. Je comprends pas pourquoi on attend.

Ils venaient de s'engager à droite dans une ruelle aux maisons basses dont les toits semblaient près de s'écrouler sous la neige. Bjorn s'arrêta soudain et soupira.

– Écoute-moi, Aleks. Je vais te parler comme

à une grande personne. Tu as le droit de savoir, après tout. Pour commencer, nous avons une certitude : Brisco est entre les mains de Guerolf.

– Comment on en est sûr ?

– Parce que cette femme blonde qui l'a enlevé est sa compagne. C'est une femme très ambitieuse. On l'appelle la Louve.

– À cause de ses yeux jaunes ?

– Oui, et de son caractère. Ils vivent à Grande Terre. Après son bannissement et en peu d'années, Guerolf est devenu là-bas un seigneur très puissant. Il dispose déjà de troupes imposantes, des centaines d'hommes, peut-être des milliers, entièrement dévoués à sa cause parce qu'il les paie bien et qu'il leur promet la gloire. Une véritable armée qui grandit sans cesse. C'est un signe inquiétant, tu t'en doutes.

– Il va faire la guerre ? Il va nous envahir ?

– Oh, il n'y aurait même pas de guerre s'il attaquait Petite Terre…

– Mais on a une armée, nous aussi ! On pourrait se défendre !

– On a une petite armée qui est jolie à voir défiler les jours de fête, Aleks, mais pour se battre c'est autre chose. Nos rois ont toujours estimé qu'il était inutile de dépenser de l'argent à ça. Holund disait : « Qui voudrait de Petite Terre ? Il n'y a que de la neige et des livres ici… »

– Alors il nous attaquera pas, Guerolf ?

– Guerolf rumine son humiliation depuis que le roi l'a chassé. Il peut très bien décider de mettre Petite Terre sous sa botte juste pour se venger. Mais il est plus ambitieux que ça, beaucoup plus. Il veut devenir le maître de Grande Terre. Et, quand ce sera fait, il verra encore plus grand. Il lèvera une armée gigantesque et il entreprendra la conquête.

– La conquête ?

– Oui, celle du Continent, vers l'est. Il a toujours rêvé de domination et de vastes territoires.

Aleks avait écouté avec attention et, de ce que son père venait de dire, il retira ce qui lui importait d'abord :

– Mais alors, on n'arrivera jamais à reprendre Brisco...

– Par la force, non. Mais par d'autres moyens... C'est la raison pour laquelle je veux voir Brit, tu comprends ? Elle est capable de tout, du meilleur comme du pire. Je sais bien que ce n'est pas très rationnel de se tourner vers elle, mais s'il y a une seule chance, il faut la tenter, tu es d'accord ?

Aleks approuva de la tête avec énergie, faisant osciller furieusement la capuche de son manteau.

– Et puis c'est elle qui nous a apporté Brisco, continua son père. Elle aura peut-être à cœur de le retrouver et de le ramener.

L'un et l'autre se gardaient bien d'évoquer le pire. Et tous ceux qui avaient connu et aimé le petit garçon faisaient de même. C'était comme une pensée interdite, une sale bête qui rôdait quelque part dans les ventres, dans les poitrines, et qu'on s'évertuait à ne pas laisser arriver jusqu'à la tête. Et pourtant... Est-ce qu'il n'était pas déjà trop tard ? Guerolf avait fait naguère la preuve de sa cruauté sans bornes. Faire exécuter Iwan et son valet ne lui avait pas posé le moindre problème de conscience. En aurait-il davantage avec un enfant de dix ans ? Rien n'était moins sûr. Seulement, on ne pouvait pas imaginer cela sans avoir l'impression de tomber dans un gouffre de désespérance. Alors, on se tenait au bord de ce gouffre, sans en parler, on se serrait les uns aux autres et on jouait la comédie de l'espoir.

Ils montèrent à pas lents le haut de la ruelle et débouchèrent sur une petite place. Le quartier était désert. Bjorn avait pensé que Brit préférerait sans doute le rencontrer en un lieu tranquille. Il l'avait très peu vue depuis cette nuit mémorable où elle était venue cogner à sa porte, le bébé dans les bras. Il se rappela les mots qu'elle avait alors prononcés : « C'est pas la peine d'en parler à tout le monde hu-hu… ça pourrait porter malheur au petit. » Les quatre qui savaient, c'est-à-dire Selma, la sœur de Selma, la sage-femme et lui, Bjorn, s'étaient tus pendant dix ans. Mais le malheur était tout de même arrivé. Alors ? Qui avait parlé ? La tante de Nanna, la vieille folle pas si folle, avait révélé beaucoup aux hommes de Guerolf, mais elle ne pouvait pas savoir où Brit emporterait l'enfant. Était-ce donc Brit elle-même qui avait trahi le secret ? Bjorn aurait bien aimé le lui demander.

– Allez, dit-il enfin, rentrons à la maison. Nous ne la trouverons pas ce matin.

Aleks acquiesça, et la capuche de son manteau accompagna tristement le mouvement de sa tête. Ils allaient tourner les talons quand l'enfant surgit tout près d'eux. D'où sortait-il ? Aucune porte ne s'était ouverte à proximité et la place était vide l'instant d'avant.

– Bonjour, messieurs ! dit-il, et ils reconnurent aussitôt leur méprise : ce n'était pas un enfant mais un adulte nain, de la taille d'Aleks environ, très soigné de sa personne, vêtu d'un manteau d'hiver apparemment neuf et coiffé d'un bonnet de fourrure.

Il aurait été difficile de lui donner un âge précis, mais il avait à coup sûr dépassé la soixantaine. Il fronçait les sourcils comme une personne qui cherche à se donner une importance qu'elle n'a pas, et cela lui froissait tout le haut du visage en une expression plutôt comique.

– Est-ce bien vous qui cherchez Brigita ?

– Brigita ? demanda Bjorn.

– Oui. Enfin Brit, si vous préférez…

– En effet, c'est nous…

– Alors suivez-moi, je vous prie.

Il traversa la place sans se retourner pour voir s'ils le suivaient. Bjorn et son fils se regardèrent, amusés, et se lancèrent à sa poursuite. Il ne traînait pas, c'est le moins qu'on puisse dire. Il les conduisit à grande vitesse dans un dédale de ruelles toutes identiques. À deux reprises le bonhomme s'arrêta à un coin de rue pour les attendre. Il écartait alors drôlement ses bras courts sur les côtés et les laissait retomber d'un air agacé :

– Ça vient, oui ? J'ai pas que ça à faire, moi…

Avant de repartir plus vite encore.

Et soudain ils furent arrivés. Une porte de jardin s'ouvrait dans un mur. Ils butèrent presque sur le nain qui s'était arrêté devant.

– Entrez, messieurs ! fit-il en la faisant grincer sur ses gonds et il s'effaça pour les laisser passer.

Ils pénétrèrent dans une charmante petite cour pavée au fond de laquelle se dressait une maisonnette au crépi jaune vif. Le nain toqua deux coups contre les carreaux de la fenêtre pour prévenir de son arrivée, et il ouvrit la porte décorée de deux branchettes de pin croisées.

– Tapez vos bottes, s'il vous plaît, et entrez!

La pièce que découvrirent Aleks et son père ne ressemblait en rien à l'antre d'une sorcière telle qu'on l'imagine. Pas de chaudron bouillonnant dans une cheminée encrassée, pas de fioles poussiéreuses sur des étagères branlantes, pas de chat noir famélique qui vous frôle les chevilles. Non. Il y avait là un fourneau propre et luisant, un plancher balayé du matin, une table couverte d'une impeccable nappe à carreaux bleus, deux chaises avec leur coussin, un buffet ciré et des rideaux à la fenêtre.

– Si vous voulez bien quitter vos bottes…

Ils s'exécutèrent et attendirent, en chaussettes, que leur hôte se soit lui-même débotté.

– Brigita! appela-t-il en se relevant. Ils sont là!

– Amène-les-moi hu-hu…, fit une voix éraillée depuis l'autre côté de la cloison.

– Tu pourrais quand même te lever…

– Amène-les, je te dis hu-hu…!

Bjorn et Aleksander eurent du mal à en croire leurs yeux en entrant dans la chambre. Brit l'infatigable, Brit l'indestructible, Brit l'indifférente au froid et au chaud, Brit la sorcière reposait en chemise de nuit sous un édredon de plumes, la tête inclinée sur l'oreiller. Une tisane à demi bue refroidissait sur la table de nuit.

– Un problème hu-hu… Bjorn? fit-elle d'une voix lasse.

Aleks l'observa, fasciné. Il ne l'avait jamais vue d'aussi près. Le visage parcheminé, ridé, plissé au-delà de la vieillesse, la fente des yeux si étroite qu'il était impossible d'y saisir le regard, la bouche serrée, tout cela évoquait une espèce de tortue centenaire qu'on aurait déguisée en femme. « Elle a peut-être vraiment trois cent douze ans... », pensa-t-il. Sous les draps, le corps ressemblait à un fagot de bois sec.

– Oui, mais tu n'as pas l'air très bien non plus..., répondit Bjorn.

Elle écarta le sujet d'une mimique agacée.

– Halfred ! Remonte-moi un peu hu-hu... et laisse-nous...

Celui qu'elle venait d'appeler Halfred s'approcha et l'aida à s'asseoir. Il tapa l'oreiller, le plaça derrière elle afin qu'elle puisse s'y adosser, et quitta docilement la pièce.

– Que veux-tu, Bjorn hu-hu... ? Pourquoi veux-tu me voir ?

– Brit, tu te rappelles que tu nous as amené un enfant, il y a dix ans...

– Je me rappelle tout hu-hu... ça et les autres choses... tout ce que j'ai vécu... j'aimerais oublier mais ça s'incruste dans ma tête hu-hu... comme dans de la pierre dure... c'est gravé...

– Alors tu te souviens de ce bébé ?

– Oui...

Elle détourna la tête, visiblement contrariée.

– Et je suppose que tu n'ignorais pas qui il était ?

– Bien sûr que non... c'est moi qui l'ai marqué hu-hu... à la main... une croix...

– C'est un garçon de dix ans maintenant, Brit. Nous l'avons élevé sans jamais rien dire, comme tu nous l'avais recommandé. Et il a été enlevé la semaine dernière.

– Je le sais… et je sais par qui hu-hu…

– Par la Louve, Brit. Est-ce que c'est toi qui lui as dit où le trouver ?

La sorcière resta silencieuse quelques secondes, puis cracha mollement par terre un jet de salive noire.

– Cette garce ! grommela-t-elle très bas et d'une voix sourde, cette garce de chienne… elle m'a possédée, Bjorn… j'en suis tombée malade, tu le vois hu-hu… elle m'a gâté le foie… je lui arracherai les dents les unes après les autres avec une pince rouillée… je lui ferai roussir les doigts de pied… je l'empoisonnerai jusqu'à ce qu'elle devienne toute noire et gonflée, elle fera moins la belle hu-hu… je lui raserai sa tignasse et je la lui coudrai aux fesses… je…

Aleks ne put pas s'empêcher de pouffer de rire et son père lui donna un léger coup de coude.

– Brit, le Conseil a délibéré. On ne peut pas envoyer notre armée à l'assaut de Grande Terre, tu le comprends. Ils sont prêts à me donner quelques hommes, mais c'est tout. C'est pour ça, Brit. Nous avons besoin de toi pour ramener l'enfant. Est-ce que tu nous aideras ?

– Je suis malade huhu…

– Je comprends, mais c'est justement ne rien faire qui te rend malade. Il faut que tu réagisses.

La sorcière grimaça. Quelque chose la tracassait. Comment expliquer sinon qu'elle n'ait rien entrepris jusqu'à ce jour pour se venger ? Qu'est-ce qui avait bien pu la clouer au lit, elle qui ne prenait même pas le temps de s'asseoir ? Cela ne lui ressemblait pas du tout.

– Qu'en penses-tu, Brit ? reprit Bjorn avec prudence. Je te paierai ton travail, si tu veux.

Elle eut un petit rire nerveux.

– J'ai rien à faire de l'argent, tu le sais hu-hu...

– Alors ? Qu'est-ce qui t'empêche ?

Elle se tortilla drôlement, agita ses longs doigts maigres.

– Je vais y réfléchir hu-hu... je te ferai donner ma réponse par Halfred... sous deux jours... et maintenant laissez-moi tranquille...

Là-dessus, elle se retourna comme pour dormir, afin de bien marquer que l'entretien était fini.

– Nous comptons sur toi, Brit, dit encore Bjorn, tu es notre seul espoir.

En se retournant pour sortir, ils remarquèrent un deuxième lit poussé contre le mur opposé. Celui d'Halfred bien sûr à en juger par la taille. Ils notèrent le haut du drap de dessus tiré à la perfection et replié sur la couverture, l'oreiller sans creux ni pli ni bosse. Un adorable petit violon était accroché au mur, avec ses touches incrustées d'os et de corne et sa volute sculptée en tête de jeune fille.

Le nain les attendait dans la salle, assis près du fourneau.

– Je vous reconduis, dit-il en se levant.

Ils remirent tous les trois leurs bottes et sortirent. Cette fois, Halfred ne les précéda pas de dix mètres comme en venant, mais resta à leurs côtés en veillant à ce qu'ils ne pataugent pas trop dans la neige.

– Vous allez emmener Brigita avec vous ? demanda-t-il au bout d'une minute.

– Vous avez écouté à la porte…, répondit Bjorn, amusé.

– Oh non, je n'ai pas écouté, j'ai entendu, nuance. La cloison est étroite. Alors, vous allez l'emmener ?

– Je ne sais pas. Elle n'a pas l'air très décidée à venir.

– Ah, j'espère qu'elle partira. En tout cas, ça lui ferait du bien, je vous assure !

« Vous vivez ensemble ? » faillit demander Bjorn, mais l'idée que Brit ait pu se mettre en ménage avec quelqu'un était tellement extravagante qu'il tourna sa question autrement :

– Donc, vous… vous vous occupez d'elle ?

– Eh oui. Ça va faire quatre semaines qu'elle est arrivée chez moi. Mais je n'ai pas grand mérite. Elle passe les trois quarts du temps au lit et ne demande presque rien.

– Vous vous connaissez depuis longtemps, Brit et vous ?

– Je pense bien. Depuis plus d'un demi-siècle ! Entre originaux on se connaît tous, vous savez : les estropiés, les fous, les nains, les sorcières… Mais on ne s'était jamais bien parlé jusque-là, elle et moi. Salut Halfred ! Salut Brigita ! Et un petit signe de la main. Pas plus que ça en cinquante ans, c'est peu non ? Et puis l'autre soir, voilà qu'elle frappe à ma porte. J'ai vu tout de suite que ça n'allait pas fort. Je peux entrer hu-hu… ? Ben oui, entre…, je lui dis. Sans me douter de ce qui allait arriver. Elle entre, elle regarde autour d'elle, comme pour inspecter le logement : le buffet, la table, le fourneau, tout ça, sans dire un mot, et puis vous savez ce qu'elle fait ? Elle va tout droit dans ma chambre et elle se couche dans mon lit, dans mon lit à moi. Tout ça sans quitter ses bottes, je précise ! Et elle dit vous savez quoi ?

– Non, on ne sait pas.

– Elle dit : « Je reste ici. »

– Ça alors ! s'exclama Aleks. Et vous avez pas essayé de la ficher dehors ?

– Que faites-vous des lois de l'hospitalité, jeune homme ? On ne jette pas les gens dehors, surtout quand ils sont malades. Parce qu'elle était malade, la pauvre. Malade d'avoir été trompée par la Louve. Elle n'a pas supporté de se faire embrouiller. Ça ne lui était jamais arrivé de toute sa vie. Elle en a déclenché une jaunisse ! Une vraie jaunisse, je veux dire ! Quand elle est arrivée, elle ressemblait à un citron. Je l'ai soignée, je lui ai fabriqué un lit à sa taille, je lui ai acheté une chemise de nuit, je lui ai fait boire des bouillons de légume à la cuillère. Maintenant ça va mieux, mais c'est le moral qui flanche… J'ai beau lui jouer de la musique et lui chanter des chansons, elle continue à broyer du noir… L'autre nuit, elle gémissait dans son lit. Je l'entendais du mien. Ça fend le cœur, je peux vous le dire !

Aleks en resta bouche bée. Imaginer la sorcière Brit gémir dans son lit le dépassait.

– Ce que je ne comprends pas, intervint Bjorn, c'est qu'elle n'ait pas cherché à se venger de la Louve. J'ai toujours connu Brit combative et même, pardonnez-moi… méchante.

Halfred secoua la tête.

– Ah, vous croyez la connaître, mais elle a ses faiblesses…

Bjorn et Aleks se demandaient bien quelles

sortes de faiblesses Brit pouvait avoir, mais ils se turent, ce qui est bien souvent le meilleur moyen de délier les langues. Et Halfred, sans cesser de marcher, se fit un plaisir de leur expliquer :

– Essayez de comprendre. Brigita arpente Petite Terre depuis une éternité et elle la connaît mieux que vous votre propre salle à manger. Elle connaît chaque colline, chaque ravin, chaque arbre avec ce qu'il y a dessus, chaque rocher avec ce qu'il y a dessous. Elle connaît la neige de Petite Terre, la pluie de Petite Terre, le vent, les animaux, les insectes presque un par un ! Et tant qu'elle a les deux pieds sur cette île, elle ne craint ni Dieu ni diable, ni hommes ni bêtes, pas plus que les Esprits. Mais l'idée de s'embarquer pour ailleurs... Alors là ! Ça la panique. Et elle sait que la Louve a emporté l'enfant sur Grande Terre... Voilà les deux choses qui lui ont abîmé le foie : s'être fait berner par cette femme et ne pas pouvoir se venger ! Ça la travaille, ça la creuse, ça va me la tuer vous allez voir...

Là-dessus, Halfred sortit son mouchoir et s'essuya les yeux.

– Allons, ne pleurez pas..., le consola Bjorn. Je suis sûr qu'elle va se décider à nous accompagner. Essayez de la convaincre !

– Je ne pleure pas, c'est le froid qui me pique ! Mais je tâcherai de la convaincre, oui. Au moins ça lui changerait les idées.

Ils tournèrent encore un peu et finirent par retrouver l'avenue où ils se séparèrent sur une vigoureuse poignée de main.

– Nous comptons vraiment sur vous, Halfred,

répéta Bjorn. Brit est capable de ramener l'enfant, vous comprenez.

– Je ferai de mon mieux ! conclut le nain en s'éloignant de sa démarche un peu claudicante. Moi aussi je compte sur vous. Si vous pouviez me la ravigoter…

Dès qu'il eut disparu, Aleks bondit sur son père.

– J'en reviens pas ! La sorcière Brit dans un lit avec une tisane ! Si Brisco avait vu ça !

Il s'étonna aussi qu'Halfred la garde chez lui et s'occupe d'elle avec tant de dévouement.

– Il a sans doute une bonne raison de le faire, lâcha Bjorn évasif.

– Quelle raison ? Tu crois qu'il est…

– … amoureux d'elle ? rigola Bjorn. Non, je ne pense pas que le mot convienne. Je me trompe peut-être, mais j'imagine plutôt autre chose.

– Quoi ?

– Que c'est la première fois que quelqu'un a besoin de lui.

9 *Vent du Sud*

Guerolf était resté longtemps derrière la porte de la chambre de Brisco, immobile. Le ronflement régulier de Hrog l'avait agacé au début. Le gros balourd dormait à poings fermés, en dépit des consignes qu'on lui avait données. Mais au bout du compte cela tombait plutôt bien. Si Hrog avait été éveillé, sans doute Guerolf lui aurait-il donné sans attendre l'ordre qu'il avait en tête en montant l'escalier : « Réveille l'enfant, habille-le et amène-le-moi aux écuries ! »

L'idée de faire disparaître Brisco ne le bouleversait pas. Il connaissait, à un quart d'heure de cheval, un ravin profond, hérissé de rochers saillants, au fond duquel il avait déjà précipité bien des corps, dans le secret de la nuit. Les bêtes s'occupaient du reste. Les loups d'abord qui dévoraient la chair, puis les rapaces qui ne laissaient que les os tout blancs. Il n'aurait pas demandé à Hrog d'être l'exécuteur de ces basses œuvres. Celui-ci venait de passer trois jours avec l'enfant, et cette fausse brute était capable de faire des manières ou même de s'apitoyer comme ce nigaud de chasseur qui épargnait Blanche-Neige dans le conte.

Non, il aurait confié la tâche à un autre, qui se serait délesté sans scrupule du corps de Brisco dans les ténèbres du ravin, exactement comme la sorcière Brit avait fait de celui d'Unne, sa mère, dans les ténèbres de la mer. Une spécialité familiale, en quelque sorte ! Le plongeon nocturne ! Cette pensée l'avait fait sourire. Puis, peut-être à cause du ronflement de Hrog, il avait hésité une seconde à frapper à la porte, et il était resté là, la tête contre le bois, plongé dans des pensées incandescentes. Enfin, au bout d'une heure peut-être, il était revenu sans bruit s'allonger près de la Louve.

Elle ne dormait pas. La flamme d'une bougie mourante tremblotait encore sur le guéridon.

– C'est fait ? demanda-t-elle d'une voix claire, la voix de quelqu'un qui n'a pas dormi mais veillé.

– Non, répondit-il.

Elle se retourna, stupéfaite. Guerolf n'était pas de cette sorte d'hommes qui se ravisent. Est-ce qu'il n'avait pas eu le courage d'exécuter le garçon ? Elle l'observa et vit que rien sur son visage ne disait : je n'ai pas pu… Il y avait au contraire une expression de triomphe contenu, une sorte de satisfaction de lui-même.

– J'ai une meilleure idée, Louve.

– Une meilleure idée ?

– Oui, nous allons garder l'enfant.

Elle sut, en les entendant, combien elle avait espéré ces deux mots sans vouloir se l'avouer : garder l'enfant…

Elle laissa passer quelques secondes, afin de calmer les battements de son cœur, puis :

– Tu as bien réfléchi, Loup ? Si tu le fais pour moi, ne le fais pas, je te prie ! Ce serait une faute. Je sais la haine que tu éprouves pour Holund et sa descendance. Tu as tué le père. Seras-tu capable d'aimer le fils ?

– Qui te parle d'aimer, Louve ? Je ne veux pas l'élever comme on élève les enfants sur Petite Terre, dans la tiédeur et la mollesse. Je veux en faire un combattant. Je veux faire de lui le plus vaillant et le plus impitoyable de mes hommes.

Elle se rapprocha de lui. Front contre front, ils étaient comme un seul visage, une seule pensée.

– Ce sera un plaisir délicieux, murmura-t-il, car il ne sait pas qui il est, et moi je le sais. Imagine…

Sa voix n'était maintenant plus qu'un souffle.

– Imagine… Le fils d'Iwan, le petit-fils d'Holund, devenu le fidèle lieutenant de Guerolf, leur ennemi détesté ! Je saurai le changer, Louve. Je saurai chauffer le sang tiède qui coule dans ses veines. Je veux qu'il devienne un guerrier féroce et conquérant. Je veux le garder près de moi, jour après jour, le modeler, le forger comme une arme, le punir souvent, le récompenser presque jamais, l'endurcir.

– Tu veux qu'il te craigne ?

– Qu'il me craigne et qu'il m'admire en même temps. Que son plus grand désir soit de gagner un compliment de ma bouche, un signe d'affection…

Leurs lèvres se touchaient à présent. Ils chuchotaient, comme si Brisco, là-haut, ou quelqu'un d'autre avait pu entendre ces mots qu'ils prononçaient et qu'ils savaient ignobles.

– Tu me laisseras l'aimer un peu, moi ? dit-elle.

– Tu pourras l'aimer à ta guise, Louve. Sois

tendre et maternelle avec lui. Je serai le fer. Tu seras le velours. Il aura besoin de ta douceur au début, pour survivre. Il est jeune. Mais dès qu'il sera plus solide, il faudra qu'il se détache de toi pour devenir un homme.

Elle l'embrassa, passa ses doigts dans ses cheveux.

– Comment l'appellerons-nous ? Il ne peut pas garder son nom d'avant.

– Sûrement pas ! Comment m'as-tu dit ? Brisco ? Un nom de petit garçon rondouillard et affectueux ! Non, je veux l'appeler Fenris.

– Fenris… ça me plaît. Ça signifie « le loup »…

– Oui, afin qu'il en devienne un.

– Fenris…, répéta doucement la Louve et ils se turent, le temps d'imaginer ce que cela ferait à l'avenir de prononcer ces deux syllabes : « Fenris, où es-tu ? Veux-tu aller à la chasse demain, Fenris, avec ton père ? Tu n'as pas froid, Fenris ? »

Puis Guerolf reprit, ses yeux noyés dans les yeux jaunes de la Louve :

– Un jour, quand tout sera fini, quand il aura longtemps trahi sans le savoir, quand il aura suffisamment renié les siens sans le savoir, et quand je serai trop vieux pour qu'il me le fasse payer, alors je lui dirai qui il est. Et je dirai à tous ceux de Petite Terre : « Regardez cet homme ! Regardez-le bien ! C'est le fils d'Iwan et le petit-fils d'Holund. Voyez ce que j'ai fait de lui ! Voyez ce que j'ai fait de celui qui devait devenir votre roi ! »

Elle eut une sorte de crispation.

– Loup, je ne sais pas si je dois t'admirer ou m'enfuir épouvantée. Ta perversité touche à l'art, tu le sais ?

– J'ai juré de me venger lorsqu'ils m'ont chassé. Ils ont cru que je leur promettais le feu et le sang. Ils les auront. Mais ils auront pire encore. Je leur rendrai au centuple l'humiliation qu'ils m'ont infligée.

Il en tremblait. La vieille colère ne s'était pas apaisée après tout ce temps.

– J'aimerais pour commencer..., reprit-il, mais je ne sais pas si ce sera possible... ce serait trop demander...

– Qu'est-ce que tu aimerais, Loup ?

– J'aimerais qu'il oublie tout ce qu'il a été avant : la maison où il a grandi, la voix de son père, les caresses de sa mère... Qu'il soit comme... neuf. Qu'en penses-tu ?

Elle hésita un peu, puis :

– Je crois qu'il pourra tout oublier si nous nous y prenons bien, si sa vie chez nous est intense et palpitante.

– Elle le sera.

– Alors oui, continua-t-elle plus lentement, avec le temps qui passe son passé tombera dans l'oubli, mais...

– Mais ?

– Mais il y a, je le crains, une chose qu'il n'oubliera jamais.

Guerolf se tendit. Ses sourcils se froncèrent.

– Quelle est cette chose, Louve ?

– Son frère. Ils ont été élevés ensemble comme des jumeaux. Ils ne se sont pas quittés plus d'un jour en dix ans. Ils sont... liés, Loup. Je les ai vus ensemble. Ils sont comme une seule personne. Ils sont liés.

– Nous verrons ça, Louve, nous verrons...,

murmura Guerolf, et il y avait dans sa voix la promesse d'un défi de plus à relever.

Au même moment, sous les toits, Brisco dormait, recroquevillé dans sa couverture, et il faisait un mauvais rêve.

Aleks et lui se trouvaient sur un chariot de la bibliothèque royale. Ils roulaient dans une galerie sombre, et lui, Brisco, prenait entre ses bras la tête de son frère pour lui faire peur. Il disait de sa voix lugubre : « *File la lune... chevauche la mort...* » Mais Aleks ne riait pas. Alors, il lâchait sa tête. Aleks se retournait et ce n'était pas Aleks, mais un autre enfant inconnu. Il n'y avait ni monstre ni meurtre ni mort, ce n'était pas vraiment un cauchemar, mais cela faisait presque aussi peur.

Quand Brisco ouvrit les yeux, le lendemain matin, il vit la femme blonde penchée sur lui. Et il reçut en même temps l'odeur subtile de son parfum, un parfum délicat qu'il n'avait jamais respiré.

– Tu as dormi longtemps. C'est bien. Tu n'as pas eu froid ?

Il la trouva belle et s'en voulut. D'une autre beauté que celle du traîneau, moins sauvage, mais tout aussi envoûtante. Il détourna la tête pour l'ignorer, pour ne pas être capturé par la flamme de ces yeux jaunes et par ce sourire. Ce sourire-là, doux et presque attendri, elle le lui avait déjà offert deux jours plus tôt, l'espace d'une seconde, quand elle s'était retournée sur lui alors qu'elle guidait les chevaux. Mais c'était comme s'il lui avait échappé et qu'elle l'avait regretté l'instant d'après. Cette fois au contraire, il était bien accroché à ses lèvres. Même sans regarder, il sentait ce sourire posé sur lui et il n'en voulait pas.

– Je comprends que tu sois en colère, dit-elle. À ta place je le serais aussi, je t'assure ! Je serais… fu-rieuse !

Elle avait détaché les deux syllabes de ce dernier mot avec une pointe d'humour que Brisco détesta. Comme si elle lui avait seulement joué une mauvaise blague qu'il aurait bien vite oubliée. Il eut envie de lui envoyer son poing dans la figure pour la faire changer de ton. Mais il préféra rester de pierre.

– Je t'ai apporté ton petit déjeuner, continua-t-elle sans se laisser troubler. Je suis sûre que tu préfères le prendre seul ce matin. Je te laisse. Quand tu auras fini, tu pourras descendre et aller où tu veux. Les chiens te connaissent déjà, tu n'as rien à craindre d'eux. La grille est ouverte dans la journée. Le domaine t'appartient. Tu es libre.

Dès qu'elle fut sortie, laissant derrière elle le souvenir parfumé de son passage, il observa la chambre qu'il n'avait pu voir la veille que dans l'obscurité. Elle était haute de plafond, vaste et claire, meublée sobrement : un lit trop grand, une armoire dont les deux portes servaient de miroirs, un coffre avec une cuvette d'eau et une serviette et, près de la fenêtre, la table du déjeuner sous laquelle on avait poussé la chaise occupée par Hrog pendant la nuit.

Il se leva, s'habilla très lentement, comme à regret. La fenêtre principale donnait sur le parc et plus loin, au-delà du mur d'enceinte et de la grille, sur le lac gelé. Il regarda tout cela sans le voir vraiment, avec indifférence. Une autre petite fenêtre donnait sur l'arrière, la forêt de pins. Sur la table, il trouva un morceau de pain de seigle, du beurre dans une assiette et un bol rempli de lait chaud. Il hésita, partagé entre la faim qui lui creusait l'estomac et l'envie de montrer à ces gens qu'il ne s'abaisserait pas à recevoir quoi que ce fût venant d'eux. Finalement, il coupa dans le pain une tranche bien nette qu'il mangea sans laisser de miettes. Avec un peu de chance, ils penseraient qu'il n'avait rien pris. Il trempa à peine ses lèvres dans le lait et dut faire un effort violent pour ne pas en boire davantage.

Libre... Elle avait dit qu'il était libre ! On vous bat, on vous arrache à votre famille, on vous attache, on vous jette dans un traîneau, sur un bateau, on vous emporte au bout du monde dans une demeure inconnue, mais vous êtes... libre. Il descendit le large escalier tournant, faisant glisser sa main sur le bois lisse de la rampe. Au premier étage, les appartements de Guerolf et de la Louve étaient fermés. En bas, les portes de la grande salle étaient ouvertes, il passa devant le plus vite possible et sortit.

Il frissonna dans le froid vif. Les deux grands chiens danois qui jouaient près du mur d'enceinte l'ignorèrent. Un long bâtiment s'étirait sur la gauche. Les écuries. Il s'y dirigea d'instinct. Peut-être pour la chaleur qu'il y pressentait, peut-être aussi pour l'innocence des animaux. Il entra. Les odeurs mélangées de paille et de cuir lui firent du bien. De chaque côté d'une longue allée très propre étaient alignés une vingtaine de box. Les têtes des chevaux dépassaient au-dessus des portes basses. Il s'avança, observa chaque bête. Certaines étaient très hautes et noires de robe, d'autres plus petites, blanches ou baies, mais toutes le dominaient de leur masse, et il se garda bien d'approcher même celles qui quémandaient la caresse en étirant le cou. L'une d'elles tapait même le bois de la porte avec son sabot comme pour appeler. Mais bientôt il ne les regarda plus.

Là-bas, tout au bout de l'allée, un petit alezan était attaché au mur par un simple licol. La lumière descendue de la verrière tombait sur lui et magnifiait le brun rougeâtre de ses crins. Seul le bas des jambes était blanc. Tout le reste, crinière comprise, flamboyait de cette couleur étonnante.

Brisco s'approcha, fasciné. Le petit cheval sentit sa présence et tourna sa tête fine vers lui.

– Il est beau, non ? Il te plaît ?

Brisco sursauta. La femme blonde s'avançait dans l'allée, en tenue de cavalière, les deux bras chargés d'une selle et d'un harnais. Elle s'arrêta derrière lui et tous deux regardèrent le cheval pendant un instant.

Puis, de cette voix étrange qui semblait venir d'un pays lointain, elle récita en modulant chaque mot avec gourmandise :

– *Un jour Dieu appela le vent du Sud, il en prit une poignée, la jeta devant lui et dit : « Va, je te nomme "Cheval".* » Regarde, Guerolf me l'a offert hier. Il n'a pas encore de nom. Comment l'appellerais-tu à ma place ?

Comme Brisco, fidèle à sa résolution, ne bronchait pas, elle entreprit de seller l'animal.

– Ce soir, reprit-elle en serrant les sangles, j'irai te voir dans ta chambre et je te dirai pourquoi tu es ici, pourquoi nous t'avons... recueilli. D'ici là, tu n'es pas obligé de me parler puisque ça t'est désagréable. Promène-toi, découvre le domaine. Il n'y a de barrières nulle part. Tu es libre d'aller où tu veux. Si tu as faim, va aux cuisines, elles sont au sous-sol. Ottilia t'y donnera à manger autant que tu voudras.

Elle avait fini de préparer le cheval et elle s'éloigna avec lui. Avant de disparaître, elle se retourna et lança gaiement :

– À ce soir, Fenris !

S'entendre appeler autrement que par son nom le choqua. Autant que les coups qu'il avait reçus de Hrog et qui lui avaient laissé des bleus sur les bras et le dos. Il sentit monter en lui un mélange de colère et de tristesse.

– Je m'appelle Brisco, pleura-t-il, tout seul dans l'écurie, au milieu des grands chevaux indifférents. Je m'appelle Brisco !

Et il donna plusieurs coups de pied contre les planches du box voisin.

Quand il regagna sa chambre à la nuit tombée, il aurait été bien en peine de dire ce qu'il avait fait de sa journée. Il avait franchi la grille et beaucoup marché. D'abord jusqu'à la forêt derrière le château, puis il était descendu au lac gelé dont il avait fait tout le tour. Ensuite, il avait suivi des chemins au hasard, suffisamment loin pour se rendre compte qu'il n'aurait servi à rien de s'enfuir. Où serait-il allé ? Il avait croisé quelques rares personnes qui l'avaient salué sans s'inquiéter autrement de lui, ni même lui demander qui il était.

Il avait surtout et pour la première fois de sa vie fait l'expérience de la solitude. C'était étrange de ne rien pouvoir partager de ce qu'il vivait. Si Aleks avait été là, au bord du lac, ils auraient glissé dessus, ils se seraient tirés, poussés, ils auraient crié. Seul, il avait à peine posé son pied sur la glace et il s'en était retourné. Dix fois il avait eu envie de dire : «Aleks, regarde ! Aleks, tu as vu ! » et les mots lui étaient restés dans la gorge.

Mourant de faim, il était rentré au milieu de l'après-midi. La cuisinière, une femme bougonne, lui avait donné sans commentaire de quoi calmer son appétit : des pommes de terre avec de la viande bouillie, et pour finir, une confiture épaisse et très sucrée qu'il ne put s'empêcher de trouver succulente. Puis il était retourné aux écuries, où le petit cheval arabe était toujours absent. Il y avait attendu la nuit, assis sur une botte de paille. Enfin, il avait regagné sa chambre.

La femme blonde frappa avant d'entrer. Il ne répondit pas. Elle poussa doucement la porte et vint s'asseoir au bord du lit. Elle portait une robe de velours d'un vert tendre, avec de larges revers. « Elle ne s'habille jamais deux fois de la même manière, se dit-il, et tout lui va bien... » Mais il lui tourna tout de même le dos, comme s'il voulait dormir et qu'elle l'ennuyait.

– Je t'ai promis la vérité, commença-t-elle. Là voilà. Pardonne-moi si elle te blesse. Tu penses que nous t'avons arraché à ta famille. Mais elle n'était pas ta famille. Pas plus que nous ne le sommes. Ils t'ont recueilli autrefois quand tu étais un bébé, tu n'avais qu'un jour, et ils ne te l'ont jamais dit.

– C'est pas vrai ! cria-t-il. C'est pas vrai !

Et il plaqua les mains sur ses oreilles.

Elle ignora ses cris.

– Tu ne leur ressembles pas. Tu n'as pas le même nez, ni la même bouche, tu n'as pas les mêmes yeux, pas les mêmes mains ni les mêmes cheveux… Tu n'as rien de commun avec eux. As-tu déjà réfléchi à ça ? Non, tu n'y as jamais réfléchi… Si tu l'avais fait, tu aurais bien vu que tu n'es pas des leurs. Mais ça ne doit pas te rendre triste. Ta nouvelle vie sera bien plus belle, tu verras…

– Taisez-vous ! cria-t-il encore. C'est pas vrai !

– Nous t'avons recueilli…, continua-t-elle.

– Vous m'avez volé ! cria-t-il. Je veux rentrer chez moi !

– Nous t'avons… pris parce que tu mérites mieux que ce que tu avais. Je ne veux pas dire du mal des tiens, mais leur monde était trop… petit pour toi, leur horizon trop court. Nous t'enlevons quelque chose, mais nous te donnerons beaucoup mieux. Tu le comprendras avec le temps, Fenris…

– Je m'appelle Brisco ! fit-il, la voix étouffée de sanglots. Brisco !

Elle tendit le bras et posa la main droite sur son épaule, une main qu'elle voulait consolante, mais il la saisit et la mordit avec rage, sur le côté, dans le gras de la paume. N'importe qui à la place de cette femme aurait hurlé de douleur et retiré sa main. Elle au contraire resta passive et l'abandonna à Brisco.

– Mords, mon enfant, mords si ça te fait du bien…

Hors de lui, il reprit la main et referma ses mâchoires dessus. Les dents entrèrent dans la chair, profondément, et firent couler le sang. « Qu'elle ait mal au moins ! Qu'elle ait mal comme j'ai mal! » Il s'acharna jusqu'à ce que le goût métallique du sang l'écœure. Alors seulement elle laissa échapper un faible gémissement et il lâcha prise.

– C'est bien, dit-elle en retirant sa main rouge et meurtrie, c'est bien.

Puis elle se leva, traversa lentement la chambre et sortit.

Il attendit que le bruit des pas soit tout à fait évanoui dans l'escalier, puis il se leva et alla à la cuvette d'eau. Il rinça le sang de sa bouche, les larmes de ses yeux, se sécha et revint se coucher. Il se demanda si Hrog allait venir le veiller cette nuit. Il aurait bien aimé. Mais une heure passa sans que rien ne bouge. « Je vais m'enfuir, se dit-il. Demain je marcherai droit devant moi, très loin, jusqu'à ce que je trouve quelqu'un qui m'aide et me ramène chez moi. »

Le sommeil venait quand on poussa la porte. Ce n'était pas Hrog, mais elle à nouveau, la Louve, une bougie à la main. Elle se glissa jusqu'au lit et s'accroupit au bord. Sa main n'était pas bandée. La morsure dessinait une trace rosée sur la peau blanche. Le sang ne coulait pas. Sur l'annulaire brillait la fine bague ornée d'une cornaline.

– Le petit cheval arabe…, murmura-t-elle.

Il n'ouvrit pas les yeux, mais le tremblement de ses paupières le trahit. Elle sut qu'il ne dormait pas.

– Le petit cheval arabe… Il t'appartient. Tu m'entends ? J'ai demandé à Guerolf. Il m'a dit : « Un cadeau est un cadeau, tu en fais ce que tu veux. » Alors je le prends au mot, j'en fais ce que je veux et… je te l'offre à mon tour. Il est à toi. À toi seul. Tu pourras le dresser, le monter, le soigner, le nourrir, le… nommer. Comment l'appelleras-tu ? Est-ce que tu le sais déjà ?

Elle n'espérait pas de réponse et s'en alla, silencieuse comme une ombre.

– Bonne nuit, mon garçon, souffla-t-elle seulement en refermant la porte.

« J'en veux pas de son cheval ! se dit Brisco. Qu'elle le garde ! » Puis il se perdit dans un tumulte de pensées où se mêlaient un lac gelé sur lequel il patinait avec Aleks, une confiture épaisse et délicieuse, le souvenir dégoûtant du sang tiède dans sa bouche et, pour finir, l'image apaisante et l'œil tendre d'un petit cheval à la robe brûlée.

« Vent du Sud…, pensa-t-il. Je l'appellerai Vent du Sud. Comment l'appeler autrement ? »

10 *L'expédition*

Bjorn et Aleksander Johansson n'eurent pas à attendre longtemps la réponse de Brit. Dès le lendemain de leur visite à la sorcière, ils virent arriver chez eux le nain Halfred. À sa mine dépitée, ils crurent d'abord qu'il apportait une mauvaise nouvelle, mais ils se trompaient.

La nuit descendait sur la ville, et la famille se préparait à affronter une fois de plus ces heures terribles du soir, en l'absence de Brisco. C'était un combat sans cesse recommencé : mettre la table, s'occuper du feu, manger, se parler d'autre chose alors qu'on n'avait que ça en tête, faire comme si tout était normal, ne pas laisser s'installer le silence.

Selma salua le visiteur d'un « bonjour monsieur » auquel il n'était sans doute guère habitué, et Bjorn lui indiqua une chaise.

– Asseyez-vous, je vous en prie.

– C'est inutile, répliqua le petit homme. Je n'en ai pas pour longtemps.

– Alors avancez-vous au moins vers le feu. Vous avez l'air gelé.

– Non, merci. Je viens juste vous apporter la réponse de Brigita et je repars.

Aleks, qui avait entendu de l'étage, dégringola l'escalier et les rejoignit d'un bond. Halfred tripotait nerveusement son bonnet de fourrure.

– Alors ? l'encouragea Bjorn. Elle n'accepte pas, c'est ça ?

– Mais si, elle accepte. Elle m'a réveillé en pleine nuit pour me le dire. Elle veut même partir le plus vite possible. Seulement...

– Seulement ?

– Seulement, il y a une condition... Elle ne veut pas des hommes du Conseil, ni des soldats, ni d'une escorte. Elle dit qu'elle n'a pas besoin de cette engeance, que c'est une bande de bons à rien. Elle ne partira qu'avec vous.

– Je ne m'attendais pas à ça, fit Bjorn en s'efforçant de sourire. Je n'aurais jamais imaginé que je partirais un jour pour un voyage à deux avec la sorcière Brit. Tu n'y vois pas d'inconvénient, Selma ?

– Aucun, répondit la jeune femme, qui s'affairait à la cheminée, je ne pense pas que tu sois son genre.

– Et moi ? fit soudain Aleks. Pourquoi je pourrais pas y aller ? C'est moi qui connais le mieux Brisco. Et puis qu'est-ce que je ferai ici pendant que... ?

Il n'eut pas le temps de poursuivre. Sa mère l'interrompit d'une voix très calme :

– Moi vivante, tu ne partiras pas, Aleks. N'en parle plus, s'il te plaît.

Il était inutile d'argumenter, et il se tut, les yeux baissés sur ses chaussures.

– Excusez-moi, reprit Halfred, vous avez parlé d'un voyage à deux ?

– Oui, Brit et moi. Pourquoi ? Il y aurait une troisième personne ?

Le regard pitoyable du nain valait toutes les réponses, mais il gémit tout de même :

– Je ne sais pas ce qu'elle a après moi ! Elle veut que je vienne ! Je lui ai expliqué pendant des heures que j'étais froussard, délicat, frileux, difficile sur la nourriture, que je n'aimais pas les voyages, que je serais un boulet... Rien à faire ! Elle a la tête dure comme du bois. Elle me veut !

Le départ eut lieu deux jours plus tard, à l'aube. Le port était calme. Le ciel et la mer se confondaient dans une lumière blanche et pâle.

Halfred arriva encombré d'une grande malle en osier où il avait mis, selon lui, l'indispensable, et personne n'arriva à le convaincre que son indispensable était déjà beaucoup trop pour un voyage de ce genre. Brit au contraire se présenta sans rien du tout, ni sac ni vêtements de rechange, juste sa personne toute courbée, noire et sèche. Elle semblait en effet avoir repris du poil de la bête et on aurait presque dit la Brit d'avant.

Selma et Bjorn s'étreignirent longtemps au bas de la passerelle. Ils s'étaient parlé très tard dans la nuit, et maintenant les mots ne servaient plus à rien. On entendait seulement le clapotis des vaguelettes contre la jetée.

– Ramène-le..., chuchota seulement la jeune femme. S'il te plaît, ramène-le...

Aleks était derrière son père, accroché à son manteau, comme pour l'empêcher de partir. Bjorn le souleva et le serra affectueusement contre lui.

– Je reviendrai bientôt, Aleks. Ne t'en fais pas. Tu veilleras sur maman, hein ? Pendant mon absence…

– D'accord. Et toi, tu ramèneras Brisco.

Il faillit répondre : « Je le ramènerai. » Mais quelque chose l'en empêcha. Il n'avait jamais rien promis à son fils sans le tenir. Même pour les petites choses sans importance, il avait toujours respecté cette règle. L'espace d'une seconde, il imagina l'horreur d'un retour sans Brisco et le terrible reproche dans les yeux d'Aleks : tu m'avais promis, papa… Et le désespoir de Selma…

– Je ferai tout ce que je peux, mon garçon, dit-il. Si je ne le ramène pas, c'est que c'était impossible, tu m'entends ?

Le bateau mis à la disposition de Bjorn par le Conseil n'avait pas la rapidité de celui de la Louve. Il s'y ajouta le vent défavorable et l'équipage peu aguerri, bref il mit deux fois plus de temps pour effectuer la même traversée.

La première journée de navigation fut terrible pour la sorcière Brit qui n'avait pas le pied marin. Elle la passa cassée en deux par-dessus le bastingage, puis affalée à même le pont, s'acharnant à vider un estomac déjà vide. Elle poussait des feulements épouvantables *urghht urghht*… et on avait l'impression qu'elle cherchait sans y parvenir à se retourner elle-même, comme on retourne une chaussette. Halfred, qui la connaissait bien, évita de l'importuner. Il n'y avait rien à faire pour elle. Il se contenta de demander de loin : « Ça va, Brigita ? » À quoi elle répondait tantôt par un râle d'agonisante tantôt par des hoquets qui rappelaient les cris d'un gibbon.

Au matin du deuxième jour cependant, elle put se remettre sur pied et elle marcha une bonne heure sur le pont. Puis elle alla se poster à la proue et y resta longtemps, face au vent glacial, indifférente aux embruns. Elle était guérie.

Dès la nuit suivante, Bjorn eut d'ailleurs la preuve de son total rétablissement. Il devait être deux heures du matin et il tournait sur sa paillasse sans trouver le sommeil. Cela sentait le moisi dans la cabine exiguë et il eut envie d'aller respirer un peu l'air frais de l'extérieur. La lune presque entière éclairait le pont et la mer d'un gris mercure. Il salua d'un mouvement de tête le marin à la barre et continua vers l'arrière du voilier. Au pied du mât se trouvait une petite cahute où l'on rangeait les cordes. Cela bougeait dedans. Un couinement lui parvint, répété à courts intervalles. Il s'approcha et vit une silhouette accroupie.

– C'est toi, Brit ?

La sorcière grogna une réponse indistincte. Elle était visiblement en train de mastiquer quelque chose. Il s'approcha.

– C'est toi, Brit ? On dirait que tu vas mieux. Qu'est-ce que tu es en train de man...

Le mot lui resta sur les lèvres et il eut un haut-le-cœur incontrôlable. Dans la main fermée de la sorcière se débattait un petit rongeur, un rat sans doute dont on voyait dépasser la queue. Et la mâchoire de Brit s'activait.

– Brit ! Tu... tutu... tu..., bégaya Bjorn, le

souffle coupé, tu ne manges quand même pas des rats… en vrai ?

La question était stupide puisque Brit *était* en train de manger un rat en vrai. Elle le regarda d'un air amusé puis, pour lui ôter le moindre doute sur la réalité de ce qu'il voyait, elle fourra dans sa bouche la tête de l'animal et la sectionna d'un coup de dents. Il y eut un craquement et les cris aigus cessèrent aussitôt.

– Oh, non ! fit Bjorn, écœuré, et il se détourna, au bord de la nausée.

Comme il s'en allait, il entendit derrière lui grincer le rire de Brit. La sorcière était plus que ravie de son effet. Il resta quelques minutes sur le pont, le temps de reprendre ses esprits, puis descendit l'escalier pour regagner sa cabine. Devant celle d'Halfred étaient rangées les deux bottes du nain, bien alignées. Un rai de lumière filtrait sous la porte. Il tapa deux coups contre le panneau de bois.

– Vous ne dormez pas, Halfred ?

– Non. Entrez, si vous voulez.

Bjorn resta les bras ballants devant le spectacle offert. Le nain, agenouillé au sol, était occupé à replier une à une les chemises de coton qu'il avait emportées.

– Tout est dérangé. Le roulis… ou le tangage. Enfin les secousses quoi, je ne saurai jamais la différence…

Dans la malle ouverte à côté de lui s'entassaient en piles bien ordonnées les pantalons, les vestes et plusieurs paires de chaussures cirées. Bjorn crut apercevoir un œuf en bois pour repriser les chaussettes.

– Vous êtes sûr d'avoir besoin de tout ça ?
– Non. Mais je l'aurai au cas où.
– Vous avez raison, Halfred. On ne sait jamais.
De retour dans sa couche, il se demanda s'il avait bien fait de se lancer dans cette entreprise périlleuse avec pour seuls alliés un nain maniaque et une sorcière mangeuse de têtes de rat.

Le port où ils accostèrent était comme saupoudré d'une fine couche de neige. Elle donnait aux quais, aux maisons basses et aux bateaux amarrés une douceur tranquille qui contrastait avec l'inquiétude des trois voyageurs. Aucun d'entre eux n'était jamais venu sur Grande Terre et il leur sembla débarquer sur une planète inconnue, silencieuse, blanche et menaçante.

Il fallut parlementer longtemps avec Halfred avant qu'il admette l'évidence : il ne pouvait pas s'encombrer de sa malle en osier. Il finit par céder et se confectionna, la mort dans l'âme, un balluchon plus raisonnable. Mais il refusa catégoriquement de renoncer à son violon.

– C'est un violon d'Hardanger, dit-il, un cadeau de mon père fabriqué sur mesure pour moi. Je l'emporte.

À peine débarquée, la sorcière Brit se comporta comme un animal qu'on aurait enfermé dans une cage et relâché cent kilomètres plus loin. Elle huma l'air, fureta à gauche et à droite. Tandis que ses compagnons marchaient au milieu du quai, elle rasa les murs, presque invisible et, dès qu'il y eut trois brins d'herbe dépassant de la neige, elle se précipita dessus pour les renifler, les mâchouiller. Il lui importait peu de connaître le nom des choses nouvelles, elle voulait seulement les éprouver par les yeux, le nez et la langue.

Dans la voiture que Bjorn trouva pour les conduire jusqu'aux terres de Guerolf, Halfred afficha un air malheureux qui faisait peine à voir. Être du voyage le contrariait déjà beaucoup. Le commencer sans sa malle le catastrophait. Il resta prostré contre la fenêtre, regardant à peine le paysage, son violon serré contre lui.

– Jouez-nous donc un petit air ! proposa Bjorn.

– Pas le cœur…

Les deux chevaux trottaient avec régularité, mais le cocher avait eu beaucoup de mal à les atteler au départ.

– Mais qu'est-ce qu'ils ont à la fin ? s'était-il exclamé tandis que les bêtes regimbaient, secouaient la tête et faisaient des pas de côté.

– C'est moi hu-hu…, avait expliqué Brit en s'éloignant de quelques mètres. Les chevaux ne m'aiment pas hu-hu… je sais pas pourquoi… quand je les monte, ils savent plus marcher ils confondent leurs jambes, ils s'emmêlent et ils se cassent la figure c'est comme ça hu-hu…

Une fois dans la voiture, elle se recroquevilla sur son siège et ne dit plus rien, mais dès le premier arrêt elle sauta sur le marchepied et continua ses explorations. Elle goûta la neige, arracha des bouts d'écorce avec ses ongles, cogna des pierres les unes contre les autres, les cassa, apprécia de la langue la poussière que cela produisait.

Ils passèrent la nuit dans une auberge où le cocher avait ses habitudes. Bjorn et Halfred partagèrent une chambre. Brit, elle, disparut dans la nuit et on ne la revit qu'au matin. Personne ne lui demanda où elle était allée.

Dans le milieu de l'après-midi suivant, le cocher arrêta son attelage en haut d'une colline.

– Voyez cette rivière, dit-il. Si vous passez le pont, vous êtes sur les terres du Seigneur Guerolf. Je m'arrête ici, messieurs dames.

Sa voix trahissait une crainte évidente. Rien n'aurait pu l'obliger à poursuivre sa route.

Bjorn lui paya son dû et ils le regardèrent s'en aller. Quand le bruit des roues et du galop des chevaux eut disparu, ils se retournèrent et restèrent un instant à scruter le paysage. La rivière déroulait ses méandres paresseux dans la lande. La neige mince et gelée dessinait çà et là des ronds blancs sur le vert. Désormais, ils n'étaient plus que tous les trois, livrés à eux-mêmes. Une bise aigre se leva, venue du nord. Quelque part, là-bas, il y avait un enfant qu'ils venaient chercher.

Sans se concerter avec personne, Brit prit d'office la conduite de la petite troupe. Elle franchit le pont et s'en alla sur le chemin d'herbe, silhouette noire et courbée. Ils la suivirent. Comment se dirigea-t-elle pendant tout le temps qu'ils marchèrent ce jour-là ? Il y avait quelque chose d'animal dans sa façon de s'orienter. Elle flairait l'air comme un chien de chasse, piquait le nez au sol, reniflait, grattait, repartait. Parfois, elle les entraînait brusquement dans un fossé, un taillis ou derrière un rocher. « Il y a quelqu'un qui arrive hu-hu... », disait-elle en donnant un coup de menton devant elle, et ils devaient rester cachés.

Quelques minutes plus tard passait un paysan avec une pioche sur le dos, un enfant trottinant ou un groupe d'hommes armés.

– Comment fais-tu ? demanda Bjorn la première fois, et elle le regarda comme si elle ne comprenait pas la question.

Ils s'arrêtèrent pour la nuit dans une cabane de pierre abandonnée. Ils firent un feu devant la porte avec des herbes sèches et quelques branches. Bjorn observa, stupéfait, comment Brit brassait à mains nues les braises rouges. Il la vit même en prendre une entre ses doigts et la tripoter distraitement, longuement, comme on fait avec un caillou, avant de la rejeter parmi les autres… La peau fumait un peu et dégageait une légère odeur de couenne brûlée, mais elle ne semblait pas s'en soucier. « Décidément, cette femme est prodigieuse », se dit-il. Et cette pensée, loin de lui faire peur, le remplit d'espoir.

Quand le feu fut éteint, ils s'abritèrent dans la cabane. Le froid vif pinçait les doigts et s'insinuait à travers les vêtements.

– Je me gèle, gémit Halfred, qui claquait des dents.

Alors Brit s'assit dans un angle de la pièce, contre les murs de pierre.

– Venez, dit-elle, je vais vous chauffer hu-hu…

Les deux hommes vinrent se caler le dos contre elle. Elle ne sentait pas mauvais, comme on aurait pu le craindre. Trop maigre et trop sèche pour cela, sans doute. Au bout d'une minute à peine, une chaleur intense se répandit en eux. Le bien-être les envahit. Il leur semblait être adossés à un fourneau brûlant.

Ils furent tirés de leur sommeil au milieu de la nuit par le hurlement lugubre et interminable d'un loup.

– Saleté de chien hu-hu… ! grommela Brit.

Au troisième hurlement, elle se leva d'un bond et sortit.

Ils l'entendirent pousser un cri rauque et sauvage qui les glaça bien plus encore que celui du loup. L'animal décampa et les laissa en paix jusqu'au matin.

Le jour qui suivit, ils marchèrent à vive allure toute la journée, Brit devant, Bjorn vingt pas derrière, et Halfred à la traîne. Le malheureux avait renoncé à se plaindre. Il faisait contre mauvaise fortune bon cœur, son balluchon de plus en plus informe sur l'épaule et, à l'occasion d'une des rares pauses, il joua même un peu de son violon d'Hardanger. Pour dire la vérité, il n'était pas un grand musicien. L'archet grinçait atrocement sur les cordes et les notes ne sonnaient pas toujours juste, mais c'était attendrissant de voir les doigts courts de sa main gauche voleter sur les touches. Et il s'en tirait plutôt bien avec les mélodies de Petite Terre. Il les chantonnait en même temps qu'il les jouait, et Bjorn éprouva une mélancolie à les entendre, surtout cette berceuse qui faisait :

Le traîneau de Jon glisse mal
glisse mal
mais l'étoile monte
la nuit vient
le traîneau de Jon glisse bien

Sa grand-mère puis sa mère la lui avaient chantée cent fois quand il était petit, et Selma à son tour l'avait chantée aux garçons.

Le jour baissait déjà quand ils parvinrent à une région au relief plus inégal. Devant eux scintillait la glace d'un petit lac gelé. Au-delà, une forêt de pins noircissait l'horizon, à l'ouest, et sa pointe sombre recouvrait l'épaule d'une colline. Une muraille de pierre s'élevait sur les hauteurs. Deux rapaces décrivaient des cercles lents dans le ciel tourmenté du crépuscule.

Brit s'immobilisa. Ses deux compagnons la rejoignirent.

– Un problème, Brit ? interrogea Bjorn.

Elle ne répondit pas. Ses narines palpitaient. D'osseux, son visage devint presque squelettique.

– Je la sens hu-hu..., dit-elle, les mâchoires serrées, je la sens, cette garce...

11 *Halfred en concert*

Pour monter le chemin pentu qui conduisait du lac au château, Halfred devait se courber en avant et le spectacle de ses bottes crottées le désolait. Son manteau neuf avait également bien souffert du voyage avec sa manche gauche déchirée et le bouton du milieu manquant. La dernière toilette digne de ce nom que le petit homme avait faite remontait maintenant à plus de trois jours. Il ne se rappelait pas avoir été aussi négligé de toute sa vie.

Il s'arrêta, essoufflé, et se frotta le derrière. Il avait chuté trois fois en traversant le lac gelé, de sa seule hauteur certes, mais son postérieur en gardait le souvenir endolori.

– Ne prenez aucun risque ! avait dit Bjorn. Tout ce que vous avez à faire, c'est pénétrer dans le domaine et revenir nous dire si vous y avez vu Brisco.

Il s'était défendu et la discussion avait pris un tour plus que vif :

– Entrer dans le château… facile à dire ! Qu'est-ce que j'irais faire là-bas ?

– Vous vous présenterez comme un musicien qui veut se produire pendant le dîner.

– Je joue comme un pied ! Vous le savez très bien. Vous m'avez entendu.

– Pas du tout, vous jouez très bien. N'est-ce pas, Brit, qu'il joue bien ?

– Il joue très bien hu-hu…

– Ah bon ? C'est la première fois que tu me dis ça, Brigita.

– J'y avais pas pensé avant hu-hu…

– Il serait temps ! Et pourquoi vous n'y monteriez pas, vous deux, au château ? Allez-y puisque c'est si facile !

– C'est impossible, nous sommes tous les deux connus de la Louve.

– Brigita peut-être, mais pas vous !

– Si. En cherchant Brisco, à Petite Terre, elle m'a très certainement vu. En tout cas nous ne pouvons pas courir le risque qu'elle me reconnaisse.

– Et Guerolf ? Je le connais, moi, Guerolf ! Il y a dix ans qu'il a quitté Petite Terre, mais je le reconnaîtrais ! Alors pourquoi est-ce qu'il ne me reconnaîtrait pas, lui ?

– Vous le connaissiez parce qu'il était une personnalité importante à Petite Terre.

– Ah oui, et moi j'étais un rien-du-tout, c'est ça ?

– Je n'ai pas dit ça.

– Vous le pensez ! Et puis zut à la fin ! Je suis venu pour accompagner Brigita parce qu'elle me l'a demandé, et c'est tout. Je n'ai aucune envie d'être le héros de l'expédition ! Je ne suis pas un aventurier ! Je suis fatigué, j'ai froid, j'ai faim, j'ai mal aux pieds ! Je voudrais être chez moi, prendre un bain chaud, mettre ma robe de chambre et mes pantoufles, me faire bouillir un œuf à la coque et y tremper des mouillettes, voilà ce que je voudrais !

– Mais justement ! Je suis sûr qu'il y aura un bon feu de cheminée là-haut, et qu'ils vous offriront un repas appétissant !

– Non, ils me jetteront dehors au bout de trois notes ! Quand j'ai peur, je joue encore plus faux.

– Plus faux… ça paraît difficile hu-hu…

– Qu'est-ce que tu as dit, Brigita ?

– Rien du tout hu-hu…

– Tu oublies que je t'ai recueillie. Tu faisais moins la maligne quand tu as frappé à ma porte !

– S'il vous plaît, ce n'est pas le moment de vous quereller ! Écoutez-moi, Halfred, nous sommes arrivés jusque-là ensemble. Nous n'allons pas faire demi-tour, ni passer la nuit sur ce lac gelé… Pensez à l'enfant…

– Ce n'est pas le mien !

– Je sais, Halfred. Mais c'est un enfant qui a besoin de vous !

– Et si je suis pris ?

– Vous ne serez pas pris.

– Qu'est-ce que vous en savez ?

C'est Brit qui avait eu le dernier mot, sans élever la voix :

– Vas-y, Halfred hu-hu… on te demandera rien d'autre… je veux juste savoir comment c'est là-haut hu-hu… et après, je m'occupe de tout…

Alors il avait abandonné là son balluchon, pris son violon d'Hardanger, et s'était élancé à grands pas, enfin aussi grands que le lui permettaient ses petites jambes.

– Je vous préviens ! Si je ne reviens pas, ce sera

votre faute ! Vous aurez la mort d'Halfred sur la conscience !

Il avait glissé encore une fois sur la glace bleutée du lac, lâché une grossièreté qu'on n'aurait jamais imaginée dans sa bouche, et disparu.

La colère passa un peu dans la montée, et elle céda le pas à l'angoisse quand il parvint sous les murs du château.

– Dans quel pétrin je suis en train de me fourrer ! gémit-il en s'avançant vers la grille. Pourvu qu'il n'y ait pas de chiens en plus !

Comme en réponse à son inquiétude, des aboiements graves retentirent dans le parc. C'était la voix profonde de ces bêtes qui ont du coffre et dont on sait avant de les voir que ce ne sont pas des caniches. « Tant mieux ! se dit Halfred. Voilà un bon prétexte pour déguerpir ! Je leur dirai que je n'ai pas pu entrer ! » Sa conviction fut confortée par l'arrivée des deux grands danois accourus à la grille. Il trouva qu'ils étaient aussi hauts que des chevaux.

– La paix ! cria quelqu'un, et les bêtes se turent, étonnamment dociles.

Un garde moustachu et bedonnant, armé d'un fusil, s'approcha et le toisa d'un air bourru depuis l'autre côté de la grille.

– Qu'est-ce que tu viens faire ici, mon bonhomme ?

– Moi ? Rien du tout. Je… je m'en vais…

– Pas si vite ! Tu joues du violon ?

– Oui, je suis musicien et si vos maîtres le veulent bien, j'aurais plaisir à jouer pour eux au dîner, dit-il sans respirer.

La phrase apprise par cœur pendant la montée était sortie toute seule.

– Ah, et tu jongles aussi ?

– Oui, un peu.

L'obscurité cacha le rouge qui empourpra ses joues. Jongleur ! Il était incapable de jeter son bonnet en l'air et de le rattraper.

– Hm hm... et tu racontes des histoires drôles ? Tu fais rire les gens ?

– Si je les fais rire ? Je les fais tordre, vous voulez dire !

Au point où il en était, autant enfoncer le clou ! Seul le premier mensonge coûte.

– Bien, bougonna le moustachu, entre.

– Mais, les... les chiens... ils vont me...

– Ils ont déjà mangé.

Halfred se glissa par la grille entrouverte et s'avança dans le parc, escorté par les deux molosses. Leurs têtes énormes étaient à la hauteur de la sienne et il n'osait même pas les regarder. Chacune de leurs oreilles pointues et dressées en l'air aurait pu lui servir de couverture. *Wouf !* jappa mollement l'un des deux, et cela résonna comme sorti d'une caverne sans fond. L'autre posa un instant sa mâchoire sur l'épaule du nain, et sa bave trempa le manteau.

– Va taper à la porte là-bas, et propose tes services ! dit le garde quand ils furent près du bâtiment.

Des flambeaux éclairaient les murs de pierre et donnaient à l'endroit une beauté sinistre qu'Halfred n'était hélas pas d'humeur à apprécier. À l'entrée, il eut affaire à un serviteur en tenue qui lui posa les mêmes questions, auxquelles il répondit par les mêmes mensonges.

– Je ne crache pas le feu, ajouta-t-il même avec un petit geste d'excuse qui signifiait : « On ne peut quand même pas savoir tout faire, n'est-ce pas ? »

– Attends ici dans l'entrée, dit le serviteur, et il disparut dans la grande salle d'où provenaient des voix sonores, des rires et les crépitements du feu.

Sur ce point au moins, Bjorn ne s'était pas trompé : il pourrait se réchauffer ici.

Un large escalier tournant montait à l'étage et, en se tordant le cou, Halfred vit qu'il continuait au-delà, jusque sous les toits. Vers les chambres, sans doute. Il se demanda si Brisco dormait là-haut. Est-ce qu'il le reconnaîtrait seulement s'il le voyait ?

L'attente fut brève.

– C'est bon, viens te montrer ! lui lança le serviteur, et il le poussa devant lui.

La salle était éclairée par des chandeliers suspendus au plafond et par le feu qui brûlait haut dans la cheminée. Une dizaine de personnes dînaient autour d'une imposante pièce de viande rôtie. Le fumet qui s'en échappait entra dans les narines d'Halfred et le fit à moitié défaillir. Des carafes de vin, des panières remplies, des terrines, des crèmes, des fromages et des fruits encombraient la table.

Il n'était pas difficile de reconnaître les maîtres de la maison. Tout désignait ces deux-là : leur mise, leur prestance. Cet homme au menton fort, à la place d'honneur, c'était Guerolf. Il n'avait guère changé en dix ans. La Louve, assise à sa droite, caressait, rêveuse, le cristal d'un verre.

Les autres convives, tout à leur conversation, avaient à peine remarqué l'arrivée du visiteur. En bout de table, un type ventru racontait en gesticulant une partie de chasse et déclenchait des rires gras :

– Ha ! ha ! ha ! Sacré Rorik !

Halfred, ravi d'être ignoré, se plaça près de la cheminée et attendit. En tout cas, l'enfant ne se trouvait pas ici, et il n'allait pas fouiller la maison pour le chercher dans les autres pièces. Il ne lui restait plus qu'une chose à faire : se débarrasser au plus vite de sa tâche en massacrant un air ou deux, avaler debout une assiettée si on voulait bien lui en offrir une, et filer au rapport.

Hélas, sa tranquillité fut brève et au premier silence les têtes se tournèrent vers lui. Il eut l'impression que son cœur lui remontait dans la gorge.

– Qu'est-ce que tu sais faire ? demanda Guerolf en le détaillant d'un œil intrigué. Ce nain n'avait ni l'habit ni l'assurance d'un artiste.

– Moi ? Je… je joue de la musique.

– Et tu jongles aussi, m'a-t-on dit…

– Oui… mais… c'est que… j'ai oublié mes balles…

– Tiens, en voilà des balles ! s'écria le gros chasseur et il lui jeta trois pommes en cascade.

Halfred, les mains prises par son violon, n'essaya pas d'attraper les projectiles, au contraire il se baissa pour les éviter, ce qui amusa tout le monde.

– Eh bien nous t'écoutons, reprit Guerolf.

Le malheureux cala son instrument contre sa joue, priant pour qu'il n'y ait aucun mélomane dans l'assemblée. L'archet tremblait dans sa main et, quand il le fit glisser sur les cordes, on eut l'impression que quelqu'un essayait d'étrangler un perroquet. Les visages des spectateurs se crispèrent douloureusement.

– Excusez-moi…, balbutia Halfred, j'ai les doigts gourds… c'est le froid…

Mais la suite ne fut guère plus concluante. Il tortura son petit violon d'Hardanger jusqu'au bout du morceau et enchaîna sans tarder sur un deuxième afin d'éviter tout commentaire désobligeant. Par chance, personne ne releva son incompétence. On se désintéressa simplement de lui et la conversation reprit. Rien ne pouvait mieux lui convenir ! Seule la Louve l'observa pendant quelques instants de son œil doré. Se doutait-elle de quelque chose ? On l'aurait dit. En tout cas, il fut bien soulagé quand elle se détourna enfin.

Dès lors, il se contenta de jouer en sourdine, soucieux avant tout de se faire oublier. Il effectua juste un petit pas de côté afin de se rapprocher du feu. D'ici à quelques minutes, on lui donnerait une assiette bien remplie, il l'avalerait et il ficherait le camp. Qu'est-ce qu'ils mettraient dedans ? De la soupe ? De la viande ? Qu'importe ! Quand l'estomac supplie, on ne fait pas le difficile ! Il en était là de ses réflexions quand il vit l'enfant.

Il se tenait dans l'ouverture de la porte, adossé à l'angle. Sans doute la musique l'avait-elle attiré là, mais il ne voulait pas pénétrer davantage dans la pièce. Dix ans, les joues encore rondes de l'enfance, les cheveux bouclés… Il était tel que Bjorn l'avait décrit. Halfred faillit en lâcher son violon.

Le garçon le regardait d'un œil un peu perdu, mélancolique. La tristesse se lisait dans toute sa personne.

« Pauvre petit gars ! » se dit Halfred, honteux de lui-même et de ce qu'il avait dit sur le lac. C'est vrai qu'il n'avait jamais voulu d'enfant. Pourquoi s'embarrasser d'un enfant ? Ça dérange tout, ça salit, ça fait du bruit. Et puis il se voyait mal demander à son fils : « Alors, dis-moi, que veux-tu faire plus tard quand tu seras petit ? » Mais celui-là lui fit pitié.

La Louve avait remarqué Brisco, elle aussi. Elle se leva, alla le rejoindre et se pencha vers lui. Il s'esquiva pour éviter qu'elle le touche à l'épaule. Le mouvement était clair : ne mets pas la main sur moi !

On pouvait même deviner à distance ce que disait la femme, et le silence buté de l'enfant :

– Tu as vu, il y a un musicien…

– …

– Viens plus près si tu veux, tu l'entendras mieux…

– …

– Et tu te chaufferas au feu…

– …

– Tu ne veux pas venir ? Comme tu veux…

Elle revint s'asseoir à la table, laissant Brisco là où il voulait rester, c'est-à-dire à la porte, et tout seul. Halfred aurait bien voulu pouvoir lui parler, lui faire comprendre au moins : « Brisco ! On est venus te chercher… ton père est là, à moins de trois cents mètres… avec la sorcière Brit… on va te sortir d'ici… tu comprends ? » Mais il ne parvenait qu'à de grotesques mimiques. Il levait un sourcil, l'autre, les deux, il clignait d'un œil, fronçait le nez. Brisco le regardait avec une curiosité grandissante. Que lui voulait ce nain étrange qui lui faisait des grimaces en jouant faux sur son drôle de violon ? Le manège dura quelque temps et Halfred était à bout de ressources quand une idée lumineuse lui vint. Bien sûr ! Comment n'y avait-il pas pensé plus tôt ? Il expédia la fin du morceau en cours et attaqua :

Le traîneau de Jon glisse mal
glisse mal
mais l'étoile monte
la nuit vient
le traîneau de Jon glisse bien

Cette chanson-là, il la connaissait, il la jouait presque juste, ne la chantait pas si mal, et surtout elle venait de Petite Terre.

Dès les premières notes et les premières paroles, la bouche de Brisco s'entrouvrit. Comment aurait-il pu oublier cet air que Selma leur avait fredonné si souvent pour les endormir, Aleks et lui. Cette chanson avait toujours gardé pour lui un mystère particulier ? Pourquoi le traîneau de Jon glisserait-il mieux la nuit venue ? Parce que la neige est plus dure dans le froid ? Parce que Jon fouette plus fort ses chevaux ? La réponse à ces questions n'avait guère d'importance. Seuls comptaient la musique des mots, la mélodie et le mystère justement… Il n'entendit plus la voix du nain, mais celle de Selma, tranquille et rassurante : « Allez, dormez maintenant, les garçons… » Il sentit sur sa joue le tendre baiser de sa mère. Une boule de chagrin se forma dans sa gorge.

Mais quelqu'un d'autre que lui avait reconnu la chanson, et Halfred n'avait pas prévu cela.

– Ça suffit ! aboya Guerolf. Arrête ton crincrin !

Puis, s'adressant à une servante qui passait là :

– Donne-lui à manger et qu'il nous laisse !

La femme prit un bol sur la desserte, le remplit d'une demi-louchée de soupe et le lui tendit.

– Tiens ! Finis bien tout, ça te fera grandir !

Halfred ignora la moquerie et s'attaqua debout à son maigre repas. C'était toujours ça de pris, mais elle aurait quand même pu se fendre d'un morceau de viande ! Il en restait beaucoup sur la table. Qu'est-ce que ça lui aurait coûté, à elle ? Si ça se trouve, ils allaient jeter les restes aux chiens !

Il avait mangé la moitié du bol quand il sursauta : Guerolf avait quitté la table et se trouvait tout près de lui. Les autres convives ne leur prêtaient aucune attention et continuaient à plaisanter.

Guerolf le regardait de toute sa hauteur.

– D'où viens-tu, toi ? demanda-t-il à voix basse.

– Moi ?

– Oui, toi. Qui d'autre ?

– Je viens de… de nulle part… Je voyage…

– Et d'où connais-tu cet air que tu viens de jouer ?

– Que… quel air ?

– Le dernier. Ne fais pas l'imbécile.

– Ah, le dernier ? Eh bien, je… je ne sais pas… je l'ai appris quand j'étais petit… enfin je veux dire quand j'étais jeune… c'est mon cousin qui… qui l'a ramené de là-bas…

– De là-bas ? D'où ça ?

– Eh bien de… c'est-à-dire…

Il se rendit compte qu'il perdait contenance, qu'il s'empêtrait. Il pesta contre lui-même et contre sa bêtise qui allait tout gâcher. Par bonheur Guerolf ne mena pas plus loin son enquête.

– C'est bon, lâcha-t-il avec dédain, finis ta soupe et décampe !

Halfred ne se le fit pas dire deux fois. Il s'étrangla presque en avalant les dernières cuillerées, prit son violon sous le bras et se dirigea vers la porte. Brisco n'y était plus. Décidément, il ne l'aurait vu ni arriver ni repartir. Qu'importe, il en savait assez maintenant.

En dévalant la pente, Halfred n'en pouvait plus d'émotions. Il venait d'en vivre davantage en quelques minutes que pendant le reste de son existence. Il courut sans s'arrêter, comme s'il avait eu les deux dogues à ses trousses. Bjorn et la sorcière Brit s'étaient cachés sous les arbres, au bord du lac, et il ne les trouva pas tout de suite.

– Où êtes-vous ? appela-t-il, déjà terrorisé à l'idée de se retrouver seul.

Dès qu'il les vit, il se précipita vers eux.

– Je l'ai vu ! cria-t-il, haletant. Il est là-haut !

Bjorn s'agenouilla pour se mettre à sa hauteur et le prit aux épaules.

– Il va bien ? Dites-moi, il va bien ?

– Oui, il avait l'air triste, mais je crois qu'il va bien.

– Racontez-moi !

Halfred raconta tout ce qu'il savait : la grille, le garde moustachu dans le parc, les chiens grands comme des chevaux, l'escalier, la salle à manger, et il n'oublia pas d'évoquer les doutes de Guerolf.

– Ils ne vous ont pas suivi ? demanda Bjorn.

– Je ne pense pas. Et si c'est le cas, j'ai dû les semer !

Bjorn l'avait écouté avec intensité. Savoir Brisco si proche le mettait dans un atroce état d'impatience. Il sentit déjà contre lui le petit corps chaud de son garçon. Il entendit sa voix : « Je savais que tu viendrais me chercher, papa... je savais que tu m'abandonnerais pas... » Il regarda vers le château. Là-haut, tout semblait figé dans une immobilité glacée, et pourtant, quelque part sous les toits, se trouvait Brisco. Est-ce qu'il dormait déjà ?

– J'y vais ! dit Bjorn et il s'élança, sans savoir au juste comment il s'y prendrait.

La passivité lui était soudain intolérable, et l'idée qu'il avait eue de s'adresser à Brit lui parut lâche et stupide. Si quelqu'un devait aller chercher Brisco, c'était lui et personne d'autre. Mais il ne fit pas plus d'un pas. La main décharnée de la sorcière se referma sur son poignet.

– Attends, Bjorn hu-hu... va pas te jeter dans la gueule du loup, il serait trop content de te manger... je t'ai dit que je me chargerais de tout hu-hu... et je vais le faire... attendez tous les deux ici... je serai de retour avant le lever du jour... avec le petit... et avec la peau de cette garce hu-hu... tu peux me faire confiance, Bjorn...

– Mais Brit, si Halfred et moi restons seuls ici cette nuit, nous allons mourir de froid.

La sorcière soupira. Ah, ces gens ordinaires qui font une montagne de rien ! Elle retroussa son tablier noir, ses deux mains disparurent dessous et fouillèrent dans le désordre de ses vêtements. On entendit le bruit d'un tissu qu'on déchire et elle leur tendit un petit morceau de sa chemise.

– Tenez… partagez-vous ça et mettez-le sur votre peau… sur le ventre ou sur le dos comme vous voulez hu-hu…

Là-dessus, elle s'éloigna de sa démarche nerveuse. Mais après quelques pas, elle s'arrêta brusquement et se retourna vers eux, comme si elle avait oublié quelque chose. Il y eut un court silence pendant lequel elle sembla hésiter, puis elle dit simplement :

– Au revoir, Halfred.

Elle y mit une intonation inattendue de sa part, quelque chose de presque sentimental qui ne lui ressemblait pas : «Au revoir Halfred.» Sans *hu-hu*…

Elle fit encore un petit signe de la main et s'en alla.

– Au revoir, Brigita, répondit le nain. Fais attention à toi.

12 Comment la sorcière Brit est devenue la sorcière Brit

Pour mieux comprendre qui était Brit et de quoi elle était capable, il faut revenir en arrière dans le passé. De deux cent douze ans exactement.

Brit est alors une petite fille de dix ans. C'est difficile à imaginer, mais c'est comme ça. Il faut aussi imaginer qu'elle a elle-même une grand-mère. Ce n'est pas plus facile, mais il le faut. Cette grand-mère est sorcière, bien sûr, et elle s'appelle Runa, ce qui signifie «Grande Force».

Runa n'est ni malade ni blessée, mais mourante tout de même car si vieille qu'elle se dessèche vivante. Tout ce qui en elle devrait être mou, la cervelle, les intestins, le cœur, devient dur et cesse peu à peu de fonctionner. Comme elle n'a pas de maison, elle repose pour mourir sur un simple lit de feuilles, dans une clairière. Autour d'elle sont réunies quelques sorcières qui sont venues de loin, et quelques fillettes qu'on a amenées de force. Un vieux loup pelé est allongé contre un rocher et regarde. Il tient compagnie à Runa depuis une quinzaine d'années. Ou bien c'est elle qui lui tient compagnie, on ne sait pas trop. En tout cas, ils ne se sont pas apprivoisés l'un l'autre. Il la mord parfois au bras ou au mollet. Cela fait des marques dentelées qui ne saignent pas. Elle le mord en retour dès qu'elle le peut, et crache ensuite les poils qui lui sont restés dans la bouche.

Quand la fin est proche, quand le souffle de la vieille est si faible qu'il ferait à peine vaciller la flamme d'une bougie, elle a soudain un regain de vitalité, le dernier. Elle se redresse, cherche autour d'elle et empoigne par la robe une fillette qui passe à distance de bras. Elle la colle contre elle. Il y avait d'autres fillettes, mais elle a choisi celle-ci, la plus laide. Dieu qu'elle est vilaine, cette enfant ! Le menton en galoche, le dos voûté, les coudes pointus, les yeux trop écartés, le droit tellement de travers qu'il a l'air de vouloir regarder derrière. D'ailleurs elle n'a pas le visage d'un enfant. C'est Brit, bien entendu.

Elle résiste, elle ne veut pas de l'étreinte de la vieille mourante, mais l'autre est beaucoup plus forte, même sa dernière heure venue. La petite sent une chaleur de four qui la brûle partout. Elle hurle. Elle ne pleure pas, elle ne sait pas faire ça, même bébé elle n'a jamais pleuré. Mais hurler, elle sait faire. Et elle ne s'en prive pas. Le loup hérisse le poil de son dos. Il n'aime pas ça. La grand-mère ne dit rien à Brit. Elle ne lui explique pas : « C'est toi qui me succéderas, je te donne mon pouvoir et blablabla. » Non, elle l'écrase contre elle sans lui demander son avis. Elle lui transmet sa force par la peau. Elle la « marque ». Quand Brit parvient à se libérer, la vieille est morte, déjà froide. On la laissera là.

Dans deux jours, elle ne sera plus que poussière. Il n'y aura rien à manger pour les charognards.

Maintenant la clairière est vide. Tout le monde est parti, sauf le loup qui dort. Brit crache par terre, de rage. Elle ne voulait pas être choisie. Elle va vers le loup et lui donne un coup de pied dans le ventre. Ça lui apprendra. Qu'est-ce qu'il a fait ? Rien du tout, mais s'il faut attendre que les loups aient fait quelque chose de mal pour leur donner des coups de pied dans le ventre… L'animal se réveille en sursaut et montre les crocs. Alors la fillette avance sur lui et le frappe à la gueule, sans peur. Elle lui hurle dessus. Le loup recule, bat en retraite. Même la vieille ne l'a jamais traité comme ça. La fillette éclate de rire et s'enfonce dans les bois. Elle est devenue Brit la sorcière et elle le sera pour les deux siècles à venir hu-hu…

13 *La nuit du ravin*

– Je n'aime pas cette nuit, dit la Louve.

Tous les invités du dîner étaient repartis. Guerolf et sa compagne se tenaient derrière la fenêtre de leur chambre, au premier étage du château, lumières éteintes, le rideau ouvert. Côte à côte dans l'obscurité, ils scrutaient la pénombre du parc. Les silhouettes grises des danois semblèrent s'agiter, au loin, devant la grille fermée. On entendit une sorte de bref coassement de crapaud et l'un des deux chiens gémit. La voix sourde du garde, qu'on ne voyait pas, le fit taire :

– La paix!

Dans le ciel agité, la lune livrait bataille. Elle disparaissait et revenait sans cesse dans un désordre de nuages échevelés. Il semblait qu'une bataille silencieuse et terrible se livrait là-haut, mettant aux prises des forces inconnues.

– Je n'aime pas du tout cette nuit, répéta la Louve.

– Je ne l'aime pas non plus, dit Guerolf. Et je n'ai pas aimé ce nain. J'aurais dû le faire suivre. Je m'en veux.

– Fais renforcer la garde, s'il te plaît, Loup, et remets Hrog dans la chambre de Fenris.

Il partit pour donner les ordres, et elle resta seule à la fenêtre. Son regard doré passa la grille et fouilla le début du chemin pentu qui descendait au lac. Le hennissement d'un cheval dans l'écurie troubla un instant le silence. La Louve regarda le tumulte du ciel, puis la nuit trop calme qui pesait sur le parc. Ses nerfs se tendirent.

– Je te sens, murmura-t-elle entre ses dents, je te sens, sorcière.

Elle n'avait pas peur. Le frémissement qui la parcourait était d'une autre nature : un combat allait se tenir, elle le pressentait, un combat dans lequel il serait question de vie et de mort. Cela ne lui déplaisait pas.

Comme Guerolf tardait à revenir, elle quitta la chambre et monta au deuxième étage, sous les toits. Elle s'approcha de la porte de Fenris et s'y appuya, sans pouvoir se résoudre à frapper. À quoi bon s'exposer une fois de plus au silence hostile et obstiné de l'enfant ? Pourquoi s'imposer une fois de plus cette souffrance ? Car c'en était une. Elle s'était juré de montrer une patience infinie, une patience de mère, mais comme c'était long ! Combien de semaines, de mois faudrait-il attendre avant qu'il apprenne à lui sourire, qu'il accepte les caresses, qu'il lui tende les bras ? D'ici là, elle était prête à tout pour le garder. Il faudrait qu'on passe sur son corps si on voulait le lui prendre.

Pour accéder au château, Brit n'emprunta pas le chemin mais monta par les rochers et les taillis, courbée jusqu'à toucher le sol, plus furtive qu'une bête nocturne.

Arrivée près du mur d'enceinte, elle s'arrêta et se cacha derrière un arbuste hérissé d'épines. Elle gratta le sol avec ses ongles. Il était durci par le gel et elle dut creuser profondément avant d'atteindre la tiédeur de la terre et d'y trouver ce qu'elle cherchait. Certes, elle était capable de rester plusieurs semaines sans manger, mais il lui faudrait sans doute des forces cette nuit, beaucoup de forces. Elle avala quelques vers blancs et plusieurs insectes enfouis.

Elle ne craignait ni les gardes, ni les chiens, ni Guerolf, mais elle se méfiait terriblement de la Louve. Cette femme trop belle l'avait déjà possédée par sa ruse diabolique, et Brit devinait en elle une détermination hors du commun.

Elle mangea encore en guise de dessert un gros scarabée endormi qu'elle fit craquer sous ses dents et elle gagna le mur. Elle le longea jusqu'à la grille et jeta un coup d'œil dans le parc. Rien n'était allumé à l'intérieur des bâtiments, mais Brit n'avait pas besoin d'y voir pour deviner le couple à la fenêtre.

– Ah, te voilà, ma belle... attends un peu hu-hu...

Halfred avait dit vrai : on entendit le bruit d'une galopade et deux grands chiens danois cavalèrent vers la grille. Ils vinrent s'arrêter tout près en grondant. Le poil se dressait sur leurs épaules. Sans doute auraient-ils aboyé à pleine voix en présence de tout autre visiteur, mais avec Brit cela se passa différemment. Lorsqu'on fait taire les loups, il n'est guère difficile d'impressionner des chiens. Elle passa sa tête entre deux barreaux de la grille et éructa un épouvantable son rauque qui les fit reculer de trois mètres. Le premier rabattit ses oreilles et fit disparaître sa queue entre ses jambes. Le second gémit longuement.

– La paix ! lança une voix lointaine.

– Oui, il a raison hu-hu… la paix ! répéta Brit à voix basse, et les deux chiens battirent en retraite. On aurait dit qu'ils marchaient sur des œufs, qu'ils cherchaient à réduire leur volume : « Excusez-nous, nous ne savions pas, c'est une erreur… » Ils se recroquevillèrent au pied d'un pin. S'ils avaient pu y grimper, ils l'auraient fait.

L'instant d'après, la porte s'ouvrit. Guerolf apparut, la referma derrière lui et s'éloigna en contournant la bâtisse. Brit attendit qu'il disparaisse. La Louve restait seule à la fenêtre.

– J'arrive, ma belle hu-hu… j'arrive…

Maintenant, les deux chiens couinaient sous leur arbre, et tournaient pitoyablement sur eux-mêmes à la recherche de leur queue.

– Qu'est-ce qui vous prend ? demanda le garde. Y a pas d'orage, pourtant ! Vous avez la trouille de quoi ?

Ses bêtes ne l'avaient guère habitué à ce comportement. Il sortit de son abri et marcha jusqu'à la grille, son fusil à la main.

– Y a quelqu'un ?

– Oui, répondit Brit, et elle fit un pas en avant pour qu'il la voie bien.

– Qu'est-ce que tu veux, la vieille ? C'est le défilé des monstres, ce soir, ou quoi ?

Brit évalua rapidement la situation. Elle avait devant elle une grille fermée. De l'autre côté de cette grille se trouvait un garde qui en détenait la clé. Le garde n'ouvrirait pas et il ne donnerait pas la clé. La question était donc : comment faire passer la clé de ce côté-ci de la grille ? Et la réponse : en faisant passer le garde tout entier, clé comprise. La question suivante était : comment faire passer tout entier un garde de cent trente kilos entre des barreaux espacés de vingt centimètres ? Brit y apporta la réponse suivante, simple et radicale : en tirant fort.

– Tenez ça hu-hu..., dit-elle, et elle avança sa main entre les barreaux comme pour donner quelque chose.

Le garde ne se méfia pas. Qu'a-t-on à craindre d'une centenaire cassée en deux lorsqu'on est un homme dans la force de l'âge, et armé de surcroît ? Il abaissa son arme et s'approcha.

– C'est quoi ? demanda-t-il.

– C'est ça..., répondit la sorcière.

Là-dessus, elle empoigna le malheureux par les cheveux, le souleva du sol et le tira vers elle, le forçant entre les barreaux comme on force le linge entre les rouleaux d'une essoreuse. Et lorsque le garde fut de l'autre côté de la grille, quelques courtes secondes plus tard, il était essoré et... mort.

– Désolée, fit Brit, hu-hu...

Elle ne se donna même pas la peine de prendre la clé. Elle se glissa dans l'ouverture faite par le corps entre les barreaux et elle marcha d'un pas vif vers le château. À son passage, l'un des deux chiens réfugiés derrière le pin pointa le bout de sa truffe et le retira aussitôt.

La Louve était sur le palier de sa chambre et s'apprêtait à y entrer quand elle entendit la porte s'ouvrir en bas. Guerolf et Hrog bien sûr. Elle fit un pas vers la rampe pour les accueillir et recommander à Hrog de ne pas faire de bruit en prenant sa garde auprès de Fenris qui sans doute dormait déjà.

Au fond, elle ne fut pas si surprise de découvrir Brit au bas de l'escalier. Elle l'attendait. Elle s'étonna seulement de l'incroyable audace de cette vieillarde. Comment était-elle entrée ? Et comment comptait-elle s'y prendre, toute seule, pour enlever l'enfant, échapper aux gardes et s'enfuir ? Elle observa d'en haut cette créature noire et grimaçante que la perspective plongeante ratatinait encore.

– Que veux-tu ? demanda-t-elle.

Elle aurait pu crier, appeler à la rescousse. Elle ne le fit pas. Il ne fallait en aucun cas alerter Fenris. Et puis l'heure du combat était venue, et on n'appelle pas au secours quand on est la Louve et qu'on a son ennemie devant soi.

– L'enfant hu-hu…, dit Brit. Amène-moi l'enfant…

La Louve ne daigna pas répondre. Elle dominait son adversaire de toute sa hauteur et de toute sa morgue. « Viens le prendre…, semblait-elle dire. Viens le prendre si tu le peux… » Il était étonnant de voir comme deux êtres pouvaient différer à ce point. En haut, la Louve, longue et belle, arrogante, en bas la sorcière, noire et fripée, semblable à un insecte monstrueux qui serait entré dans la maison et qu'il fallait écraser avant qu'il n'atteigne l'étage.

Brit monta une marche, une deuxième, une troisième, et ne s'arrêta qu'au tournant de l'escalier. Elle y marqua une pause, puis elle reprit sa lente montée, sans quitter la Louve des yeux.

« Encore un pas, la vieille, se dit celle-ci, et je t'envoie d'un coup de pied au fond de l'escalier où tu te briseras les reins. » La sorcière avança un peu, s'arrêta de nouveau, puis elle fit une chose tout à fait inattendue et que la Louve comprit trop tard. Elle mit les mains sur son ventre, d'où monta un gargouillis torturé, elle eut une sorte de haut-le-cœur, grimaça ainsi qu'on le fait quand on a dans la bouche un aliment trop aigre, elle gonfla ses joues et… cracha.

Le jet poisseux et mordoré traversa l'espace comme un projectile et atteignit la Louve au bas de l'œil gauche. Le crachat s'y fixa une seconde avant de glisser lentement sur la joue. La Louve y porta la main pour l'essuyer et s'en débarrasser. L'humiliation déformait déjà ses traits. « Tu vas me payer ça de ta vie ! On ne crache pas sur la Louve quand on est une vilaine petite chose noire et laide comme toi ! »

Mais elle comprit vite que la blessure n'était pas seulement d'amour-propre. D'abord la douleur lui paralysa l'ensemble de la tête, jusqu'aux épaules, comme si elle avait reçu un coup de poing, puis elle se localisa sur les parties que le crachat avait touchées : l'œil, la joue, la main. La peau blanche et satinée de la Louve, cette peau dont elle prenait soin chaque jour avec des crèmes rares, cette peau que Guerolf aimait caresser du bout des doigts, sur laquelle il aimait poser ses lèvres, cette peau rougit, se cloqua, se fissura comme sous l'effet d'un acide puissant. Le crachat de Brit y entra, brûla, creusa, et il n'y avait rien à faire pour l'empêcher.

La Louve se retint de hurler. L'enfant dormait à quelques mètres.

– Qu'est-ce que tu m'as fait, sorcière ? siffla-t-elle entre ses dents.

Rien ne pouvait la meurtrir davantage que cela : être défigurée. Or, c'est ce qui arrivait. Il lui sembla qu'une griffe invisible s'acharnait à creuser son œil et sa joue, à creuser encore, toujours plus loin, afin de rendre la guérison à jamais impossible. Elle arracha le châle de ses épaules et le pressa contre la blessure.

– Qu'est-ce que tu m'as fait, chienne ?

La rage lui fit oublier toute prudence. Elle avança d'un pas et donna à la tête de Brit un coup de pied si brutal que la sorcière bascula en arrière. Son corps sénile rebondit sur les marches, se disloqua et s'écrasa au pied de l'escalier. La Louve la pensa brisée pour de bon, mais il en fallait plus pour venir à bout de Brit. Elle se releva, chancelante, et reprit sa marche en avant. Cette vision glaça la Louve. Est-ce que cette créature qui montait l'escalier était donc invincible ? Immortelle peut-être ? Elle eut malgré la douleur et l'effroi cette pensée absurde : « Si je parvenais à la couper en deux, quelle moitié viendrait m'attaquer encore ? Le haut ou le bas ? Les deux sans doute ! »

La fixation du haut de la rampe était défectueuse. Plusieurs fois, Guerolf l'avait dit : il faut que Hrog répare ça. Elle s'en souvint. La peur décuplant ses forces, elle empoigna le bout de la lourde pièce de bois et souleva. L'autre extrémité céda dans un craquement terrible. Elle brandit son arme de fortune et, comme Brit avançait toujours, elle l'abattit sur elle.

Il est très désagréable de recevoir un coup de rampe de chêne sur la tempe, et Brit n'aima pas cela du tout. Son cou se tordit, les os de son crâne grincèrent, mais cette fois elle ne tomba pas. Elle progressa encore, titubante. Arrivée à un mètre de la Louve, elle s'immobilisa. On entendit de nouveau le sinistre gargouillis de son ventre, elle grimaça.

– Non ! fit la Louve. Non !

Le jet l'atteignit sous le genou et la douleur la fit vaciller. Il lui sembla que sa jambe prenait feu. Elle lâcha la rampe et bondit sans réfléchir sur Brit qui déjà regonflait ses joues. Toutes deux roulèrent dans l'escalier.

Indifférentes aux chocs qui les meurtrissaient, elles se soudèrent dans une lutte enragée. Elles s'insultèrent, se griffèrent au sang, se mordirent, s'étranglèrent. Leurs forces étaient équivalentes et elles se seraient finalement entre-tuées si la porte d'entrée ne s'était pas ouverte sur Guerolf, Hrog et deux gardes stupéfaits.

La Louve les vit, et du regard elle supplia : « Tuez-la ! Vite ! »

Mais les deux femmes se trouvaient à ce point enchevêtrées qu'on ne pouvait tirer sur l'une sans blesser l'autre. Guerolf fut le plus prompt. Il prit un poignard à la ceinture d'un garde et se jeta sur les combattantes. Brit avait le dessus. Il la frappa dans le dos, cinq fois, dix fois, avec rage, sans qu'elle lâche prise.

– Tue-la, gémit la Louve.

Le dernier coup fut décisif. La lame du poignard traversa le corps de la sorcière de part en part, blessant la Louve à la poitrine. Alors seulement, Brit desserra son étreinte. La Louve se libéra, tremblante d'horreur et de dégoût, et se jeta dans les bras de Guerolf.

– C'est le diable ! hoqueta-t-elle. Le diable…

– C'est fini…, dit-il en la serrant contre lui. C'est fini. Elle est morte.

Halfred et Bjorn n'avaient pas échangé un mot depuis le départ de Brit. Assis dos à dos derrière un rocher, ils avaient attendu. Suivant les conseils de la sorcière, ils avaient glissé sous leur chemise un bout du tissu donné par elle, et le procédé avait fait merveille. La chaleur s'était diffusée en ondes bienfaisantes dans leur corps tout entier, jusqu'au bout des orteils. Il pouvait bien geler à pierre fendre, ils étaient restés là, immobiles dans le froid de la nuit, aussi confortablement qu'auprès d'un grand feu.

Mais cela n'avait duré qu'un temps. Du chaud, ils étaient passés au tiède, et puis…

– J'ai froid…, dit Halfred. J'ai l'impression que le tissu ne me chauffe plus.

– Moi aussi, j'ai froid, confirma Bjorn.

Le changement était si manifeste que, sans l'avouer, ils eurent la même crainte : il était arrivé quelque chose à Brit. Ils se levèrent et piétinèrent en silence pendant quelques minutes. Mais très vite l'air glacé s'insinua sous leurs manteaux et ils se mirent à grelotter.

– Qu'est-ce qu'elle fait ? demanda Bjorn. On ne tiendra pas comme ça jusqu'au matin.

L'idée de retourner au château n'enchantait guère Halfred qui s'en était enfui à la course, mais que faire d'autre ? Ils résistèrent encore un peu, puis se décidèrent à prendre le chemin.

Ils arrivaient en vue de la grille quand elle s'ouvrit. La lune apparue entre deux nuages éclaira nettement deux cavaliers qui sortaient du parc. Bjorn prit Halfred contre lui et ils se jetèrent juste à temps dans le fossé.

– Regardez ! souffla le petit homme. Sur le deuxième cheval !

Une forme allongée, enroulée dans un sac, gisait en travers de la selle. Le cheval hennit, se cabra, s'agita pour se débarrasser de son fardeau. Il marchait de travers, comme s'il avait eu trop de jambes et qu'il ne savait plus dans quel ordre les actionner. Les chiens excités s'égosillèrent.

– Brigita..., gémit Halfred.

Les deux cavaliers ne traînèrent pas. Dès que la grille fut refermée derrière eux, ils donnèrent de l'éperon et s'en allèrent sur le chemin qui menait à la forêt.

– Je vais les suivre, dit Halfred. Je veux savoir où ils l'emportent. Elle n'est peut-être pas morte.

Bjorn eut d'abord la tentation de le dissuader et il le maintint serré contre lui, mais il se ravisa. Sans Brit, ils n'avaient aucune chance de reprendre Brisco.

– C'est bien, dit-il. Allez-y. Tâchez de savoir ce qu'ils font d'elle et revenez vite. Je vous attends ici.

Halfred trottinait entre les hautes rangées de pins. Son balluchon sous un bras et son violon d'Hardanger coincé sous l'autre, il n'avait guère l'allure d'un aventurier. Mais son courage était ardent, et il avait la ferme résolution d'aller au bout de ses forces pour retrouver Brigita.

Plus il courait et plus il sentait monter en lui un sentiment jamais éprouvé, une exaltation nouvelle. Comme si sa vie de solitude lui apparaissait soudain dans toute sa vanité, et que l'occasion lui était donnée, cette nuit, de rattraper d'un coup tout ce temps perdu à ne penser qu'à soi. Brigita était une sorcière ? Elle avait plus de trois fois son âge ? Et alors ? Elle était la seule personne dont il ait jamais eu à s'occuper, pour qui il se soit jamais fait du souci. À cause de cela, et toute mangeuse de rats qu'elle était, il se sacrifierait pour elle. Il la retrouverait où qu'elle soit et il la ramènerait.

La lune folle et les nuages qui voyageaient au galop dans le ciel, au-dessus de sa tête, donnaient à son entreprise le décor héroïque qui convenait, trouva-t-il.

Il courut, donc, il courut pendant longtemps sans s'arrêter. Puis il les vit apparaître au bout du chemin. Les cavaliers qui revenaient. Il se cacha derrière un pin, suspendit sa respiration. La deuxième monture était délestée de son chargement. « Brigita, où t'ont-ils mise ? » Il courut de plus belle, attentif aux traces des chevaux dans la boue glacée. Il n'avait plus froid du tout. Au contraire, son corps bouillait. Était-ce de courir, ou bien Brigita le chauffait-elle à nouveau ? « J'arrive ! dit-il à voix haute. J'arrive, Brigita ! »

Et il accéléra encore l'allure.

Soudain les traces ne furent plus là. Il rebroussa chemin, les retrouva. Elles entraient dans le bois. Il les suivit dans un passage malaisé où les racines se mélangeaient à la mousse et aux roches glissantes. On y voyait mal sous les arbres. Il trébucha, tomba, se tordit le poignet si fort qu'il faillit tourner de l'œil. Puis soudain il y fut.

Un ravin ouvrait sa gueule noire devant lui, à pic. « Ils t'ont jetée là ? Ils ont osé te jeter là, les sauvages ? Attends, Brigita, je viens à ton secours... »

La descente était impossible de ce côté-là, mais sur l'autre versant peut-être... Il fit un long détour pour l'atteindre et se lança. Il dégringola les rochers, sans lâcher son balluchon ni son violon d'Hardanger. Dix fois il faillit se rompre le cou. « Enfin cela me sert à quelque chose d'être petit, se dit-il, je ne tombe pas de haut. »

Au fond du ravin, cela craquait sous les pieds, comme si on avait marché sur des branches sèches ou sur... oui c'est cela : sur des os. Il se pencha, ramassa au hasard et vit que *c'étaient* des os. Des bêtes devaient tomber dans le ravin par accident et y mourir. Voilà l'explication. À moins que... Les pensées tourbillonnaient dans son cerveau. Ce crâne lisse et blanc aux orbites vides, là ? Est-ce qu'une bête possédait un crâne comme cela ? Et cet autre-là ? Et celui-ci ? Et celui-ci encore ? L'épouvante lui dressa tous les poils. Il était le seul vivant au milieu de dizaines de morts.

– Brigita ! appela-t-il et sa voix résonna sur les flancs du ravin : ... gita... gita...

Il se mit à fouiller les ossements, stupéfait lui-même de ce qu'il accomplissait. À cette heure, il aurait dû reposer au chaud dans son lit douillet, à écouter ronronner le poêle à bois, seulement soucieux de savoir s'il casserait un seul œuf ou plutôt deux sur son bacon du matin. Au lieu de quoi il brassait des squelettes, au milieu de la nuit, au fond d'un ravin sinistre, dans un pays inconnu.

– Brigita ! appela-t-il.

– … gita… gita…, répondit le ravin.

Et puis il la vit. Ou plutôt il vit le sac. Une ombre furtive rôdait déjà autour. Était-ce un chien, un chat sauvage, un loup ? Une autre bête plus redoutable encore ? Il ne s'en soucia guère.

– Rhaaa ! Pchchch ! Va-t'en ! cria-t-il, et l'animal déguerpit.

La forme dans le sac était inerte. Il se précipita, s'agenouilla. Ses doigts fébriles délièrent le cordon. Ce qu'il vit d'abord, ce furent les cheveux sur le crâne cabossé. De doux cheveux de grand-mère, si fins, si rares. Il retroussa doucement la toile du sac pour dégager la tête. Rien du visage ne bougeait. Les yeux, les narines, la bouche, tout était blanc, calme et serré.

– Brigita…, murmura le petit homme. C'est moi, Halfred… Parle-moi… Ouvre les yeux…

Dans le sac, le corps supplicié tenait peu de place. Il le suivit des mains, à travers la toile, et fut tout de suite au bout. « Dieu qu'elle est petite ! » se dit-il. Tant qu'elle était vivante et forte, elle semblait plus grande que cela, mais maintenant elle apparaissait dans sa vérité : une minuscule et fragile grand-mère.

– Brigita…, répéta-t-il en prenant le visage entre ses mains. C'est moi, Halfred… Regarde-moi… Dis-moi quelque chose…

Il lui sembla distinguer un mouvement infime des paupières. La bouche frémit et les lèvres presque transparentes se séparèrent.

– Parle-moi…, dit Halfred.
– Hu…, fit Brit, et elle rendit son âme.

Bjorn claquait des dents dans le fossé, et le froid mordant le confirmait dans sa certitude : si le petit bout de tissu ne le chauffait plus, c'est que Brit était morte. « Elle ne voulait pas venir, se rappela-t-il. C'est moi qui l'ai forcée. Elle pressentait sans doute sa fin, loin de Petite Terre. Mais je l'ai obligée. Je suis coupable. » Et Halfred ? Reviendrait-il seulement ? Il allait tomber entre leurs griffes lui aussi et ils n'auraient aucune pitié.

Deux gardes passaient et repassaient derrière la grille refermée. Les chiens, qui s'étaient tus, ne devaient pas être loin. Comment approcher Brisco dans ces conditions ? Il prit conscience de sa folie. Depuis le début, il s'en était remis en tout à la sorcière. Il était parti sans armes et sans hommes, comme elle l'avait exigé. Et maintenant qu'elle n'était plus là, il se retrouvait seul, transi, sans recours, et plongé dans le plus profond désarroi.

Attendre, immobile, le retour d'Halfred était impensable : il finirait par s'engourdir et sombrer dans un sommeil fatal. Quitter cet endroit ? Pour aller où ? Il serait pris, ou mort de froid, avant d'avoir atteint la limite des terres de Guerolf. Et puis comment concevoir une seconde d'abandonner Halfred à son sort ? Comment surtout renoncer à Brisco, si proche ?

Entrer dans le château ? La hauteur du mur d'enceinte et la garde renforcée à la grille rendaient l'entreprise plus que hasardeuse. Cela équivalait presque à se livrer. Or, que feraient-ils de lui s'ils le prenaient ? Rentrer à Petite Terre sans

Brisco serait une grande douleur, mais ne pas rentrer du tout en serait une bien plus terrible encore.

Selma… Aleks… Il y avait là-bas des vivants qui avaient besoin de lui et qui l'attendaient.

Ainsi chaque solution était-elle pire que la précédente. Il ne se souvint pas s'être jamais senti aussi misérable et impuissant qu'en cet instant. Et plus gelé…

Bjorn n'était pas homme à prier. Sa vie durant, et jusqu'à l'enlèvement de Brisco, il avait fait confiance à ses mains épaisses, à son courage, et à la raison des hommes. Mais là, rien de tout cela ne lui était plus d'aucun secours. Il leva les yeux vers le ciel, où les nuages continuaient leur danse folle, et lui demanda sa protection.

Puis, ignorant au juste ce qu'il comptait faire, il s'extirpa du fossé. Il se garda bien de marcher à découvert et prit sans le savoir le même chemin que Brit, entre roches et taillis. Parvenu au mur d'enceinte, il en évalua la hauteur et se rendit à l'évidence : il était impossible de le franchir à mains nues. Il choisit de le longer par l'arrière, là où commençait la forêt. Son espoir d'escalader un arbre pour sauter ensuite dans le parc fut déçu. Les premiers pins se trouvaient à une distance bien trop lointaine. Mais il fit quelques pas dans le sous-bois et trouva ce qu'il cherchait : une branche assez longue et solide, sans doute brisée par la neige ou le vent. Il la traîna, l'appuya au mur et grimpa. Le froid rendait tous ses gestes douloureux. Le frottement de ses genoux et de ses bras sur l'écorce rude le blessait. Une fois au bout de la branche, il se dressa, s'agrippa à l'arrondi des pierres et se hissa sur le mur, étonné d'y parvenir si facilement.

Et maintenant ? se demanda-t-il. Sauter dans le parc, c'était se condamner à aller au bout du risque, sans aucune retraite possible. Les chances de parvenir jusqu'à Brisco, de l'enlever et de s'enfuir étaient pour ainsi dire inexistantes. Il regarda la grande bâtisse sombre. Là-haut, sous le toit, une lueur vacillait derrière une petite fenêtre. Comme un signe.

Brisco…

Il eut la certitude que c'était lui, son fils, et dès lors il sut qu'il allait sauter, malgré tout et tout. La raison lui ordonnait de n'en rien faire, mais une force bien plus impérieuse l'y poussait. « Si je n'y vais pas, se dit-il, comment vivre ensuite avec cette trahison ? On a dû dire à Brisco que je n'étais pas son père, mais dans son âme de petit garçon, je le suis encore, bien sûr. Éperdument. Je dois aller le chercher, c'est plus fort que moi, plus fort que toutes les raisons du monde. »

Il demanda pardon à Selma et Aleks pour ce qu'il allait faire, et il entreprit de se laisser glisser le long du mur afin de réduire la hauteur du saut. Une voix à la fois criée et contenue le stoppa :

– Que faites-vous ? Arrêtez !

Il suspendit son mouvement et regarda vers le bois, d'où elle venait. Une silhouette tassée sortit de sous les pins.

– Halfred ! Vous êtes là ?

– Oui, je suis là. Descendez d'ici ! Il faut s'enfuir !

– Non, Halfred, je vois une lumière dans une chambre. C'est Brisco, j'y vais.

– Vous êtes fou ! Brit est morte. Ils l'ont jetée dans un ravin plein de squelettes. Je l'ai vue. C'est là que vous voulez finir ? Descendez, je vous dis !

Le ton du petit homme était ferme. On aurait dit que les épreuves l'avaient transfiguré. Il grimpa sur la branche appuyée au mur et tendit ses bras courts, comme pour recueillir Bjorn.

– Venez, je vous dis ! Ne faites pas l'imbécile.

– Vous ne pouvez pas comprendre, dit Bjorn, mais je dois y aller. Je ne peux pas faire autrement. Fuyez, vous ! On se retrouvera à Petite Terre !

– On ne se retrouvera nulle part ! pesta Halfred. Ils vous tueront et jetteront votre dépouille dans le ravin. À Petite Terre, on vous attend, vous l'avez oublié ? Pensez à votre femme et à votre fils, bon sang !

Bjorn ne savait que dire. Sa raison était écartelée. Quoi qu'il fasse, il était brisé. Halfred, en s'étirant, parvint à le toucher et, à bout d'arguments, il lui prit la main et la serra. Ils restèrent un instant comme cela, silencieux. Puis le nain continua, à voix basse cette fois :

– Bjorn, en y allant vous vous perdez, et vous le perdez pour toujours, vous le savez bien. Croyez-moi, descendez de ce mur. Allez… Venez…

Bjorn regarda une dernière fois la lueur de la bougie, là-bas, à la fenêtre. Les larmes lui brouillaient la vue. Il allait partir, oui, mais il ne pouvait se résoudre à le faire sans laisser un signe de lui. Qu'au moins Brisco sache que son père ne l'avait pas abandonné.

– Je viens, fit-il à Halfred. Vous avez raison, je viens.

Puis il gonfla sa poitrine et hurla de toutes ses

forces, sans aucune crainte d'alerter le château et tous ses habitants :

– Bri-i-sco-o-o-o-o !

Sa longue plainte déchira la nuit.

– Bri-i-sco-o-o-o-o !

Les chiens aboyèrent.

– Taisez-vous ! supplia Halfred. Arrêtez ! Venez !

Alors seulement Bjorn sauta du mur et tous les deux coururent vers la forêt. Ils y entrèrent et se lancèrent droit devant eux dans une course folle qu'ils ne cessèrent qu'à bout de forces et de souffle, et certains qu'on ne les rattraperait plus. Ils se laissèrent tomber au pied d'un grand pin.

Bjorn éprouvait l'ivresse des rescapés, celle qu'on ressent lorsqu'on est passé tout près de l'abîme, et qu'on peut se dire : « Je suis encore vivant ! » Cependant, il s'y mêlait un autre sentiment, lourd et diffus : celui d'avoir manqué à quelque chose, d'avoir failli. Il avait suivi la voix de la raison, mais Dieu que cette raison-là avait un goût amer.

– Je veux vous dire merci, Halfred, dit-il quand il fut à nouveau en état de parler. Je crois que vous m'avez sauvé la vie.

– Je le crois aussi, répondit Halfred. Et je vous remercie de m'avoir donné l'occasion de le faire. Je n'avais jamais sauvé la vie de personne jusqu'à ce jour, et c'est une sensation très agréable, je vous assure. Décidément…

– Décidément quoi ?

– Décidément, je ne me reconnais pas, cette nuit…

Bjorn remarqua à cet instant-là seulement que quelque chose clochait chez le petit homme.

– Vous avez perdu votre violon d'Hardanger ?

– Oui, je l'ai perdu dans le ravin. Mais ce n'est pas si grave. Franchement, aviez-vous déjà entendu quelqu'un jouer aussi faux que moi ?

Brisco remonta dans sa chambre le cœur lourd. La mélodie si familière et douce du *Traîneau de Jon* avait déversé en lui un torrent de nostalgie. Il aurait bien aimé rester en bas pour écouter encore, mais Guerolf avait fait taire le petit musicien et l'avait ensuite chassé. Et la Louve était revenue à la porte, non pas pour lui dire : « Approche-toi, viens... » comme la première fois, mais au contraire : « Il est tard, remonte et dors... »

Il alluma sa bougie, près de la fenêtre qui donnait sur l'arrière. Puis il se pelotonna sous son édredon. Depuis son enlèvement, il avait pris l'habitude de dormir beaucoup. Il se réfugiait dans le sommeil comme dans un pays d'abandon où plus rien ne pèse.

Dans la soirée, un vacarme le réveilla. Des chocs et des cris étouffés. On aurait dit qu'on se battait dans l'escalier. Il eut peur et n'osa pas aller voir. Un peu plus tard, Hrog entra dans la chambre et prit sa garde, comme la première nuit.

– C'était quoi, ce bruit ? demanda Brisco.

– C'était rien, répondit l'homme. Juste le gros Rorik qui était saoul et qui faisait l'imbécile dans l'escalier, dors.

Plus tard encore dans la nuit, Brisco rêva que son père l'appelait : « Brisco-o-o ! Brisco-o-o ! » Deux fois. C'était un appel lointain, un long cri d'amour et de désespoir qui creva la brume de son sommeil. Il se réveilla en sursaut et vit que Hrog ronflait sur sa chaise. Il se leva. Sa bougie n'était pas loin de s'éteindre. Il alla regarder à la fenêtre qui donnait sur le parc. Les chiens aboyaient. Puis il alla à celle qui donnait sur la forêt. Il n'y vit que les cimes des sapins noirs qui se balançaient dans le vent. Il se recoucha avec la voix de son père dans la tête et dans le cœur.

14 *Ciel rouge*

Mme Holm avait une habitude bien innocente : certains soirs, elle se laissait enfermer dans la bibliothèque royale de Petite Terre. Comme elle était l'âme de ce lieu, en tout cas l'employée la plus ancienne et la plus irréprochable, on lui avait accordé ce privilège. Peu de personnes le savaient.

Le gardien en chef, qui était le dernier à s'en aller, fermait une à une toutes les portes d'accès et laissait derrière lui la petite dame toute seule dans l'immense bâtiment.

Elle pouvait alors circuler à sa guise et profiter des livres qu'elle aimait. Elle se rendait dans une salle qu'on appelait « l'infirmerie » et dont elle possédait la clé. Il s'agissait d'un local dans lequel on entreposait les livres en attente d'être restaurés. Sa préférence allait aux enluminures. Elle pouvait rester penchée longtemps sur une seule page, à admirer les couleurs éclatantes et la minutie des dessins. Ou bien elle s'asseyait et lisait une saga, dans le silence absolu, sauf le bruissement des pages, et il lui semblait que l'auteur s'adressait à elle, en confidence, par-delà les siècles.

Y avait-il quelque part dans le monde un endroit où se trouvaient rassemblés plus de précieux volumes qu'ici ? Elle en doutait. Être seule au milieu de ces trésors l'emplissait de bonheur et de fierté.

Depuis l'enlèvement de Brisco Johansson, cependant, le plaisir s'en était allé. Bien qu'innocente du drame, elle ne pouvait s'empêcher de se faire des reproches. L'enfant était entré ici joyeux et confiant. Elle l'avait accueilli et elle n'avait pas su le rendre. Et Aleksander n'était plus revenu à la bibliothèque non plus. Elle comprenait qu'il soit choqué. Quoi qu'il advienne, cet endroit resterait pour lui celui où il avait perdu son frère.

Ce jour-là, elle s'attarda un peu plus que de coutume. Un des livres en restauration était justement un original de *Njall le Brûlé*, la saga que les jumeaux aimaient tant. Elle l'ouvrit au hasard, lut longtemps et finit par les pages où Flosi et ses hommes assiègent la ferme de Njall et de sa femme Bergthora. Ils y mettent le feu pour brûler les grands fils de Njall, mais ils autorisent Njall, son épouse et leurs petits-enfants à sortir et à se sauver.

Njall dit : « Je ne veux pas sortir, parce que je suis un vieil homme, guère en état de venger mes fils, et je ne veux pas vivre dans la honte. » Bergthora dit : « J'ai été, jeune, donnée à Njall et je lui ai promis que nous partagerions tous deux un seul et même sort. » Njall dit : « Nous irons dans notre lit et nous nous coucherons. Il y a longtemps que j'ai envie de *me reposer.» Bergthora dit au petit garçon Thordr, fils de Kari et petit-fils de Njall : «Toi, il faut qu'on te porte dehors, tu ne dois pas brûler dedans.» Le garçon dit : «Tu m'avais promis, grand-mère, que nous ne nous quitterions jamais tant que je voudrais rester avec toi, et il en sera ainsi, car il me semble bien meilleur de mourir avec toi et Njall que de vous survivre**. »*

Elle lut lentement, comme il se doit, l'issue de l'épisode : la mort de Njall et de sa famille, leurs corps intacts protégés par une peau de bœuf, la vie sauve du petit Thordr, brûlé seulement au bout du doigt qui dépassait de la peau. Elle resta pensive un long moment. Et triste. Pendant toute sa lecture, elle avait eu l'impression que Brisco était penché sur son épaule, à lire avec elle, et qu'il réagissait avec sa fougue habituelle : «Ça alors, quel courage! Oh, ils ont pas fait ça!» Ou bien qu'il éclatait de rire : «Ha! ha! juste le petit doigt!»

Où était-il à présent? Est-ce qu'il savait encore rire? Est-ce qu'il était seulement encore en vie?

Elle essuya avec soin les verres de ses lunettes, les rechaussa et se leva de sa chaise. Elle ferma à clé «l'infirmerie» et traversa le hall d'entrée désert en direction d'une petite porte connue d'elle seule. De là, elle suivrait le couloir et l'escalier secrets qui la conduiraient à l'arrière du bâtiment, puis dans le parc. Ensuite, elle descendrait chez elle par un chemin pentu. Elle avait déjà la main sur la poignée lorsqu'elle perçut derrière elle, sur sa gauche, comme un mouvement, un déplacement

---

* Extrait du chapitre CXXIX de *La Saga de Njall le Brûlé* dans la traduction de Régis Boyer.

de quelque chose. C'était infime. Une très vague sensation.

Elle aurait pu l'ignorer et poursuivre sa route. Elle se retourna et vit qu'une porte était entrouverte qui n'aurait pas dû l'être. Oh, de quelques centimètres seulement, pas plus, mais cela lui sauta aux yeux. C'était un local, tout près des premiers chariots. Les hommes chargés de l'entretien y entreposaient des matériaux et leurs outils.

– Il y a quelqu'un ? demanda Mme Holm qui s'était figée, et sa voix résonna sous la voûte du hall.

Elle hésita, puis revint sur ses pas. Parvenue à la porte entrouverte, elle répéta :

– Il y a quelqu'un ?

À cet instant, et n'obtenant pas de réponse, elle aurait pu tirer la porte sur elle et s'en tenir là. Dès le lendemain matin, une enquête rapide lui aurait appris comment il se faisait qu'on avait laissé cette pièce ouverte. Mais elle voulut en avoir le cœur net. Au lieu de tirer la porte, elle la poussa. Cela fit une différence : la différence qui séparait son salut de sa perte. Elle l'ignorait. Elle s'avança à l'intérieur et demanda une troisième fois :

– Il y a quelqu'un ?

Une torche était allumée quelque part sur le côté, éclairant deux hommes assis, le dos au mur. Ils portaient l'un et l'autre une barbe qui mangeait leurs joues creuses. Des cheveux longs et sales tombaient sur leurs épaules. Elle ne les avait jamais vus nulle part. Elle leur trouva un très mauvais genre.

– Qui êtes-vous ? Que faites-vous ici ?

Ce fut un troisième qui répondit. Il était debout

à la porte. En la poussant, elle l'avait caché. Sans doute était-ce lui qui l'avait entrouverte tout à l'heure. Il était bien plus soigné que les deux autres. Ses pommettes hautes et cuivrées lui faisaient un inquiétant visage triangulaire.

– Oh, madame Holm, dit-il d'une voix traînante. Comme il est dommage que vous nous ayez surpris.

– Qui êtes-vous ? le coupa-t-elle. La bibliothèque est fermée. Il est interdit...

Elle s'interrompit. Le sourire de son interlocuteur l'indiquait clairement : il lui importait très peu qu'une chose soit autorisée ou interdite.

– Comment êtes-vous entrés ? demanda-t-elle.

– Et vous, madame Holm, que faites-vous ici à cette heure ?

– Ça ne vous regarde pas !

– Vous avez traîné. Nous avons attendu votre départ aussi longtemps que possible, mais nous avons du travail, vous devez le comprendre, madame Holm.

Elle n'aima pas du tout qu'il la connaisse par son nom et qu'il le répète à chaque phrase.

– Je vais appeler..., menaça-t-elle.

– Qui allez-vous appeler, madame Holm ? Vous savez très bien qu'il n'y a personne à des kilomètres à la ronde, n'est-ce pas ? Je vous laisserais volontiers fuir, mais vous donneriez l'alerte... Oui, il est vraiment dommage que vous nous ayez surpris... Ah, si j'avais poussé cette porte trois secondes plus tard seulement... Je suis désolé...

– Mon mari m'attend. Il va venir me chercher si je ne rentre pas.

– Votre mari est parti pour deux jours, madame

Holm, et il ne rentre que cette nuit, vous le savez bien.

C'était vrai. Comment ces hommes le savaient-ils ?

Elle tressaillit.

– P't-êt qu'il est parti en voir une plus jeune, hein ? fit un des deux hommes assis par terre.

– Ouais, ça doit être ça ! rigola l'autre. Faut comprendre.

– La ferme ! intervint leur chef.

Il y eut un assez long silence. L'homme au visage triangulaire eut l'air de réfléchir intensément, comme s'il cherchait une solution à un problème difficile, puis il laissa tomber :

– Je suis désolé, madame Holm, vraiment désolé.

À cet instant, elle sut qu'elle était en danger de mort, et elle s'étonna de ne pas avoir davantage peur. À moins que ce fût justement cela, la véritable peur : ce vacillement de la conscience, ce vertige, cette impression d'être soudain transportée dans une autre dimension, proche du rêve, comme si le cerveau, pour tenir l'horreur à distance, construisait autour de lui-même une enveloppe protectrice.

– Vous aimez les livres, n'est-ce pas ?

– Oui, je les aime, balbutia-t-elle.

– Alors vous aurez la consolation de finir au milieu d'eux... Vous deux, attachez-la !

Les hommes se levèrent et vinrent à elle. Ils sentaient mauvais, la crasse et la sueur. Le premier la fit agenouiller et lui tint les mains dans le dos. Le second lui ligota les poignets avec une corde.

– Vous me faites mal, gémit-elle. S'il vous plaît... Vous pourriez être mes enfants...

Ils ignorèrent sa supplique, et elle comprit qu'il serait inutile de compter sur leur compassion. Ils la basculèrent sur le côté et lui lièrent les chevilles. Pour finir, ils fixèrent la corde à la base d'un pilier de chêne en serrant bien les nœuds. Elle ne résista pas. À quoi bon ? Ils étaient dix fois plus forts qu'elle. Elle ne cria pas. Elle était une femme très pieuse. Elle ferma les yeux et pria.

Les trois hommes sortirent dans le hall et refermèrent la porte derrière eux. Mme Holm ne les revit plus. Tout le reste, elle le devina en tendant l'oreille. Il y eut d'abord le bruissement des fagots de bois sec qu'on traînait au sol. Où les avaient-ils cachés ? Quelque part dans les galeries, sans doute. Puis cet insupportable bruit de déchirure : on arrachait des pages aux livres, avec fureur, par poignées.

– Ne faites pas ça..., supplia-t-elle. Ne faites pas ça, c'est un crime...

Elle entendit le crépitement des fagots qui commençaient à brûler. Il y eut à plusieurs reprises un fracas de bois cassé. Elle supposa qu'ils jetaient des chariots sur les flammes pour les activer. Ils travaillèrent longtemps. Ils se querellèrent. Puis ils durent estimer que le feu était suffisamment parti et leurs voix se turent.

– Au secours ! appela Mme Holm. Ne me laissez pas !

Peu après, elle sentit que la fumée commençait à entrer sous la porte. Elle toussa, essaya de desserrer ses liens, de se soulever. En vain. Elle retombait chaque fois au sol. Elle pensa à son mari, M. Holm, qui ne la trouverait pas en rentrant, cette nuit, et qui s'inquiéterait. Elle pensa à tous ces autres qu'elle aimait et qu'elle ne reverrait plus. Elle pensa à Njall et à sa famille. « Je finirai comme eux, se dit-elle, toute brûlée, même le petit doigt… » Puis elle pensa encore à son mari, M. Holm. Elle pensa aux beaux livres qui brûlaient et à ceux qui les avaient écrits. Puis elle pensa encore à son mari, M. Holm.

L'incendie de la bibliothèque royale couva pendant quelques heures et se déchaîna au milieu de la nuit. Petite Terre dormait. Ce fut la femme d'un forgeron qui donna l'alerte. Elle s'était levée pour aller chercher de l'eau à son fils malade et, de la cuisine, elle vit les premières flammes. Elle réveilla son mari qui réveilla les voisins, qui réveillèrent le quartier. Dès lors, la nouvelle se répandit dans le reste de la ville : la bibliothèque brûle. Les gens sortirent de leur lit : la bibliothèque brûle. Ils sortirent de leur maison : la bibliothèque brûle. Ces deux mots-là n'allaient pas ensemble. On les disait comme on aurait dit : untel est mort, alors qu'on l'avait vu la veille encore, joyeux et bien portant. Mais la fumée dans le ciel et le rougeoiement sur la colline obligeaient à y croire.

Les voitures à cheval chargées des pompes et des réserves d'eau se mirent en route, plus de cinquante en tout. Les cochers fouettèrent les bêtes dans la côte entre les sapins. Vite ! Vite ! Si on arrive à temps, on pourra peut-être arrêter le feu avant le pire ! Mais au détour du dernier virage, on sut qu'il était inutile d'espérer.

L'incendie faisait rage. La bibliothèque royale n'était déjà plus qu'un infernal brasier. Le bois, vieux de trois siècles, brûla avec furie. Cela craquait, soufflait, sifflait. Les flammes semblaient lutter entre elles à laquelle monterait le plus haut, le plus fort. On entendait parfois, venus de l'intérieur, des explosions et des effondrements épouvantables qui vous faisaient reculer de deux pas, malgré la distance.

À l'approche du feu, les chevaux affolés n'obéissaient plus et les hommes durent les remplacer. À la force des bras, ils firent rouler leurs pompes au plus près des flammes pour les arroser et tenter de les contenir. Leur effort avait quelque chose de pathétique. Bien vite, on les fit replier et ils n'eurent plus qu'à contempler, impuissants, la tragédie.

La jolie neige blanche du parc fut peu à peu souillée de cendre, de morceaux de bois incandescents, puis elle se mit à fondre et se transforma en boue.

Les flammes montaient, furieuses, dans le ciel nocturne. Il y avait dans ce spectacle une beauté terrible et fascinante. On voyait le feu de partout, maintenant, et les habitants se mirent en route, emmitouflés dans les manteaux, les écharpes. La moitié de la ville fut bientôt rassemblée autour de la bibliothèque. Les cris et les appels se turent, remplacés par une stupeur muette et par les larmes. La chaleur intense qui se dégageait du brasier rougissait les visages à plus de deux cents mètres, mais on savait déjà le grand froid qui viendrait ensuite, dans les corps et dans les âmes. Le froid des flammes éteintes et celui des livres brûlés.

Aleks fut réveillé par sa mère.

– Aleks, mon garçon. La bibliothèque brûle…

Elle avait hésité à le tirer du sommeil, mais il lui avait finalement semblé bon de le faire. Il existait entre Aleks et le feu, depuis l'épisode du vieux roi mort, un lien qui la dépassait.

– Tu m'entends, Aleks. La bibliothèque brûle…

Il avait déserté la chambre partagée avec Brisco et dormait désormais sur un matelas posé au sol dans celle de Selma. Elle était penchée sur lui et caressait ses cheveux. Il ouvrit les yeux et laissa les mots entrer dans sa conscience, puis il murmura :

– Tu vois, maman, le roi me l'avait dit… Il fallait faire attention. J'avais pas menti…

– Je sais, Aleks. Nous t'avons toujours cru.

Ils se levèrent et s'habillèrent calmement. Puis ils sortirent et s'ajoutèrent au flot des gens qui gravissaient la côte. La marche fut longue. Selma tenait son fils contre elle, pour lui tenir chaud et pour ne pas le perdre. La disparition de Brisco et l'absence de Bjorn les avaient comme soudés l'un à l'autre. Ils ne se quittaient plus.

Dans le parc, ils firent comme les autres. Ils levèrent leurs yeux vers les flammes immenses, vers le ciel rouge. Et ils pleurèrent.

– Est-ce que tous les livres seront brûlés, maman ? Peut-être que le feu suit pas les galeries…

– Je ne sais pas, Aleks. J'espère que tu as raison.

– Et tu crois que quelqu'un a brûlé, dedans ?

– Non. Il n'y a personne la nuit dans la bibliothèque.

À cet instant, une bousculade se produisit

derrière eux. Quelqu'un se frayait un chemin, avec brutalité.

– Poussez-vous, bon Dieu ! Laissez-moi passer !

– Doucement, monsieur Holm ! protestèrent les gens. Où allez-vous comme ça ?

Le cocher n'écouta rien. Il joua des épaules et courut vers le feu. Deux hommes le rattrapèrent et le retinrent d'aller plus loin. Ils durent se battre avec lui pour l'empêcher de se jeter dans les flammes. Le malheureux hurla un prénom qu'Aleks ne connaissait pas.

– Qu'est-ce qu'il dit, maman ?

– Il dit le prénom de Mme Holm, répondit-elle. Viens, rentrons. Je n'en peux plus.

15 *En votre âme et conscience*

Ketil réunit en urgence le Conseil dès le lendemain matin, alors que les décombres de la bibliothèque fumaient encore. Ce fut une séance terriblement dramatique. Il ne faisait de doute pour personne que Guerolf était coupable d'avoir ordonné l'incendie. Il adressait par cet acte un message effrayant aux habitants de Petite Terre : il ne tarderait plus à se jeter à l'assaut de l'île. Ceux qui se rangeraient dans son camp seraient du côté des forts. Les autres pouvaient s'attendre au pire. Il fallait se déterminer.

Derrière la porte close, le débat fut long et passionné. Les dix-neuf conseillers, hommes et femmes, jeunes et anciens, avaient conscience de tenir entre leurs mains, ce jour-là, le destin de leur pays. Une partie d'entre eux était d'avis qu'il serait vain de s'opposer si Guerolf venait à débarquer avec ses hommes. Cela n'aboutirait qu'à un bain de sang et à une défaite inéluctable. Petite Terre disposait d'une armée d'opérette, tout le monde le savait bien, tandis que celle de Guerolf était déjà redoutable en puissance et en nombre. Aucun roi n'avait jamais doté Petite Terre d'une armée digne de ce nom. Depuis des siècles, on s'était défendu autrement.

Un vieux conseiller chenu exposa son point de vue à ce sujet. Il parlait posément, ses longues mains ridées accompagnant ses phrases.

– Qui, dans cette assemblée, demanda-t-il, qui peut dire à coup sûr que ses ancêtres sont d'ici ? Les miens sont venus d'ailleurs. Est-ce que cela m'empêche d'être aujourd'hui à cette table ? Me considérez-vous comme un étranger ? Les aïeuls d'Holund en personne venaient d'ailleurs. Est-ce que c'est vrai ou est-ce que c'est faux ?

– C'est vrai, confirma Ketil. Où veux-tu en venir ?

– Je veux en venir à ceci : ceux qui nous ont envahis autrefois n'ont jamais changé Petite Terre, c'est Petite Terre qui a fini par les changer, avec le temps. La neige, la mer et la glace ont été plus fortes qu'eux. Se battre contre des envahisseurs, c'est disparaître à coup sûr. Il faut d'abord survivre, je vous le dis. Et garder confiance.

– Je te comprends, dit un autre conseiller, mais, cette fois, il s'agit d'autre chose : un enfant a été enlevé, les livres ont brûlé…

– Et Bjorn n'est pas revenu…, ajouta l'homme qui avait remplacé le père d'Aleks au Conseil.

– Oui, reprit une jeune femme, à peine trentenaire. Guerolf nous attaque dans ce que nous avons de plus cher. Et il le sait. Incendier la bibliothèque signifie : je brûle votre mémoire, votre façon de considérer le monde, j'apporte un ordre nouveau, soumettez-vous ! Mais moi, je ne veux pas me soumettre. Se soumettre, c'est se renier. Et à quoi bon vivre quand on s'est renié ? Je vous comprends moi aussi, grand-père, je connais l'Histoire, mais j'ai peur que cette fois le temps ne serve à rien. J'ai peur que Guerolf change Petite Terre au point qu'elle n'y survive pas. Je crois…

Elle hésita un peu. Sa voix douce et son allure juvénile n'allaient pas avec ce qu'elle allait dire.

– … je crois qu'il faut se battre.

– Comment ? intervint un homme d'une quarantaine d'années, et la passion le fit se lever de sa chaise. Comment ? Toi, une femme ? Une mère ? Comment oses-tu proposer qu'on envoie des jeunes gens à la mort ?

– Ne me donne pas de leçon, s'il te plaît, riposta la femme. Que proposes-tu, toi ? Qu'on se mette à plat ventre et qu'on rampe ?

Le débat continua ainsi pendant toute la journée. Tantôt les échanges étaient si vifs et virulents que Ketil devait s'interposer pour calmer les éclats. Tantôt un des conseillers se lançait dans une longue argumentation qui serrait les gorges, de quelque opinion qu'on fût.

En fin de journée, le silence tomba. Comme si tous étaient soudain parvenus au bout de leur énergie, comme s'ils avaient puisé jusqu'au fond d'eux-mêmes, de leur raison et de leur ardeur. Il n'y avait plus rien à dire. Par les fenêtres, ils virent que la neige s'était mise à tomber. Des flocons étincelants virevoltaient dans la lumière d'une lampe, sans doute afin qu'en ce jour particulier Petite Terre ressemblât davantage encore à Petite Terre.

Ketil, qui s'était beaucoup tu, prit la parole :

– Je suis d'avis que nous ne votions pas ce soir. Laissons passer la nuit. Elle nous portera conseil. Si vous le voulez, nous nous retrouverons demain matin.

Tous approuvèrent et on se sépara.

Peu dormirent cette nuit-là, même ceux qui étaient déjà installés dans leur conviction. Quelques-uns marchèrent longtemps dans les rues de la ville, en se demandant à quoi elles ressembleraient en cas d'occupation ou en cas de guerre. D'autres restèrent auprès de leur famille, sans pouvoir confier à personne le tumulte de leur esprit ni la crainte qu'ils éprouvaient. Certains montèrent jusqu'à la bibliothèque et méditèrent sur ses débris fumants.

Le lendemain, à la première heure, ils gravirent les marches du palais, les traits graves et tirés. Ils se saluèrent avec une chaleur particulière. L'émotion était dans tous les regards, dans les poignées de main, les accolades.

– Il n'est plus temps de débattre, dit Ketil dès qu'ils furent autour de la table. J'imagine que chacun et chacune s'est forgé son opinion. Nous allons procéder au vote. Nous nous rallierons ensuite à la décision majoritaire. Je vais énoncer de façon simple la question qui se pose à nous. Guerolf et ses troupes vont débarquer sur Petite Terre avant un mois. Faut-il mobiliser toutes nos forces et leur résister, sachant que le combat est inégal, pour ne pas dire perdu d'avance, et qu'il nous coûtera beaucoup de vies ? Faut-il au contraire plier, composer avec l'ennemi dans l'espoir de l'absorber avec le temps, sachant que cette fois nous risquons d'y perdre notre âme ?

En bref et en clair, je vous pose cette question, à laquelle je vous demande de répondre en votre âme et conscience : faut-il se battre, ou ne le faut-il pas ? Pour ma part, et conformément à la règle, je ne me prononcerai que pour rompre une égalité, si nécessaire.

Il faisait bien plus froid que la veille dans la salle. Aucun des conseillers ne s'était assis à la table. Ils se tenaient tous debout autour d'elle, vêtus de leurs lourds manteaux. Cela donnait à leur réunion l'allure d'un conseil de guerre qu'on aurait tenu dehors, d'urgence, l'ennemi étant déjà derrière la colline.

– Passons au vote, mes amis, poursuivit Ketil. Faut-il se battre ? Que ceux qui le pensent lèvent le bras droit.

Deux bras se levèrent aussitôt, dont celui de la jeune femme qui avait ferraillé pour cette option, la veille. L'homme qui l'avait rudement apostrophée la considéra avec respect. Le temps des empoignades était fini. Quelques autres bras suivirent, plus hésitants. Ketil compta avec soin. Il y en avait huit.

– Faut-il au contraire ne pas se battre ? Que ceux qui le pensent lèvent le bras droit.

Le vieux conseiller fut le premier à réagir. Il leva son bras bien haut et regarda ostensiblement autour de lui, comme pour inciter ses collègues à l'imiter. Quelques-uns le suivirent. Ketil compta avec soin. Il y en avait huit.

– Qui parmi vous préfère s'abstenir ? Levez le bras, je vous prie.

Les deux conseillers restants, un homme et une femme, levèrent le bras.

Ketil était un homme sage. Le contraire d'un va-t-en-guerre. À l'annonce de cette égalité parfaite, tous ceux qui avaient choisi la paix surent d'avance que leur vœu allait être exaucé et ils en éprouvèrent un grand soulagement. Ils se gardèrent bien de l'exprimer. D'ailleurs, personne n'exprima rien, aussi longtemps que le vote n'était pas accompli. Désormais, la décision appartenait à Ketil, cet homme paisible dont la parole, depuis la mort du vieux roi, était la plus écoutée de l'île.

Il ne broncha pas sous les regards, mais on devinait en lui une tension violente. Il pâlit. Ses mâchoires se serrèrent.

– Avant de donner ma voix, commença-t-il, je tiens à vous remercier. Notre débat a été digne. J'ai écouté les arguments des uns et des autres. Ils étaient forts et sensés. J'ai été ébranlé, je l'avoue. Mais ce matin ma conviction est faite…

Il y eut une sorte de vibration dans l'auditoire. Soudain, on ne savait plus que penser.

– Il n'y a rien de pire que de perdre son âme, dit Ketil d'une voix sourde. Je pense qu'il faut se battre.

Tous les hommes de Petite Terre, à l'exception des malades et des vieillards, furent appelés dans les jours qui suivirent, ainsi que les garçons âgés de plus de seize ans. Les uniformes disponibles, qu'on exhuma des coffres où ils dormaient depuis des décennies, ne suffirent pas à pourvoir plus de la moitié d'entre eux. Les couleurs rouges et grises étaient passées et les tailles loin de correspondre aux besoins. Les séances d'essayage provoquèrent beaucoup de fous rires parmi les jeunes recrues insouciantes, et les retardataires durent partir à l'instruction vêtus de leurs habits personnels.

Les armes aussi manquaient. Mille soldats seulement disposèrent d'un mousquet à baïonnette. Ceux qui avaient la chance qu'il soit en bon état ne savaient pas s'en servir. Ceux qui savaient s'en servir tombaient sur un mousquet qui ne fonctionnait pas. Aux autres on donna des piques, à demi rouillées pour la plupart.

Comme les casernes étaient trop petites pour recevoir les troupes, on s'entraîna sur les places, en forêt, dans les champs de neige. Cela ressemblait davantage à des jeux de kermesse qu'à une formation militaire. Les plus jeunes trouvaient cela très amusant, les plus âgés beaucoup moins.

C'est cette armée de bric et de broc, mal équipée et sans expérience, qui fit face à l'envahisseur, moins de deux semaines plus tard.

16 *« Enlevez-moi l'aine et le gros intestin »*

La défense qu'on avait mise en place sur les hauteurs du port pour empêcher l'invasion se révéla inutile. Les navires de Guerolf arrivèrent là où personne ne les attendait, sur une côte déserte et inhospitalière, à l'extrême nord de l'île. Un vieux pêcheur et sa femme, qui vivaient là, isolés du monde, dans leur maisonnette, les virent en premier, et ils se demandèrent longtemps s'ils ne rêvaient pas. Le brave homme cassait des morceaux de pain sec dans sa soupe en regardant par la fenêtre. Le jour pointait tout juste sur la mer grise.

– Regarde, Vilma, dit-il soudain et il suspendit son geste, on dirait une voile, là-bas, à l'horizon.

Vilma, qui était au fourneau, s'approcha et s'assit en face de lui, à la table. Tous les deux plissèrent les yeux pour mieux voir.

– Oui, tu as raison. Une voile brune. J'en vois même une deuxième.

Le vieux commença quand même à manger

sa soupe. Il portait la cuillère à sa bouche avec lenteur et faisait beaucoup de bruit en avalant. Quelques minutes passèrent sans qu'ils disent un mot, puis :

– Vilma, il y en a au moins dix, tu les vois ?

– Je les vois, elles viennent vers nous.

En soixante ans de vie commune, ils avaient regardé souvent par le carré de leur petite fenêtre, mais ni l'un ni l'autre n'avaient jamais assisté à pareil spectacle. Cela ne leur fit pas peur. Ils continuèrent à observer avec curiosité, comme ils auraient observé un rêve commun.

– Vilma, il y en a combien, maintenant, à ton avis ? Cent ?

– Oui, je dirais ça, moi aussi. À peu près cent.

Bientôt, l'horizon se trouva obscurci par les voiles. Lorsqu'elles furent plus proches, ils virent qu'elles étaient couleur de terre. Les navires obliquèrent alors vers l'est et suivirent la côte.

– Viens, dit le pêcheur. Allons-y. Je veux voir ça.

Il y avait près de là un rivage plat, le seul endroit de la région où l'on pouvait accoster sans risques. Les deux vieux étaient bons marcheurs et moins d'une heure plus tard ils y furent. Du haut de la colline, ils regardèrent les cavaliers en cuirasse sortir du ventre des bateaux, par centaines, en ordre, et se ranger par escadrons.

Le pêcheur et sa femme ne savaient rien des affaires du pays. Ils descendirent sereinement à la rencontre des arrivants.

– D'où venez-vous ? demanda le vieux.

– De Grande Terre, répondit un cavalier, son casque sous le bras.

Vilma lui trouva de la prestance ainsi qu'une

voix chaude et agréable. Elle se dit qu'il lui plaisait drôlement et que si elle avait eu soixante ans de moins…

– De Grande Terre ! fit-elle, admirative. Et vous nous rendez visite ?

– Il y a de ça…, répondit le soldat en rigolant.

– Que tu es bête, ma pauvre, dit le pêcheur en secouant la tête. Tu ne vois donc pas qu'ils nous envahissent ? Hein, jeune homme, que vous nous envahissez ?

– Il y a de ça aussi, grand-père. Allez, poussez-vous, vous allez vous faire renverser.

– Ah, je te l'avais bien dit ! conclut le vieux.

Les montagnes glacées de l'intérieur de l'île rendaient la traversée plus que périlleuse. Guerolf n'y risqua pas ses troupes. Il ordonna qu'elles suivent la côte. On rejoindrait le port dans la journée, et la capitale le lendemain. Le soir, elle serait prise. Les soldats à pied marchaient en tête, suivis des cavaliers. Moins de cinq mille hommes en tout, mais tous équipés, aguerris et rompus au combat. Il y avait dans leur avancée compacte et régulière la certitude de vaincre. Une dizaine de canons sur chariots venaient derrière, tirés chacun par quatre chevaux.

Ketil fut informé avant midi. La nouvelle avait volé par-dessus la montagne, de bouche à oreille, portée par des jambes véloces, des traîneaux, des chevaux. Le conseil de guerre décida qu'on laisserait l'ennemi progresser sans s'opposer à lui jusqu'à une certaine vallée encaissée, presque un ravin, qu'on était obligé d'emprunter entre le port et la ville. Cet endroit s'appelait le rocher de la Géante.

On racontait qu'autrefois une géante vivait là, assise sur un pic rocheux. Parfois, elle se rendait à l'église et, tandis que le pasteur était en chaire, elle agitait la main dehors à la fenêtre. Cela dérangeait l'esprit des pasteurs. Ils devenaient fous et, au lieu de continuer leur sermon, ils s'écriaient :

« Enlevez-moi l'aine et le gros intestin,
je veux aller jusqu'au ravin !
Enlevez-moi la laite et les boyaux,
avec la géante je veux faire un saut ! »

Puis ils quittaient l'église et couraient derrière la géante jusqu'au ravin. Ils y arrivaient par le haut et se jetaient dans le vide. On ignorait ce qu'il advenait d'eux ensuite.

C'est là qu'on livrerait bataille. On n'espérait pas que les troupes de Guerolf deviendraient folles, comme les pasteurs. On imaginait seulement qu'on les laisserait s'engager dans le défilé et qu'on les attaquerait depuis les hauteurs. Et si elles parvenaient à passer tout de même, on les affronterait ensuite, affaiblies, en terrain découvert.

Toutes les forces, celles présentes sur le port, celles de la capitale et celles dispersées sur l'île convergèrent vers le rocher de la Géante pendant le reste de la journée. Au soir, tout ce qui était capable de se battre sur Petite Terre était rassemblé là.

Les campements furent d'abord établis dans la plaine. Les feux brûlèrent toute la nuit. On se serrait autour des flammes, assis dos à dos pour se tenir chaud et voler un peu de sommeil. Au petit matin, trois compagnies se détachèrent pour gagner les hauteurs. Elles y parvinrent au prix de grands efforts, dans la neige et la rocaille et, de là-haut, elles virent briller, à l'est, les derniers feux du bivouac de l'ennemi.

Puis le temps tourna.

La pluie se mit à tomber, fine, froide et serrée. Le vent d'est se leva et la projeta par bourrasques. On n'y voyait pas à dix mètres. Il semblait qu'une seconde nuit commençait. Loin de dissuader Guerolf, ce temps de chien lui fut une aubaine. Il engagea sans attendre ses troupes dans le ravin. Les soldats de Petite Terre, embusqués au-dessus, n'y voyaient presque rien. Ils tirèrent au hasard quelques coups de mousquet qui se perdirent dans le rideau de pluie. En moins d'une heure, l'ensemble des troupes ennemies avait franchi le passage.

Dans la plaine, pendant ce temps, les soldats pataugeaient dans la boue glacée qu'était devenue la neige. Seuls les officiers allaient à cheval. Parmi eux, Ketil exhortait ses hommes à la patience. Le combat viendrait assez tôt.

Il vint en effet, dès la première éclaircie, mais autrement qu'on l'avait prévu. Cela commença par une détonation claire, étonnamment proche. Puis une autre. Dans les secondes qui suivirent, deux boulets traversèrent les rangs, arrachant au passage les membres de plusieurs soldats qui moururent avant même d'avoir pu se battre. L'horreur soudaine et toute nue fit passer un vent de panique. Il y eut des hurlements de terreur. C'était donc ça, la guerre ? Du sang et de la boue ? Et la mort, alors qu'on n'avait même pas encore vu le visage de l'ennemi ?

La cavalerie de Guerolf attaqua peu après. Le premier rang de soldats, agenouillé comme il se doit, la reçut par une salve de mousquet qui la fit reculer. Mais on n'eut guère le temps de s'en réjouir : deux escadrons, mobiles et rapides, contournaient la défense. Par une trouée dans la brume, on les vit se déplacer vers le nord et vers le sud afin d'attaquer par les flancs.

– En carré ! ordonna Ketil, et les officiers se dispersèrent au galop pour faire exécuter la manœuvre.

Elle fut plutôt confuse, mais au bout du compte on parvint à former un méchant carré, comme l'aurait dessiné un enfant malhabile. Chaque côté pouvait mesurer deux cents mètres. Ketil et ses lieutenants se tenaient dans l'espace vide du milieu afin de donner les ordres.

Les premières attaques furent repoussées avec succès, mais ce n'était qu'illusion, car l'ennemi se contentait d'avancer à distance des balles et d'essuyer des salves presque inoffensives avant de se retirer. Bientôt la fumée des tirs, mélangée à la brume, fut si épaisse qu'on se trouva incapable de prévenir les assauts. Les mousquets, rechargés à la hâte, s'enrayèrent de plus en plus souvent. Les cavaliers de Guerolf surgissaient, toujours plus nombreux, toujours plus proches. Ils brandissaient leurs sabres et défiaient leurs adversaires de la voix et du regard. « Attendez un peu, semblaient-ils dire, et vous allez goûter nos lames ! »

Ketil comprit vite que le combat était mal engagé. Il avait espéré que les envahisseurs subiraient de lourdes pertes en passant le ravin. Ce n'était pas le cas, et maintenant l'heure était venue de donner un sens à ces mots qu'il avait prononcés au Conseil quelques semaines plus tôt, et qui résonnaient douloureusement dans sa tête : « Il faut se battre. »

La première brèche s'ouvrit au sud. Une centaine de cavaliers s'y engouffrèrent et frappèrent autour d'eux à grands coups de sabre. Ainsi commença la tragédie.

Les soldats les virent sortir de la fumée et fondre sur eux. Ils n'eurent pas le temps de recharger leurs mousquets et ils se défendirent avec leurs baïonnettes. Mais celles-ci ne convenaient pas à ce genre de combat contre des hommes à cheval. Ils furent renversés, piétinés, tailladés.

Le carré n'en était plus un. Les lignes se désunirent. En reculant, les soldats se bousculèrent, confondirent leurs rangs. Quelques-uns, perdant la tête, continuèrent à tirer dans la cohue sans voir qu'ils tuaient leurs camarades. Il fallait qu'on leur hurle : « Arrête ! arrête ! » et qu'on les désarme de force.

Mais d'autres se battaient avec vaillance. Ils esquivaient les coups de sabre et frappaient à leur tour, tant bien que mal, avec leur baïonnette. Certains parvenaient même à désarçonner les cavaliers en les agrippant à mains nues. Il s'ensuivait des corps à corps furieux. Au sol, les hommes de Guerolf étaient embarrassés de leur cuirasse et ils succombaient le plus souvent dans ces duels singuliers. L'espoir revint.

Ketil allait ici et là, rassemblant les dispersés, encourageant les uns, excitant les autres. Le courage de ses hommes le stupéfia. Aucun ne cherchait à fuir. Quelques semaines plus tôt, ils étaient encore dans leur atelier, sur leur bateau de pêche, ou bien ils tiraient les cordes des chariots de la bibliothèque, et maintenant ils luttaient pour leur vie et pour Petite Terre, dans un effroyable champ de boue, face à un adversaire plus puissant. Et pas un ne cherchait à fuir.

Il ne put supporter longtemps l'idée d'être en retrait. Il sauta de son cheval et tira l'épée de son fourreau.

– Ketil ! lui cria un homme. Qu'est-ce que tu fais ? C'est pas ta place ! Remonte en selle !

Il l'ignora et se jeta dans la mêlée. La pluie, qui avait faibli pendant les premières attaques, redoubla. Elle cinglait les combattants, ruisselait sur les cuirasses des cavaliers, sur les flancs des chevaux, sur les visages. On glissait, on se relevait boueux, rouge de son sang ou de celui des autres, tout étonné d'être encore en vie.

La bataille fit rage pendant une heure au moins. Jamais Ketil n'avait imaginé une résistance aussi acharnée. Il vit mourir près de lui des amis qu'il connaissait depuis l'enfance, d'autres plus lointains, des inconnus. À un moment, il reconnut le fils de son voisin. Le malheureux se tenait à genoux, le dos voûté, tremblant.

– Que fais-tu ? lui cria-t-il. Lève-toi !

Le garçon, qui n'avait pas dix-sept ans, haussa les épaules et lui montra son bras gauche, qu'il soutenait avec le droit. Une plaie béante courait du coude jusqu'à la main.

– Je suis blessé, dit-il. Je vais où ?

La question était d'une terrible simplicité. La gorge de Ketil se serra. Il aurait voulu pouvoir répondre : « Va ici, ou va là-bas, on va te soigner… » Mais il n'y avait nulle part où aller. On se battait devant eux, on se battait derrière, on se battait partout. « Mon Dieu, pensa-t-il, qu'est-ce que j'ai fait ? » Pour la première fois, il douta de lui-même et de sa décision.

Le jeune soldat était de ceux qui n'avaient pas reçu d'uniforme. Ses vêtements trempés pendaient autour de lui, en lambeaux. La pluie battante lavait le sang qui coulait en abondance de son bras, Ketil s'agenouilla près de lui, désemparé.

– Ça va aller, lui dit-il. Ne t'en fais pas. C'est bientôt fini.

– Oui, c'est bientôt fini, approuva le garçon.

Ni l'un ni l'autre ne savaient ce qu'ils entendaient par ces mots.

– Restez près de moi…, dit le garçon.

– Je reste près de toi, répondit Ketil.

Il continua à se battre, tout en évitant de s'éloigner. Chaque fois qu'il le pouvait, il jetait un coup d'œil vers son protégé dont la silhouette penchée évoquait maintenant une statue d'argile prête à s'effondrer.

Après une courte accalmie, l'ennemi poussa une charge puissante qui troua ce qui restait de défense dans le camp de Petite Terre. Ce fut un déferlement renouvelé de sauvagerie. Les sabres taillaient, tranchaient, arrachaient. Ketil évita de justesse le coup d'un cavalier surgi au galop. L'homme, dépité par son échec, fit volte-face et brandit de nouveau son arme. Ketil lut dans ses yeux la volonté meurtrière. Il réussit plusieurs fois encore à esquiver ou à contrer à l'aide de son épée, mais dans la lutte il fut renversé par la croupe du cheval. Tandis qu'il se relevait, son adversaire le frappa derrière l'épaule, puis une seconde fois à la tête. La douleur et la violence du coup le jetèrent au sol, inanimé. Le cavalier le crut mort, sans doute. En tout cas, il maîtrisa sa monture qui se cabrait, contourna le corps et poursuivit son chemin.

Ce fut la fraîcheur de la pluie sur son visage qui ranima Ketil. Il lui fallut quelques secondes pour rassembler ses esprits. Autour de lui, le champ de bataille était plongé dans le silence. Il s'étonna de ne pas souffrir. Son épaule ne lui faisait pas mal, ni sa nuque, ni sa tête. Mais lorsqu'il tenta de bouger, il fut près de s'évanouir à nouveau. Non loin de là, le garçon blessé avait basculé vers l'avant, le nez dans la boue, dans une posture grotesque. Ses vêtements étaient retroussés sur son dos nu et blanc. Sans doute était-il mort.

– Pardonne-moi…, murmura Ketil. Pardonne-moi… Je ne voulais pas ça… Je ne voulais pas toute cette horreur… Je voulais juste qu'on ne perde pas notre âme… Et je t'ai fait rendre la tienne…

Des heures passèrent. La pluie tombait sans répit, fine et glacée. Tourné comme il l'était, Ketil devinait au lointain le rocher de la Géante, ou bien peut-être l'imaginait-il seulement dans la brume. Les paroles du conte lui revinrent et il se les répéta à l'infini : « Enlevez-moi l'aine et le gros intestin… je veux aller jusqu'au ravin… enlevez-moi la laite et les boyaux… avec la géante… enlevez-moi… »

De temps en temps, il lui semblait entendre gémir, ici ou là. L'obscurité gagnait déjà quand un bruit de roues troubla le silence. Cela bringuebalait. Une charrette tirée par un cheval, semblait-il.

– Holà ! Des vivants ? appela une voix.

– Ici ! Ici ! eut-il la force de répondre.

– Où ça ? On n'y voit rien.

– Je suis là !

Les trois hommes le chargèrent avec précaution parmi une dizaine d'autres blessés qui gisaient sur la charrette. Au moment de jeter une couverture sur lui, le plus jeune des brancardiers approcha son visage du sien.

– Je vous reconnais. Vous êtes Ketil, non ? Vous en faites pas, m'sieur, on vous ramène.

– Il y a un garçon, juste à côté, là… Prenez-le, s'il vous plaît.

– Mais il est mort, m'sieur.

– Je sais, mais je voudrais qu'on le ramène.

Les troupes victorieuses de Guerolf firent irruption dans la ville le soir même. Il n'y restait plus que les vieilles personnes, les femmes et les enfants, terrés dans leurs maisons. L'unité qui défendait le palais livra un combat inutile et désespéré. La moitié des soldats périrent. Quand tout fut consommé, les conquérants lancèrent leurs chevaux dans la cour d'honneur en poussant des cris de victoire.

Guerolf lui-même n'arriva qu'à la nuit. Il entra dans le palais au milieu des flambeaux et sous les ovations des siens, et il se fit conduire à la salle du Trône. Il fallut chercher les clés un bon moment, car Holund ne s'y rendait plus depuis des années, préférant de loin fréquenter la bibliothèque ou la salle du Conseil. Le nouveau maître de Petite Terre traversa la salle à grands pas, le menton en avant, et il prit place sur le trône avec la même désinvolture que s'il s'était assis sur une chaise de cuisine.

– Comment vous sentez-vous, seigneur Guerolf, à cette place où ont siégé avant vous plus de vingt rois ? demanda un de ses chefs de guerre à la cantonade.

– Je m'y sens bien ! répliqua Guerolf. Est-ce que mes fesses ne valent pas les leurs ?

Un éclat de rire, obscène et tonitruant, salua le premier mot d'esprit du nouveau souverain.

17 *La prédiction de Baldur Pulkkinen*

Tout était comme avant. La croupe large du cheval Tempête, les claquements de langue de M. Holm et sa voix rauque : « Va Tempête, va, mon grand... », le crissement des lames du traîneau sur la neige, la chaleur de la couverture sur les jambes, le froid piquant sur le visage... Tout était comme avant, et rien n'était comme avant. Le deuil recouvrait tout de sa substance noire. Il s'infiltrait partout, gâtait les plus modestes bonheurs : la saveur des bonnes choses, le sommeil, la beauté transparente d'un glaçon sous un toit. Tout.

Et les hommes de Guerolf patrouillaient sur leurs chevaux dans les rues de la ville.

Leur chef n'était pas resté longtemps sur Petite Terre. L'invasion trop facile était achevée, l'île conquise. Restait la perspective de l'ennui. Alors il avait délégué son pouvoir et s'en était retourné sur Grande Terre où l'attendaient des projets davantage à sa mesure.

Aleksander Johansson sauta du traîneau.

– Merci, monsieur Holm, à tout à l'heure.

– À tout à l'heure, Aleks, je viendrai te chercher.

Durant le trajet, ils n'avaient évoqué ni l'un ni l'autre les pensées sinistres qui les accablaient. Que dire quand il y a trop de malheur et trop de peine ? Que dire sauf « Merci, monsieur Holm, à tout à l'heure » et « À tout à l'heure, Aleks, je viendrai te chercher » ?

Aleks avait fini par céder à l'insistance de sa mère. Elle l'avait pris les yeux dans les yeux.

– Il faut que tu sortes, tu m'entends ! Sinon on va devenir fous, tous les deux, dans cette maison. Ce n'est pas en restant ici que tu feras revenir ton père, tu le sais. Va donc voir Baldur ! Il te changera les idées !

– J'ai pas envie de voir Baldur, maman.

– Mais lui a peut-être envie de te voir. Il pense que tu l'abandonnes, sans doute, et il n'ose pas faire le premier pas.

Baldur avait dix ans, comme Aleks. Il avait été longtemps le voisin des Johansson et il était venu plus de cent fois jouer avec les garçons, puis sa famille avait déménagé à l'autre bout de la ville et, depuis, ils se voyaient moins. Il déblayait la neige devant sa porte, quand Aleks arriva. Dès qu'il le vit, il planta sa pelle sur le tas et marcha vers son ami. Sa jambe droite, raide et difforme, semblait lui servir de béquille. Il la lançait sur le côté d'un mouvement de hanche afin qu'elle passe devant. Les épaules et la tête basculaient dans l'autre sens pour faire contrepoids. Cela lui donnait la démarche chaotique d'un pantin désarticulé. Pour Baldur, avancer était un combat permanent, mais il s'en accommodait avec vaillance, comme d'un inconvénient passager.

– Salut, Aleks !

– Salut, Baldur !

– Alors ? Des nouvelles de Brisco ?

– Non, pas de nouvelles…

– Et ton père ? Il est rentré ?

– Non.

– Ça fait combien de temps maintenant ?

– Pour Brisco, ça fait quarante jours et pour mon père trente.

Baldur siffla entre ses dents.

– Ouh là là ! C'est long ! J'aimerais pas être à ta place !

Aleks ne lui en voulut pas d'être aussi direct et maladroit. Au contraire, il lui en fut reconnaissant. Les adultes étaient pleins de bonnes intentions, mais ils s'y prenaient mal. Il préférait la franchise de son camarade.

– Ton frère, je sais pas, mais ton père va revenir.

Aleks tressaillit.

– Qu'est-ce que tu viens de dire ?

– J'ai dit que pour ton frère, je sais pas, mais ton père, lui, il va revenir. Je l'ai vu entrer et jeter son manteau par terre, chez toi.

– Tu en es sûr ?

– Ben oui.

– Quand est-ce qu'il va rentrer ?

– Aucune idée. Tu m'aides ? Je vais chercher une autre pelle, d'accord ?

Les mots prononcés par Baldur et lancés avec naturel ne sortaient pas de la bouche de n'importe qui. Aleks le savait, et ils lui firent l'effet de la main tendue à quelqu'un qui se noie. Il savait aussi que questionner davantage son ami ne servirait à rien et il se retint de le faire. Mais son cœur cognait fort.

Car Baldur Pulkkinen possédait une capacité singulière. Cela avait commencé quelques années plus tôt, peu de temps après son accident. Et voici de quelle façon.

Mme Pulkkinen est au chevet de Baldur, son fils de cinq ans. C'est l'après-midi. Il gît sur son lit depuis des semaines. Un cheval l'a renversé et la roue de la charrette lui est passée dessus. Les fractures de sa jambe et de sa hanche mettent du temps à guérir. Il est courageux, ne pleure pas trop. Souvent, il semble dormir les yeux ouverts, perdu dans des pensées si lointaines qu'on ose à peine le déranger. Le chat Voleur lui tient compagnie, lové contre son ventre.

– Heureusement que tu as Voleur, hein ? dit Mme Pulkkinen, attendrie.

– Oui, mais bientôt je l'aurai plus.

– Qu'est-ce que tu dis ?

– Voleur, je l'aurai plus, bientôt.

– Pourquoi ?

Il ne répond pas. Elle a l'impression qu'il est ailleurs. Il caresse d'un doigt le pelage blanc de l'animal qui ronronne de plaisir.

– Mais j'aurai l'autre chat, celui avec les taches.

Elle allait partir. Elle se fige.

– Quel autre chat ?

Il se tait.

– De quoi parles-tu ? Quelqu'un t'a promis un chat avec des taches ?

– Non.

Elle se demande s'il délire, met la main sur son front et constate qu'il n'a pas de fièvre. Elle n'insiste pas et le laisse s'endormir.

Trois jours plus tard, Voleur passe sous un traîneau et meurt. Le lendemain, un autre chat, perdu et affamé, entre dans la maison en miaulant. Mme Pulkkinen le recueille et le nourrit. Il est couvert de taches jaune et marron.

Elle a envie d'en parler à son mari, mais c'est un homme rationnel qui n'aimerait pas ça du tout. Alors, dans le doute, elle garde pour elle cet étrange événement. Après tout, on assiste quelquefois à des coïncidences tellement stupéfiantes. Cela dure jusqu'au printemps suivant.

Baldur apprend à remarcher en s'appuyant sur des béquilles. Il s'entraîne devant la porte, avec son père, qui lui montre comment les tenir comme il faut. Soudain l'enfant s'immobilise.

– La cousine Bentje a un bébé.

Le père ne peut pas réprimer un sourire.

– Non, elle n'en a pas.

À trente ans, la cousine Bentje est déjà une vieille fille. Elle est disgracieuse. On ne lui a jamais connu ni mari, ni fiancé, ni même un amoureux. Un mois plus tard, la nouvelle tombe : la cousine Bentje est enceinte. Elle mettra au monde une grosse fille de quatre kilos et n'avouera jamais avec qui elle l'a mise en route.

Par la suite, les prédictions de Baldur se succèdent, mais sans régularité. Il peut très bien en faire quatre en six mois, puis n'en faire aucune pendant les deux années suivantes. Il les annonce toutes sur un même ton quotidien, sans s'appesantir, comme « au passage ». Certaines sont vagues :

« Les chasseurs vont attendre » et, quand on les comprend, il est trop tard. Des chasseurs perdus ont attendu en vain des secours qui ne sont jamais arrivés et ils sont morts. D'autres au contraire sont très précises : « Le toit de M. Guddal va s'effondrer sous la neige » et on peut prévenir à temps le malheur. Parfois, il les énonce comme si elles s'étaient déjà réalisées : « Tu t'es brûlée, maman ? », alors que Mme Pulkkinen ne posera la main par inadvertance sur le poêle qu'une semaine plus tard.

Mais il est inutile de l'interroger, au risque de s'entendre répondre : « J'en sais rien, moi... comment voulez-vous que je le sache ? » En tout cas une chose est maintenant certaine et la rumeur se répand : le jeune Baldur Pulkkinen est capable de prédire l'avenir.

Baldur alla chercher la seconde pelle et les deux enfants s'activèrent à dégager la neige qui encombrait la rue, devant la maison. De temps en temps, ils s'arrêtaient pour reprendre leur souffle et parler. Était-ce à cause des événements tragiques ? Du plaisir des retrouvailles ? Ils se dirent des choses qu'ils ne s'étaient jamais dites.

– Elle te fait mal, ta jambe ? osa demander Aleks.

– Non. Elle me fait pas mal. Je suis habitué.

– Comment tu as fait ça, déjà ?

Aleks le savait, mais il avait envie de l'entendre à nouveau.

– C'est un cheval qui m'a renversé, quand j'étais petit. La charrette m'est passée dessus. Les os se sont ressoudés au petit bonheur la chance.

– Tu t'en souviens, de l'accident ?

– Presque pas. C'est fou, hein ? J'ai dû souffrir, pleurer, crier, et je m'en souviens même pas !

– Tu es triste quand les gens se moquent de toi ?

– Personne se moque de moi.

Ils continuèrent longtemps à pelleter de la neige. À la fin, cela ne servait plus à rien, mais ils n'avaient pas envie de renoncer à cet effort partagé, et à ces confidences.

– Brisco te manque ?

– Oui. Enfin, non. C'est bizarre. C'est comme s'il était toujours à côté de moi. Sauf qu'il y est plus.

– Et toi, tu lui manques ?

– Ça, j'en sais rien. Faudrait lui demander ! On se marrait bien tous les deux. Je sais pas s'il se marre autant là où il est. Je sais pas.

Vers quatre heures, Mme Pulkkinen les fit entrer et leur donna un bol de lait chaud et des tartines. M. Holm vint chercher Aleks comme convenu, en fin d'après-midi. Il le laissa en haut de la ruelle, là où il était plus facile pour lui de manœuvrer son traîneau et faire demi-tour.

Aleks marcha lentement, le cœur un peu moins lourd. Parler avec Baldur lui avait fait du bien. Mais il aurait voulu ôter de son esprit la prédiction du petit estropié. À quoi bon se faire des idées, si c'était pour être déçu ? Il avait toujours entendu dire que Baldur ne se trompait jamais, bien sûr, mais s'il fallait attendre deux ans pour le vérifier…

Il poussa la porte et vit d'abord le manteau jeté par terre, en vrac. Il voulut appeler mais les mots se nouèrent dans sa gorge. L'instant d'après, un homme maigre et hagard se tenait devant lui. Il mit quelques secondes avant de reconnaître son père. La barbe couvrait les joues creuses, les yeux étaient rougis. Il devait être arrivé depuis peu.

– Aleks ! dit Bjorn et l'émotion fit vaciller sa voix.

– Papa, bredouilla Aleks.

Bjorn se baissa, souleva son fils et le serra contre lui.

– Je suis revenu, mon garçon, dit-il enfin, et ses larmes coulèrent. Je suis revenu sans Brisco... parce que... parce que c'était impossible de le ramener... je m'en doutais... je te l'avais dit, tu te rappelles ?... mais j'ai une bonne nouvelle... une formidable nouvelle... tu veux que je te la dise ?

Aleks hocha la tête.

– Brisco est vivant... tu m'entends... il est vivant...

– Tu l'as vu ?

– Halfred l'a vu. Il te racontera. Moi j'ai vu la bougie qui brûlait dans sa chambre.

– Et Brit ? Elle l'a vu aussi ?

– Je ne sais pas. Brit est morte. Son corps est resté sur Grande Terre.

– Brit est morte ? répéta-t-il, incrédule.

Et il pensait : « Que deviendrons-nous si ceux qui sont immortels nous laissent ? Que deviendrons-nous si nous devons nous battre contre des ennemis capables de tuer la sorcière Brit ? Comment sera le monde maintenant qu'elle est morte ? »

Ils étaient tous les deux sur le pas de la porte, le père et le fils, enlacés. Selma, un peu en retrait, les appela doucement :

– Ne restez pas là. Vous faites entrer le froid. Venez. Nous allons manger.

SECONDE PARTIE

LA GUERRE

1 *Des pieds et des pouces*

Les deux jeunes hommes se tenaient du côté ensoleillé de la rue, tête nue, la veste sous le bras, les manches de chemise retroussées. Un seul petit nuage blanc flottait haut dans le ciel, comme égaré. Les beaux jours ne duraient guère plus d'un mois ou deux sur Petite Terre et il s'agissait d'en profiter : marcher à pied sec, sentir la tiédeur de l'air sur sa peau, engranger de la lumière. Pendant cette courte période, le soleil ne disparaissait jamais complètement. Le soir, il descendait sur l'horizon, puis il y rebondissait telle une balle prodigieuse, et il remontait.

Ils passèrent devant une des affiches placardées sur tous les murs depuis quelques semaines. Une phrase barrait tout le haut :

VOUS AVEZ DIX-HUIT ANS.
NOUS AVONS BESOIN DE VOUS.

En dessous figurait, en petits caractères, une longue liste de noms, puis l'ordre, pour chacun des nommés, de se présenter à la caserne.

– Tu penses, qu'ils ont besoin de nous ! dit en rigolant celui qui marchait devant. Si tu enlèves les malades, les épuisés, les gelés, les blessés et les morts, il ne doit plus rester grand monde de valide là-bas sur le Continent ! Ah, il ne la voyait pas comme ça, Guerolf, sa conquête ! Ça devait être plié en trois semaines, il l'avait annoncé, et ça fait un an que ça dure !

C'était un estropié. Sa jambe droite, raide et arquée, ne passait devant, à chaque pas, qu'au prix d'un laborieux déhanchement. Il s'appuyait sur l'embout en T d'une canne. L'autre, qui suivait de près, ne répondit pas. Quand son camarade ralentissait, il ralentissait. Quand il s'arrêtait pour souffler, il faisait de même. Ils laissèrent le palais royal sur leur droite et commencèrent à monter la rue pavée qui conduisait à la caserne.

– Tu sais pourquoi je t'aime bien ? reprit le boiteux après un temps de silence.

– Non, fit l'autre, dis-moi ça. Je suis curieux de l'entendre.

– Je t'aime bien, entre autres choses, parce que tu te tiens toujours trente centimètres derrière moi quand on marche ensemble. Ce n'est pas grand-chose, tu diras, mais avec les autres c'est toujours moi qui suis trente centimètres derrière. J'ai l'impression que je retarde et ça m'énerve.

– Ah, bon ! Je fais ça sans y penser. C'est naturel.

– Ça ne l'est pas pour tout le monde.

– Et toi, tu veux savoir pourquoi je t'aime bien, « entre autres choses » ?

– Vas-y.

– Je t'aime bien à cause de ce qui s'est passé un après-midi, il y a huit ans.

– Qu'est-ce qui s'est passé ?

– Mon père était parti depuis un mois. On était fous d'inquiétude, avec ma mère. Tu as prédit son retour, et une heure plus tard il était à la maison, tu te rappelles ?

– Je me rappelle. Je l'avais vu pousser la porte de chez vous et jeter son manteau par terre. Je te l'ai dit et c'est tout. Je n'y suis pour rien dans ces trucs-là, tu le sais. Ça me dépasse. Alors c'est inutile de me remercier.

– Peut-être, mais dans ma tête de petit garçon, c'est toi qui l'avais ramené, et par la suite, j'ai toujours continué à le penser.

Le jeune homme qui marchait derrière était mince et délié. Il dépassait d'une bonne tête son ami que l'infirmité avait tassé. La barbe assombrissait déjà ses joues. Ils s'arrêtèrent devant une nouvelle affiche. Leurs deux noms y figuraient, dans l'ordre alphabétique : Aleksander Johansson, et quelques lignes plus bas, Baldur Pulkkinen.

Baldur appuya son dos contre le mur d'une maison, lâcha sa canne et sortit son tabac à priser de la poche de son pantalon. Aleks le regarda placer sa prise dans le creux du pouce et l'inspirer d'un coup dans ses narines. D'autres conscrits passaient devant eux, par groupes de trois ou quatre. Quelques-uns les saluèrent.

– Est-ce que tu sais, demanda Aleks, que les certificats d'exemption se vendent ? Il y a des fils de riches qui les achètent pour ne pas partir. Ça me dégoûte. Je trouve ça révoltant.

– J'en ai entendu parler, répondit Baldur, d'un air distrait. Et j'ai entendu d'autres choses aussi. Un gars de mon quartier s'est tranché l'index droit. Comme il ne peut plus presser la gâchette, il sera réformé. Mais ça ne l'empêchera pas de travailler sur son bateau de pêche par la suite. Malin, non ? Moi, en tout cas, je n'aurai pas besoin de tricher. Je me présente, ils me voient arriver et ils me renvoient illico à la maison. Pour une fois que ça me servira à quelque chose, cette affaire !

Il y avait pire que l'index tranché. Pour échapper à l'horreur de la campagne, certains conscrits s'infligeaient d'épouvantables traitements. Ils se liaient les jambes bien serré, pendant des jours et des nuits, jusqu'à se donner d'affreuses varices. D'autres se cariaient les dents à l'acide. D'autres se brûlaient les yeux en fixant le soleil, quitte à passer le reste de leur existence à demi aveugles. Aleks répugnait à l'idée de se mutiler de quelque façon que ce fût. Il avait accepté depuis longtemps l'inéluctable : il partirait.

Il y avait même, au fond de lui, une sorte de hâte à le faire. Il ne l'aurait avoué à personne, et surtout pas à Bjorn et Selma, ses parents. Mais seul, dans le silence de la nuit, il connaissait les raisons de son impatience.

Sa chambre n'avait guère changé en huit ans, sauf son lit qui avait grandi en même temps que lui. Mais au coin, sous la fenêtre, était un autre lit, resté petit, et que personne n'avait osé déplacer. Il était là comme une présence muette, un rappel. Si celui qui avait dormi dedans autrefois était encore en vie, alors il se trouvait quelque part là-bas, dans l'Est lointain, au-delà même de Grande

Terre, sur le Continent, là où la conquête prenait les vies par milliers, tel un ogre dévoreur. Il ne se passait pas un jour sans qu'Aleks ne pensât à son frère. « Brisco... », murmurait-il parfois en secret. Il prononçait ces deux syllabes afin qu'elles restent vivantes dans sa bouche : Bris-co... Comme si dire le nom pouvait préserver de l'oubli celui qui le portait. Bris-co...

– On y va ? fit Baldur et ils se remirent en route.

Les abords de la caserne et sa cour grouillaient de monde. Était-ce le beau temps ou bien le plaisir de se rassembler ? En tout cas, il régnait une ambiance de fête et la plupart des conscrits affichaient une bonne humeur démonstrative. L'un d'eux, perché sur un muret, imitait des cris d'animaux : cochon, cheval, poule, et il s'attirait rires et applaudissements. D'autres jouaient aux cartes, assis en tailleur par terre, en attendant leur tour, et ils abattaient leurs atouts avec rage, comme si leur vie en avait dépendu. D'autres encore se chamaillaient et s'affrontaient dans des simulacres de bagarre.

– C'est incroyable, dit Aleks, des vrais gamins ! On dirait qu'ils ont oublié pour quoi ils sont ici, et où on va les envoyer.

– Oui, approuva Baldur, hier encore ils faisaient dans leur culotte à l'idée d'être enrôlés, mais aujourd'hui, devant tout le monde, ils en seront fiers, ces imbéciles.

Un conscrit minuscule, presque un nain, l'air un peu perdu, passa près d'eux.

– C'est combien le minimum sous la toise ? demanda-t-il avec inquiétude. Vous le savez, vous ?

– Je crois que c'est quatre pieds six pouces*, dit Aleks. À mon avis, tu ne les fais pas.

– Non, je ne les fais pas, même en me dressant sur les orteils. Vous pensez que je serai exempté, alors ?

– Oui, tu auras certainement cette chance. Hein, Baldur, qu'il sera certainement…

Il suspendit sa phrase. Un jeune homme s'était approché de leur petit groupe. Il s'adressa directement à Baldur :

– Je peux te parler ?

Il portait, malgré la chaleur, un long manteau ouvert sur un élégant veston. Ses cheveux blonds et coiffés, le ton affecté de sa voix et ses fines bottes de cuir souple révélaient sa condition.

– Qu'est-ce que tu me veux ? répondit Baldur.

– Te parler, je t'ai dit. Tu viens ?

Sans attendre la réponse, le blondinet s'éloigna vers un coin plus tranquille de la cour. Baldur haussa les sourcils en signe d'étonnement, puis il fit un clin d'œil à Aleks et s'éloigna en s'appuyant sur sa canne. « On va s'amuser un peu », semblait-il dire. Aleks le vit rejoindre le jeune homme au manteau, et entamer la conversation avec lui. Il n'aima pas ça.

Moins d'une minute plus tard, il fut appelé. L'examen médical se déroulait dans un grand baraquement aménagé pour la circonstance. Une vingtaine de jeunes gens se déshabillaient ou se rhabillaient dans un désordre de paravents, de chaises, de toises et de bascules dispersés sur un plancher poussiéreux. Deux officiers de

* 1,46 m.

santé examinaient les conscrits. Un troisième était assis à une table et notait les résultats. Leur souci commun semblait être de faire le plus vite possible. Un soldat réglait l'ordre des passages. C'est lui qui apostropha Aleks :

– Ton nom ?

– Aleksander Johansson.

L'autre consulta sa liste, cocha le nom et transmit l'information à l'officier assis à la table.

– Déshabille-toi ! ordonna celui-ci.

Aleks ôta tous ses vêtements, sans gêne particulière, et il attendit qu'on l'appelle sous la toise.

– Cinq pieds six pouces* ! annonça l'officier de santé à haute voix afin que son collègue puisse le noter. Tourne-toi !

Aleks fit un tour sur lui-même pour se laisser examiner.

– C'est bon. Fais voir tes dents !

Aleks ouvrit la bouche. L'homme y introduisit un abaisse-langue et fit une inspection sommaire.

– Ça va. Ta vue est bonne ?

– Assez pour voir ce qui m'attend.

– Fais pas le malin. Rhabille-toi.

L'examen était fini. Il n'avait pas duré plus d'une quarantaine de secondes. Aleks se dit que c'était bien expéditif pour envoyer un être humain se faire tuer, mais il garda cette opinion pour lui.

– Tiens ta fiche ! lui dit l'officier assis à la table, et va te présenter là-bas !

Aleks suivit la direction qu'indiquait le bras et

* 1,78 m.

traversa la salle. Une porte entrouverte portait l'inscription : « Capitaine de recrutement ». Un conscrit rondouillard en sortait. Son teint rougeaud et ses yeux bouffis trahissaient une santé précaire.

– J'suis pris, dit-il sans chercher à cacher sa satisfaction.

– Bravo..., marmonna Aleks. Je te félicite...

– Merci. C'est à toi. Vas-y.

Aleks entra. Le capitaine de recrutement, un grand type anguleux, était assis derrière son bureau. Il mastiquait quelque chose sans qu'on puisse savoir quoi, il n'y avait que des paperasses devant lui. Sans doute cachait-il des friandises dans ses tiroirs. Il tendit la main sans lever les yeux.

– Ta fiche !

Aleks la lui donna. L'homme la parcourut rapidement, puis la recopia à l'identique sur une autre, tout cela sans regarder une seule fois celui qui était en face de lui.

– C'est bon, dit-il enfin, après avoir tamponné les deux fiches, et il en rendit une à Aleks. Considère que tu n'es plus un conscrit. Tu es un soldat à partir de maintenant. Tu viendras retirer ton paquetage dans quelques jours et tu partiras dans la quinzaine pour aller faire ton instruction sur Grande Terre. Après ça, tu pourras embarquer pour le Continent.

À cet instant-là seulement, il leva la tête et fixa Aleks de son œil unique. L'autre manquait. Cela faisait une affreuse et sombre cavité autour de laquelle se fripaient les paupières veinées de rouge. On aurait dit que l'homme prenait un malin plaisir à exhiber brusquement son infirmité. Il devait faire le coup à tous ses visiteurs, et s'en délecter. Ou bien peut-être voulait-il leur donner un aperçu de ce qui les attendait maintenant qu'ils étaient « soldats ».

Aleks ne put s'empêcher de tressaillir. Il prit sa fiche, remercia et sortit de la pièce.

– Fais entrer le suivant ! dit le capitaine dans son dos.

Aleks entendit s'ouvrir et se refermer prestement le tiroir aux provisions. Qu'est-ce qu'il pouvait bien manger ?

Le suivant était le petit conscrit, qui attendait derrière la porte.

– Tu es pris ? demanda-t-il.

– Oui. Comme tu dis : je suis pris, répondit Aleks. Je te souhaite de ne pas l'être.

– Aucune chance, ils m'ont mesuré à quatre pieds quatre pouces*. L'officier de santé m'a même dit qu'on avait besoin de soldats et pas de nabots.

– Ce sont des gens pleins de délicatesse, commenta Aleks. Bonne chance à toi !

Une fois dehors, il fouilla la cour du regard sans trouver Baldur.

– Tu cherches ton copain qui boite ? lui demanda un conscrit.

– Oui.

– Il a été appelé là-bas, dans l'autre salle.

Aleks s'assit à l'ombre d'un mur pour attendre, mais il n'eut pas à patienter longtemps. Baldur

* 1,41 m.

apparut au bout de quelques minutes. Malgré la distance, Aleks le vit faire disparaître dans sa poche le carton rouge pâle que tout le monde rêvait de posséder : l'exemption.

– Baldur ! l'appela-t-il en se levant.

Mais l'estropié agita sa main libre et longea le bâtiment.

– Ne m'attends pas. Va-t'en ! lança-t-il avant de tourner à l'angle.

Aleks se demanda ce que son ami pouvait bien aller faire là-bas, entre la caserne et le mur d'enceinte, et surtout pourquoi il ne devait pas l'attendre. Une intuition détestable s'insinua dans son esprit. « Baldur, tu ne vas quand même pas... »

Il patienta quelques minutes, travaillé par un sentiment de malaise, et quand le jeune blondinet au manteau apparut dans la cour, venant lui aussi de l'arrière, il sut qu'il ne s'était pas trompé. Le type traversa la cour à grands pas, indifférent à la cohue, et pressé de quitter ce lieu où il n'avait plus rien à faire, où il n'aurait jamais plus rien à faire puisqu'il possédait désormais le droit de rentrer chez lui et d'y rester.

Lorsque Baldur se montra à son tour à l'angle du bâtiment, Aleks lui sauta littéralement dessus. Il bouillonnait de colère.

– Baldur, qu'est-ce que tu as fait ? Ne me dis pas que tu as vendu...

– Laisse-moi ! répliqua l'infirme, et il se dirigea vers la grille. Je t'avais dit de ne pas m'attendre.

– Si tu as vraiment fait ça, je te jure...

– Tais-toi ! l'interrompit Baldur.

– Pourquoi je me tairais ? Tu as honte, c'est ça ? Tu as peur que les gens le sachent ?

– La ferme ! cracha Baldur.

Et Aleks ne se souvint pas qu'il lui ait jamais parlé aussi durement.

Il contint sa colère le temps qu'ils sortent de la caserne, mais dès qu'ils furent de l'autre côté de la grille, il éclata de nouveau.

– Montre-moi ton certificat d'exemption !

– De quel droit est-ce que... ?

– Montre-le-moi ! Montre-le-moi, si tu l'as encore !

Baldur secoua la tête et se remit en marche, rageusement. Il semblait que l'émotion le faisait boiter davantage encore. Cette fois, Aleks ne se tenait pas trente centimètres en retrait, au contraire il serrait Baldur de près et le harcelait :

– Tu sais ce que tu viens de vendre ? Tu viens de vendre le droit de vivre dignement, comme une personne humaine, pour les cinq ans qui viennent. Parce qu'elle va durer, la campagne, tu l'as dit toi-même ! Et tu as gagné quoi en échange ? Tu as gagné le droit de te traîner quelques milliers d'heures dans la neige et le froid avec ta patte folle ! Parce que tu ne seras pas dans la cavalerie, mon gars, tu ne peux pas monter à cheval, tu seras dans l'infanterie, et tu ne pourras pas suivre ! Au pire on t'abandonnera dans un fossé, et tu y gèleras. Au mieux on te ramassera et on amputera la jambe qui te reste ! Tu as gagné le droit de crever de trouille sous la mitraille ! Le droit de croupir sur la paille moisie d'un hôpital de campagne ! Tout ça pendant que l'autre monsieur se fera dorloter au pays en buvant à ta santé ! Tout ça pour du fric ! Combien est-ce qu'il t'a donné, ce salaud, hein ? Tiens, je ne veux même pas le savoir ! Ton argent, tu vas le dépenser comment, là-bas ? Tu vas le distribuer aux corbeaux ? Tu me déçois, Baldur ! Tu me déçois vraiment ! Je n'aurais jamais pensé ça de toi !

– Arrête ! l'interrompit Baldur quand il en eut assez de ce déchaînement. Arrête maintenant !

Ils étaient arrivés sur la Grand-Place, là où huit ans plus tôt Aleks était venu voir le vieux roi mort, sur son lit de pierre. Il se rappela le froid, les briquettes dans ses poches, son frère Brisco, la neige qui tombait sur le visage du souverain et ses paroles. « Attention au feu, avait-il dit, attention au feu... » Aujourd'hui, il savait qu'il ne s'agissait pas seulement du feu des flammes qui avaient ravagé la bibliothèque. C'était le feu des armes, le feu de la folie des hommes, de leur passion destructrice. Il était au bord des larmes, de fureur et de chagrin. Mon Dieu, comme tout avait changé en mal en quelques années ! Est-ce que le monde se remettrait seulement à l'endroit, un jour ?

Baldur s'était adossé à un mur, comme à son habitude, et il tira son tabac à priser de sa poche.

– Écoute-moi, Aleksander Johansson, dit-il. Tu es un gentil garçon, et je comprends ta colère. Seulement, tu ne sais pas tout.

– Qu'est-ce que je ne sais pas ?

– Je vais te le dire, quand tu seras un peu calmé.

Aleks soupira.

– Je t'écoute.

– Tu as bien de la chance, toi, commença Baldur. Tu travailles à la menuiserie de ton père, non ?

– Oui, répondit Aleks, et il se demanda où son ami voulait en venir.

À l'invasion de Petite Terre par les troupes de

Guerolf, Bjorn Johansson avait bien entendu perdu son poste à la menuiserie royale, mais il avait ouvert un atelier à son compte, tout près de chez eux, et dès qu'Aleks avait été en âge de faire son apprentissage, à quatorze ans, il l'avait pris avec lui.

– Et ton père est content de toi, non ? poursuivit Baldur.

– Oui, je pense. Mais toi aussi, tu travailles avec ton père, que je sache, à la pêcherie, et je suppose qu'il est content de toi.

– Non, il n'est pas content de moi.

– Qu'est-ce que tu veux dire ?

– Je veux dire qu'il m'a fait engager à la pêcherie parce que personne ne voulait d'un infirme ailleurs. Ils m'ont pris parce qu'ils aiment bien mon père, pour lui faire plaisir. Mais je ne sers à rien, là-bas. Je passe le temps comme je peux : je pousse une caisse vide dans un coin, j'enroule une corde, je range une veste qui traîne, je fais semblant de travailler, quoi, et les ouvriers font semblant de ne pas s'en rendre compte. Tout ce qu'on me demande, c'est de ne pas me mettre en travers, de ne pas trop gêner. Je suis passé maître dans l'art de m'activer à ne rien faire. Tu savais que je ne touche pas de salaire ? Non ? Tu ne le savais pas ? Eh bien maintenant tu le sais. Ils m'offrent juste le casse-croûte de midi. Pourquoi est-ce qu'ils paieraient un type qui ne leur sert à rien ? J'ai honte, Aleks. Tu sais ce que c'est d'avoir honte ? D'être malheureux, oui, tu le sais, mais d'avoir honte, hein ? Je suis comme un petit enfant à qui on fait croire qu'il est utile parce qu'il aide son père à bricoler : « Merci, mon garçon ! Sans toi je n'y serais pas arrivé ! Tu m'as bien rendu service ! » Seulement, je ne suis plus un petit garçon, et je ne supporte plus cette duperie. Je suis un fardeau pour mes parents depuis l'âge de cinq ans, depuis que cette foutue charrette m'est passée dessus. Alors voilà. Tu ne veux pas savoir combien il m'a donné, le type, mais je vais te le dire quand même. Il m'a donné exactement quarante mille couronnes. Il a d'abord dit vingt. Moi j'ai dit trente et il a dit d'accord. Alors j'ai dit quarante ! Au culot. Et il a dit d'accord. Et il me les a données. Je les ai là dans ma poche, mon camarade. Tu veux les voir ?

Aleks ouvrit une bouche toute ronde.

– Quarante mille couronnes !

– Pas une de moins. Avec ça, mes parents seront payés de tout le mal que je leur ai donné depuis des années. Et moi, j'irai voir du pays, ça me changera, je ne suis jamais parti d'ici.

– Excuse-moi, bredouilla Aleks. Je n'ai pas voulu…

– C'est bon, le coupa Baldur dont les yeux brillaient maintenant. Je ne t'en veux pas. Et puis ne crains rien pour moi. Je reviendrai de là-bas.

– Comment le sais-tu ?

– Je le sais.

– Ah, tu l'as… vu ? C'est ça ?

– C'est ça. C'est une image très nette. Quelquefois, elles sont incertaines, alors je préfère ne pas en parler. Mais là, c'est net. Je me vois passer une porte, je suis sur mes deux jambes et je ris très fort. Et tout le monde rit autour de moi. Et sur la porte, il y a un P en fer forgé, un P comme Pulkkinen. C'est chez nous.

La colère d'Aleks était tombée maintenant. Il

aurait voulu argumenter encore, mais la détermination de Baldur semblait inattaquable.

– Tes parents ne te laisseront jamais partir, dit-il cependant, dans l'espoir de la faire vaciller.

– Je les mettrai devant le fait accompli. Un matin, ils se réveilleront, et il n'y aura plus le boiteux à la maison. Et il y aura quarante mille couronnes à la place.

– Tu es assez bête pour penser qu'ils s'en réjouiront ?

Baldur accusa le coup, il baissa la tête et soupira.

– Je leur laisserai une lettre. J'expliquerai tout.

– Tu ne réponds pas à ma question. Est-ce que tu penses qu'ils seront heureux et soulagés de ton départ ?

Baldur grimaça.

– Ne te fatigue pas, Aleks. Je ne bougerai plus de là. N'en parlons plus. Je te demanderai juste de ne rien leur dire. Je peux compter sur toi ?

– Baldur..., gémit Aleks en secouant douloureusement la tête, Baldur... tu fais une énorme bêtise...

– Merci, dit l'infirme sans attendre la réponse. Et maintenant, on va aller boire une bière ensemble. Et c'est moi qui t'invite, si tu permets.

2 *Mes chers parents…*

Le matin de son départ, Aleks avait fière allure dans son habit militaire tout neuf. Le havresac sur l'épaule et le mousquet à la main, il faisait un beau soldat.

– Prends soin de toi, lui dit Selma.

C'était devant leur porte. Il se pencha sur elle pour l'embrasser. Elle avait vieilli en peu de temps, mais cela lui allait bien. Les rides délicates qui s'étaient formées aux coins de ses yeux et de sa bouche renforçaient sa douceur naturelle, lui donnaient une profondeur.

– Oui, prends soin de toi, répéta Bjorn.

Sans le dire, les deux parents pensèrent à toutes ces années où c'est eux qui avaient pris soin de lui, parce qu'il était petit, et parce qu'il était leur enfant. Ce temps-là était derrière eux, désormais. Depuis longtemps déjà, leur garçon les dépassait en taille. Quand il reviendrait, s'il revenait, il serait un homme.

– Écris-nous, dit le père. Les lettres arrivent. Avec du retard, mais elles arrivent.

Lui avait des cheveux gris, maintenant. Il les avait attrapés en quelques semaines, après son retour de Grande Terre, sans Brisco. Ne pas avoir réussi à ramener son fils l'avait profondément changé. Une lumière en lui s'était éteinte, et autre chose l'avait remplacée : une mélancolie dont il restait inconsolable. Pendant ces huit années, il avait continué à travailler, à rire, à vivre quoi, mais tout cela lui coûtait.

– Va, mon garçon, dit Selma en poussant son fils. Ne fais pas attendre M. Holm.

Aucun des trois ne se laissa aller à pleurer. On verrait ça plus tard quand chacun se retrouverait seul.

Le vieux cocher patientait discrètement à l'angle de la rue. Aleks le rejoignit, jeta son havresac sur le siège et prit place.

– Je vais au port, monsieur Holm…

– C'est parti, Aleks, répondit le vieil homme et il fit claquer son fouet. Le cheval Tempête se mit en route.

Au bout de quelques mètres, la maison fut hors de vue, cachée par une autre. Aleks eut tout juste le temps, en se retournant, de voir le geste simple que ses parents lui faisaient de la main. Une boule se forma dans sa gorge. Il leur répondit, et il sut au même instant qu'il venait de laisser derrière lui et derrière ces murs le petit enfant qu'il avait été. Et son enfance tout entière.

Aleks et Baldur avaient retiré leur paquetage quelques jours après leur recrutement. Il se composait ainsi :

– une paire d'excellentes bottes de cuir

– deux paires de chaussettes de laine
– un pantalon de toile épaisse
– deux chemises résistantes
– une paire de gants chauds
– un bonnet de fourrure
– une veste rouge à boutons
– une capote militaire bleu nuit

Il s'y ajoutait un havresac dans lequel se trouvaient deux trousses. La première contenait un savon, un rasoir mécanique, des ciseaux et une brosse à cheveux. La seconde : une petite boîte métallique remplie de graisse pour l'entretien des armes, un chiffon et une brosse à chaussures. Il y avait aussi une gamelle, une timbale en fer-blanc, un couteau et une cuillère.

Ils s'embarquèrent avec un millier d'autres recrues, à destination de Grande Terre. Là-bas, ils furent répartis dans leurs armes respectives.

Aleks avait vu juste : on ne prit pas Baldur dans la cavalerie. Pourtant, une fois en selle, il était capable de se débrouiller aussi bien qu'un autre. La difficulté pour lui était d'arriver à s'y mettre. Monter sans aide sur l'animal l'obligeait à des contorsions aussi comiques que laborieuses. Il devait d'abord s'allonger à plat ventre en travers de la selle, puis se tortiller jusqu'à la position assise, enfin prendre son pied droit avec sa main pour l'enfiler dans l'étrier. Les officiers estimèrent que ce spectacle était certes divertissant, mais qu'il amuserait sans doute beaucoup moins dans l'urgence du combat, et c'est ainsi que Baldur, malgré sa patte folle, se retrouva fantassin, comme Aleks.

L'instruction fut de courte durée. On leur

enseigna à vitesse accélérée la marche au pas et les saluts, et on leur remit leur arme, un mousquet à baïonnette, dès le troisième jour. Baldur vécut des moments très difficiles. Tout ce qui nécessitait l'usage des deux mains, en particulier le maniement de son arme, lui posait un problème compliqué. Il essaya de tricher en s'appuyant sur sa canne avec le coude pour libérer son avant-bras droit, mais c'était instable et peu pratique. Un après-midi, lors de l'exercice, on frôla le drame.

Cela se passait dans la cour de la caserne. Une trentaine de soldats évoluaient sous les ordres d'un officier agressif que l'infirmité de Baldur n'émouvait guère. À plusieurs reprises, il lui avait jeté un regard agacé qui semblait dire : « Qu'est-ce que tu fais ici, toi ? » Mais Baldur s'en était bien tiré. Grâce à sa canne, il était parvenu à faire presque aussi bien que ses camarades. C'est la fatigue qui eut raison de sa volonté.

– Garde à vous ! cria l'officier.

On entendit le bruissement des uniformes, le claquement des bottes. Aleks jeta un coup d'œil à Baldur, à côté de lui. Il vit que son ami était à bout de forces, grimaçant. La sueur dégoulinait sur son visage. Il l'entendit pester à voix basse contre lui-même et contre sa jambe : « Tu vas obéir, charogne ! »

– C'est bientôt fini, l'encouragea Aleks. Tiens bon !

– Arme à l'épaule… droite ! ordonna l'officier.

Les trente soldats collèrent avec vigueur leur mousquet contre leur poitrine, et dans le silence qui suivit, on entendit le choc lourd et isolé d'un corps qui tombe. Baldur gisait au sol, empêtré dans sa canne, son arme et sa jambe rebelle. Il se releva assez vite mais, dès qu'il fut debout, appuyé sur sa canne, il se rendit compte que son mousquet se trouvait par terre, à deux mètres de lui, alors que tous ses camarades, droits comme des I, présentaient le leur. L'officier, qui l'avait regardé se démener dans la poussière, l'interpella de loin :

– Tu appelles ça une arme ? demanda-t-il en désignant la canne d'un mouvement du menton.

Baldur se tut.

– Tu as vendu ton certificat d'exemption ?

– Non ! mentit l'infirme.

– Tu es donc apte à servir ?

– Oui.

– Alors ramasse ton arme et mets-la à l'épaule, et très vite !

Baldur haletait. Aleks pensa qu'il allait s'effondrer, se mettre à crier ou pire : à pleurer. Dans les deux cas, on le renverrait à Petite Terre, et Dieu sait ce qu'il serait capable de commettre pour échapper à cette humiliation. Mais il se trompait. Baldur serra les mâchoires et fit cette chose étonnante : il se tint en équilibre sur sa seule jambe valide, la gauche, souleva son genou droit, le plia et brisa net dessus la canne que son père lui avait fabriquée et sur laquelle il s'appuyait depuis des années. Il en jeta les deux morceaux par terre et se déhancha vers son mousquet. Il se pencha, le ramassa sans tomber et vint reprendre sa place dans le rang. Puis il le mit à l'épaule, se redressa autant qu'il le put et défia l'officier du regard. Celui-ci prit son temps, l'obligeant à tenir la position, puis il donna enfin l'ordre attendu de tous :

– Repos.

Ils quittèrent Grande Terre après dix jours d'instruction seulement.

– Vous savez marcher au pas, ouvrir le feu, obéir aux ordres et vous taire, c'est largement suffisant pour aller faire la guerre ! dirent les officiers. On ne va pas y passer l'hiver !

Dans les semaines suivantes, Aleks écrivit à ses parents plusieurs lettres qui n'arrivèrent jamais. La première qu'ils reçurent disait ceci :

Mes chers parents,

je ne sais pas si vous recevez mes lettres... J'en doute fort quand je vois comme tout est mal organisé ici. Parfois je me dis qu'au lieu de les donner au courrier je ferais aussi bien, après les avoir écrites, de les déchirer, ou de les enfouir sous la neige, ou de les brûler. En m'en séparant, j'ai peur de les perdre. Mais je les donne tout de même, qui sait ? Pardonnez l'écriture, mais j'écris sur mes genoux et je tâche de ménager la mine de mon crayon. Le papier aussi risque de me manquer bientôt, et on ne trouve rien ici. Nous avons quitté Grande Terre depuis un mois maintenant. Nous avons embarqué sur dix bateaux tout neufs. Les gars, enfin ceux qui n'étaient pas malades, ont chanté comme s'ils partaient en excursion. Je n'étais pas malade, mais je n'ai pas chanté. La traversée a duré trois jours et deux nuits, et nous voilà sur le Continent. Nous y avons trouvé la neige, déjà. Qu'est-ce que ce sera en hiver ! C'est une fine couche qui ne fond pas. Elle est presque bleue le matin sous le soleil, et elle craque fort sous nos bottes. Mais le plus étonnant, c'est le ciel. Je ne savais pas qu'un ciel pouvait être aussi grand. Je trouvais déjà celui de Petite Terre immense quand j'étais enfant et qu'on allait se promener en traîneau dans la plaine, tous les quatre ensemble, Brisco, vous et moi. C'est bien loin, et en y repensant aujourd'hui, je suis triste. Le ciel de Grande Terre, lui, m'a paru vide et blanc. Je ne l'ai pas aimé du tout. Celui d'ici est encore différent. Il a quelque chose d'infini. De silencieux. Comme s'il n'avait pas de fond. Il m'effraie et me fascine en même temps. Et puis tout est si plat. Nous marchons dans la plaine depuis des jours, toujours vers l'est, et nous avons l'impression qu'elle n'a pas de fin. Nous avançons sans rencontrer aucun être vivant. Les animaux se terrent, l'ennemi recule sans se battre. On nous dit qu'il s'est retranché dans leur capitale, là-bas, au bout du pays, et qu'il nous y attend. On nous dit aussi qu'il peut surgir n'importe quand, nous harceler pour nous affaiblir et disparaître. Mais je n'ai pas encore vécu ça. Nous rencontrons parfois des villages abandonnés par leurs habitants. Chaque fois, nous nous ruons dans les maisons pour y trouver à manger ou autre chose, mais il n'y a rien.

Baldur me sidère. Je vous ai raconté comment il a brisé volontairement sa canne pendant l'instruction. Eh bien depuis, il s'en passe. On dirait que sa jambe se renforce. En tout cas, il a bien suivi jusque-là, même si ça l'épuise. Le soir, il tombe par terre comme s'il était mort. Je dois le secouer pour qu'il se réveille et mange sa ration. On nous donne du pain et une soupe pas si mauvaise que ça. Les cantinières sont des grosses dames brutales emmitouflées dans des manteaux gris. Des prisonnières qui ne parlent pas notre langue. Elles sont coiffées de bonnets de laine et elles ont de lourdes mains rouges et gercées. Je ne suis pas sûr de trouver parmi elles une fiancée à vous ramener ! Je m'arrête là parce que je vois l'homme du courrier qui s'approche. Il me connaît bien. Je suis un des rares qui sachent écrire, avec mes camarades de Petite Terre. La plupart des autres ne savent pas. Quelle surprise !

Au revoir, mes chers parents. Je vous serre contre moi avec affection. Votre fils, Aleksander Johansson.

La deuxième lettre, qu'ils reçurent trois mois plus tard, disait ceci :

Mes chers parents,

L'hiver est là et nous crevons de froid malgré les couvertures. Aux bivouacs, nous dormons les pieds tournés vers le feu, c'est la seule façon. Au début je me mettais dans l'autre sens mais le froid monte par les jambes et vous réveille. Les dernières semaines nous arrivions encore à nous loger pour la nuit dans les villages abandonnés, mais à mesure que nous approchons de la capitale, ce n'est plus possible : toutes les maisons sont brûlées ! Pas par nous, mais par leurs habitants qui les sacrifient avant de partir, afin que nous ne trouvions d'abri nulle part. Lorsque nous restons plusieurs jours au même endroit, nous montons des tentes. Mais si c'est pour une seule nuit, nous couchons dehors. Le pire, ce sont les attaques nocturnes. Tu es arrivé à t'endormir, abruti de fatigue, et brusquement c'est l'alerte. En quelques minutes, tu es debout, dans le froid, avec ton mousquet qui te gèle les mains à travers les gants. Les officiers hurlent. Tu te demandes si tu es dans un cauchemar ou bien si c'est vrai. Tu te mets en position de défense avec ton unité et ça commence à mitrailler. J'ai vu tomber plusieurs camarades près de moi et je n'ai toujours pas vu de près la tête d'un seul ennemi. Tantôt je les imagine comme des barbares sanguinaires, hagards et barbus, tantôt comme des garçons qui me ressemblent, qui ont aussi peur que moi, et qui aimeraient bien rentrer chez eux aussi. Parce que nous avons peur, tous. Ceux qui le disent et ceux qui ne le disent pas.

Nous ne nous changeons jamais, et il y en a qui sont bourrés de poux. Pour l'instant, j'y échappe. J'essaie de me laver un peu quand c'est possible, mais mon savon n'est toujours pas usé après quatre mois de campagne... Nous sentons tous mauvais, mais comme c'est le lot commun, nous n'en avons pas honte.

Pardonnez-moi de vous effrayer avec tout cela. Je pourrais vous dire que tout va bien, mais vous ne me croiriez pas et vous imagineriez pire encore. Au moins, comme ça, vous savez la vérité. Pour finir plus gaiement, je vous dirai qu'il y a de bons moments aussi, par exemple quand nous faisons une halte au soleil, l'après-midi. Nous chantons, fumons du tabac et racontons des blagues. Elles ne sont pas toutes délicates, je peux vous le dire ! Quand mon tour vient, comme je n'en connais pas, je parle de la sorcière Brit qui mangeait des rats, tête comprise. Je ne suis pas sûr qu'on me croie mais ça fait bien rire. Je vous laisse car il fait sombre et je ne vois plus ce que j'écris.

Au revoir, mes chers parents. Je vous serre contre moi avec affection. Votre fils, Aleksander Johansson.

La troisième lettre qu'ils reçurent disait ceci :

Mes chers parents,

Nous n'avançons plus. Nous sommes à deux jours de marche de la capitale et nous attendons de relever ceux qui en font le siège depuis des mois. Ils vont bientôt être rappelés à l'arrière et même, pour les plus mal en point, ceux qui sont blessés ou malades, rentrer au pays. Et c'est nous qui les remplacerons. L'ennemi s'est retranché derrière les remparts et notre armée n'est pas arrivée à les franchir pour le moment. On se demande qui souffre le plus : ceux qui font le siège ou ceux qui le subissent ? Ça n'en finit pas. On nous dit qu'ils sont à bout, là-bas, derrière leurs murs, qu'ils mangent de la neige, qu'ils ont brûlé tous leurs meubles pour se chauffer, que leurs enfants meurent, qu'ils sont sur le point de se rendre, mais chaque fois que les nôtres lancent un assaut, ils se défendent comme des damnés et les repoussent. Certains jours, quand le temps est très clair, nous voyons les fumées de la bataille, au loin. On entend le canon qui tonne et pilonne. Dans quelques jours j'y serai.

En attendant, je suis avec mes camarades dans un immense campement où il ne se passe rien. La fatigue et l'ennui nous rendent maussades. Le seul avantage, c'est que nous avons du temps pour prendre mieux soin de nous. Les poux étaient devenus nos maîtres, alors nous nous sommes tous mutuellement rasé la tête. Vous me verriez ! Et il y a eu le grand lavage. Lessive des vêtements pour la première fois dans des baquets d'eau bouillante. La fumée monte à deux cents mètres ! Et toilette pour tout le monde. J'ai l'impression d'avoir perdu un kilo de crasse. Nous avons dressé des tentes de toile, à perte de vue. Nous sommes douze dans la mienne. Baldur reste un bon compagnon, pas trop bavard et d'humeur égale. Les autres, il y a de tout. Parfois j'en ai tellement assez de voir les mêmes têtes autour de moi, d'entendre les mêmes bêtises, que je m'échappe ni vu ni connu. C'est interdit, mais si je n'avais pas ces moments de solitude, je crois que je deviendrais fou. Je connais quelques sentinelles qui ferment les yeux contre un peu du tabac qu'on nous distribue et que je ne fume pas. Je m'en vais tout seul, dans l'après-midi, et je marche jusqu'à ce que je ne voie plus le camp. Juste la plaine immense, la neige immaculée et le ciel calme. J'imagine que je suis à Petite Terre, qu'un traîneau apparaît à l'horizon et s'approche. C'est le cheval Tempête qui le tire et c'est vous qui êtes dedans. J'y monte à vos côtés et on s'en va ensemble. Mais aucun traîneau ne vient, la plaine reste vide et je rentre au camp, le cœur lourd, en suivant la trace de mes pas dans la neige.

De temps en temps, il y a des mouvements : une compagnie s'en va, une autre la remplace. Chaque fois, je regarde les têtes des arrivants. Je cherche Brisco. Mais est-ce que je le reconnaîtrais seulement ? Et est-ce qu'il me reconnaîtrait, lui, après toutes ces années ?

Au revoir, mes chers parents. Je vous serre contre moi avec affection. Votre fils, Aleksander Johansson.

Post-scriptum : *j'ai maigri, mais moins que certains de mes camarades. Je rêve de tes beignets, maman.*

3 *Une petite vache*

Aleks pouvait avoir maigri ! L'ordinaire était un ragoût ou une soupe de plus en plus insipides à mesure que la campagne s'enlisait. Une trentaine de cantinières le confectionnaient chaque jour avec les moyens du bord : pommes de terre à demi gelées, navets à la peau épaisse, poisson séché à la chair grise, viande de porc ou de mouton qui arrivait dure d'on ne savait où. Elles l'apportaient à deux dans de grandes marmites qu'elles posaient sur un plateau de bois et devant lesquelles les soldats passaient en file indienne, leur gamelle à la main. Toutes étaient des prisonnières enrôlées de force. Elles avaient cinquante ans au moins. Elles parlaient une langue inconnue et, en distribuant la ration aux soldats, elles évitaient de lever la tête et de croiser leurs regards. Sans doute par honte de servir l'ennemi ou bien simplement par fatigue et indifférence.

Si un soldat demandait un peu plus que sa ration, elles plongeaient la louche dans la marmite mais la remontaient de travers si bien que le contenu tombait en route et qu'il n'y avait pas de « plus », juste un « semblant de plus ». Et si la marmite était presque vide et qu'on réclamait encore, elles se contentaient de taper au fond avec le dos de la louche et de servir de l'air. Plus d'un soldat était fasciné par ces femmes grises, sans visage, sans voix, comme murées en elles-mêmes, tellement identiques entre elles qu'on ne les distinguait pas les unes des autres.

Ils étaient dans le camp depuis presque trois semaines, et la rumeur courait qu'ils allaient bientôt le lever pour aller tenir le siège sous les murs de la capitale, lorsque survint cet événement qui changea pour toujours la vie d'Aleksander Johansson.

La distribution avait pris du retard ce soir-là, et la nuit tombait quand on appela « à la marmite ». Une première étoile scintillait dans le ciel, vers le nord. Aleks piaffait d'impatience, sa gamelle à la main, dans une des files interminables. Il revenait de la corvée de bois. Le froid sec et l'effort lui avaient creusé l'estomac plus encore que d'habitude.

– Ce soir, pour commencer, pommes de terre au four aux œufs de saumon..., annonça perfidement Baldur, qui le précédait.

– Tais-toi ! lui dit Aleks.

– Ensuite, carré de porc aux choux rouges et pommes caramélisées...

– Tais-toi, je te dis...

– Pour finir, gâteau moelleux aux fruits rouges et au chocolat, à volonté bien sûr...

Aleks lui donna une bourrade qui le fit chanceler vers l'avant.

– Je t'avais prévenu !
– Si on ne peut plus rêver, protesta Baldur en rigolant.
Autant dire qu'il avait déjoué les prévisions d'Aleks depuis le début de la campagne. Non seulement il avait réussi à suivre l'allure, et supporté aussi bien que les autres toutes les épreuves mais, au fil des semaines, il était devenu de plus en plus agile et résistant. En tout cas, personne ne l'avait jamais entendu se plaindre. À croire que son infirmité lui avait enseigné depuis longtemps une souffrance que les autres ne faisaient que découvrir.
À mesure qu'il se rapprochait de la marmite, Aleks nota de loin que quelque chose clochait avec la cantinière qui se tenait derrière. Elle ne ressemblait pas aux autres. Sa silhouette mince tranchait avec celle, beaucoup plus massive, de ses collègues. Il y prêta peu d'attention. Elle se conduisait comme n'importe quelle autre cantinière, c'est-à-dire qu'elle gardait les yeux baissés sur son travail. Elle se contentait de plonger mécaniquement la louche dans la marmite et de remplir les gamelles qui passaient devant elle, comme si ceux qui les tendaient avaient été des fantômes sans réalité. Quand Baldur présenta la sienne, Aleks constata avec satisfaction que la soupe du jour avait de la consistance. Parfois, elle comportait davantage de bouillon que de solide, et les nuits étaient longues, ensuite, avec la faim au ventre. À son tour, il tendit sa gamelle. La jeune femme, car c'était apparemment une toute jeune femme, portait des mitaines. Les dernières phalanges de ses doigts, rougies par le froid, en dépassaient. Si on ajoute le nez fin qui pointait sous la

capuche du manteau, c'est tout ce qu'il vit de sa peau ce soir-là.

Toute la journée du lendemain, le souvenir de ces phalanges et de ce bout de nez voleta dans la conscience d'Aleks.

Dès qu'on appela au repas, le soir venu, il ne se mit pas au hasard dans l'une des files, ainsi qu'il le faisait d'habitude, mais chercha celle au bout de laquelle se trouvait la jeune femme.

– Qu'est-ce que tu fabriques ? lui demanda Baldur après qu'ils eurent changé pour la seconde fois. On n'avancera pas plus vite ici !

– Je sais, mais je préfère...

Ils piétinèrent un quart d'heure dans un mélange de neige et de boue avant de parvenir à la marmite. Plus encore que la veille, la jeune femme parut attentive à ne rien montrer d'elle. Son manteau informe la couvrait entièrement. La capuche cachait tout son visage.

– Je peux en avoir un peu plus ? demanda Aleks dans l'espoir qu'elle lèverait le nez une seconde.

Mais elle n'en fit rien. Elle lui servit trois gouttes de bouillon supplémentaires et attendit qu'il s'en aille.

– Merci, dit-il.

C'était inhabituel, mais elle ne réagit pas. Elle resta immobile, sa louche à la main, l'air de dire : « Circule, mon garçon ! » Il en fut contrarié et, pour se venger, il imagina qu'elle était sans doute très moche. Mais cela ne l'empêcha pas d'y penser encore le lendemain.

La distribution du soir se serait sans doute déroulée exactement de la même façon, mais un incident arriva, qui changea tout. Dans la file voisine, qui avançait en parallèle, une violente querelle éclata entre deux soldats. La cause en resta obscure. Ils ne crièrent pas, ne se lancèrent pas d'insultes. Ils se ruèrent seulement l'un sur l'autre avec une terrible agressivité. Dieu sait ce qui avait déclenché cette haine. L'un des deux, le plus petit, sortit de sa poche un couteau dont on vit briller la lame. En réponse, l'autre sortit le sien. Ceux qui se trouvaient à proximité ne se risquèrent pas à tenter de les séparer.

– Arrêtez, bon Dieu ! Arrêtez ! hurlèrent quelques-uns.

D'autres au contraire les excitaient :

– Allez-y, les gars, saignez-vous !

Le plus grand perdit l'équilibre en reculant pour esquiver l'attaque de son adversaire, et il renversa la marmite de soupe avec sa hanche.

– La soupe ! Oh, non ! crièrent les soldats.

La grosse cantinière abandonna son poste et s'enfuit. Cela provoqua davantage de protestations que la bagarre elle-même. Tout le monde se mit à brailler, à rire, à beugler, dans une sorte de déchaînement sauvage. Un lieutenant arriva pour mettre de l'ordre et il s'égosilla en vain :

– Dix jours d'arrêts ! Dix jours d'arrêts ! Lâchez ces couteaux !

Mais tout ceci n'avait pas d'importance, absolument aucune importance en comparaison de ce qui se déroulait dans le silence, à quelques mètres de là, près de l'autre marmite.

Baldur était déjà passé, et c'était le tour d'Aleks, maintenant. Depuis le tout début de l'altercation, il avait ignoré les combattants. « Elle va lever la tête, s'était-il dit. Elle aura cette curiosité. On ne peut pas faire autrement que regarder, ne serait-ce qu'une seconde, pour voir ce qui se passe. »

Il ne s'était pas trompé. Elle leva la tête, en effet, et cela fit basculer un peu sa capuche en arrière. Elle portait un bonnet de laine dessous, dont s'échappaient quelques mèches libres, sur le front. Et Aleks comprit pourquoi elle faisait tant d'efforts pour ne jamais se montrer : elle était plus jolie à elle seule que toutes les filles réunies qu'il avait rencontrées dans le reste de son existence.

Ce visage-là était précisément comme il avait toujours imaginé le plus joli visage possible, un visage rêvé, quoi… Et voilà qu'il existait, et qu'il venait de surgir devant lui à cet instant ! Il en resta sidéré. La peau était brune, les pommettes un peu hautes. La bouche et les yeux prenaient beaucoup de place. L'expression était enfantine et grave à la fois. Tout cela faisait un mélange idéal qui le toucha au cœur.

Elle observa la bagarre des deux soldats pendant quelques secondes, les sourcils froncés, comme quand on assiste à un spectacle effrayant et qu'on réprouve. Puis son regard glissa légèrement et croisa celui d'Aleks, sur lequel il s'arrêta. Elle ne l'avait sûrement pas voulu, mais il était difficile de faire autrement.

Et Aleks tomba dans ces yeux-là.

Il y tomba comme on s'envole, mi-chute et mi-voyage. Ils étaient grands, légèrement tirés sur les tempes, et sombres. Ils étaient emplis de tendresse. Et surtout, il y avait un monde dedans.

Cela dura peu de temps. Derrière lui déjà, on s'impatientait. Il sentit la poussée d'un camarade, dans son dos.

– Oh, t'avances ?

Elle s'aperçut que sa capuche était restée en arrière et elle la rabattit prestement. Puis elle baissa la tête. Privé de son regard, il se sentit abandonné. Il tendit sa gamelle, qu'elle remplit à ras bord, jusqu'à lui mouiller le pouce. Y mettre une goutte de plus était impossible.

– Je pourrais avoir un peu plus ?

La demande était absurde. Pour la seconde fois elle leva les yeux sur lui. Et pour la seconde fois, il se sentit chavirer.

Il ne pouvait se résoudre à l'idée de s'en aller comme ça. Mais que faire ? Sans doute ne parlait-elle pas la même langue que lui. Dans un instant, elle baisserait les yeux et ce serait fini. Alors il fit ce qui lui semblait le plus simple et le plus juste : il se désigna du doigt et dit son prénom :

– Aleks.

Elle hésita une seconde, étonnée, puis elle se désigna de la même façon et dit son prénom :

– Lia.

Ce fut le premier mot qu'il entendit de sa bouche.

Derrière on poussait.

– Tu avances, oui ou non ?

Il avança, et les pas qu'il fit n'étaient déjà plus des pas ordinaires.

Dès lors, pour Aleks, le camp se transfigura. La boue n'était plus la boue, le feu n'était plus le feu, le ciel le ciel, la neige la neige. Il lui sembla que la chimie des choses s'était modifiée, comme huit ans plus tôt, sur Petite Terre, quand Brisco avait disparu. Tout avait changé alors : les objets ne faisaient plus le même bruit qu'avant, les voix des gens ne sonnaient plus de la même façon, les aliments avaient pris un goût d'amertume, lui-même ne courait plus aussi vite, ne sautait plus aussi haut. Il se sentait plus lourd, plus lent. La vie poissait.

Cette fois, c'était tout le contraire : une légèreté particulière s'était posée sur le monde, une impatience. Lia... Il se répétait ce nom à l'infini, il se le chuchotait. Le soir, en avançant dans la file, il tremblait sur ses jambes, et quand il parvenait devant la jeune fille, il prononçait doucement : Lia... Elle levait la tête, et lui répondait : Aleks... Elle lui offrit son premier sourire le troisième jour. Ce fut discret et rapide. Personne d'autre que lui ne put le voir, mais il faillit en tomber à la renverse par terre, d'émotion. C'est comme si elle l'avait désigné une fois pour toutes : parmi cent mille soldats, c'est toi que je regarde et c'est à toi que je souris et que je parle, à toi seul... Chaque soir, il se disait : « Elle sera moins belle que je le crois, c'est mon imagination qui s'emballe », et chaque soir il était détrompé et il la trouvait plus jolie que la veille. Un jour, elle ne vint pas, et la peur qu'elle ait quitté le camp lui noua le ventre jusqu'au lendemain, où elle était de retour.

Il ne tint pas longtemps avant de se confier à Baldur. Ils étaient en train de manger leur gamelle de soupe, justement, assis côte à côte sur le timon d'un chariot.

– Est-ce que tu as remarqué la cantinière ? demanda Aleks.

– Quelle cantinière ?

– Celle qui est plus jeune que les autres...

Baldur souffla sur sa cuillerée et l'avala lentement.

– Moi je regarde la soupe, pas les cantinières. Qu'est-ce qu'elle a de particulier ?

– Eh bien… elle… enfin on ne les voit pas bien avec leur capuche, mais celle-ci a l'air… enfin… pas mal…

– C'est-à-dire ?

– Eh bien, je trouve qu'elle a… qu'elle a du charme, quoi…

Baldur éclata d'un grand rire clair.

– Ha ! ha ! ha ! Je te fais marcher ! Tu crois que je n'ai pas vu ton petit jeu avec cette fille ? C'est vrai qu'elle est jolie. Et elle a raison de se cacher. Si elle se montre, faite comme elle est, ça tourne à l'émeute en moins d'une heure dans le camp. Je me demande même ce qu'elle fait là, dans cette pouillerie, dans tout ce malheur. On dirait une apparition. Moi, je préfère ne pas la regarder. Ça me fait mal, tu comprends. C'est comme regarder un poulet rôti doré à point et sentir son odeur te chatouiller les narines, alors que tu crèves de faim et que tu ne pourras pas le manger. Je vois bien qu'elle lève les yeux sur toi, quand tu dis son nom. Comment elle s'appelle déjà ?

– Elle s'appelle Lia.

– C'est ça, Lia. C'est joli. Mais si tu veux un conseil, laisse tomber. On ne touche pas aux cantinières, c'est la règle, tu le sais. Tu risques gros. D'ailleurs, on lève bientôt le camp, alors… Laisse tomber, va…

Là-dessus, il jeta sa cuillère dans la neige et but ce qui restait de bouillon à même la gamelle, à petites gorgées.

– On lève le camp ?
– Oui. Après-demain.
Aleks le savait depuis longtemps. Il ne fut pas étonné, mais l'entendre dire par Baldur donna à l'événement une réalité qu'il avait refusé d'admettre jusque-là. Ils allaient quitter cet endroit et, comme chaque fois, ce serait le désordre, le grand brassage, le tumulte. Lia sortirait de sa vie avant même d'y entrer, en un instant. Elle en sortirait pour toujours, impossible à retrouver. Et jusqu'à sa mort il n'aurait plus que le souvenir d'elle.

Il se rendit compte que cette perspective ne l'effrayait pas. Il aurait dû la redouter, s'en arracher les cheveux de désespoir. Mais il était très calme au contraire, et ne craignait rien. Pour une raison toute simple : il savait que cela ne serait pas. Qu'il ne laisserait pas la vie aller toute seule à sa guise, qu'il ne se laisserait pas broyer par elle. Il ignorait comment il allait s'y prendre, mais cela ne serait pas.

Les cantinières logeaient dans un campement situé au nord du camp, à l'écart des tentes. On ne les voyait que lors de la distribution du repas. Le reste du temps, elles restaient cachées dans leurs roulottes, ou bien cuisinaient derrière, à l'extérieur. On voyait monter de là-bas la fumée de leurs feux ou la vapeur des cuissons. Quelquefois des rires en parvenaient, ou des éclats de voix dans leur langue inconnue. Il était interdit de s'aventurer sur leur territoire.

La nuit venue, Aleks se coucha comme à l'habitude sur son lit de camp et se ramassa sur lui-même pour dormir.
– Bonne nuit, dit-il à Baldur.

– Bonne nuit, dit celui-ci en bâillant, qui était son voisin.

Autour d'eux les autres soldats plaisantaient à voix haute, s'interpellaient d'un bout à l'autre de la tente, forçaient leurs rires. Aleks y était habitué depuis des mois que durait la campagne. Il arrivait à ne plus les entendre. Il trouvait refuge à l'intérieur de sa tête et les ignorait. Baldur avait développé la même capacité, si bien que tous les deux pouvaient bavarder à voix basse au milieu du vacarme, comme s'ils avaient été seuls.

La nuit était bien avancée quand Aleks jugea qu'il pouvait sortir sans alerter personne. On n'entendait plus que quelques ronflements réguliers et la toux faible mais continue d'un soldat malade dans une tente voisine. Il enfila sans bruit son lourd manteau, ses bottes, il mit ses gants, coiffa son bonnet de fourrure et jeta la couverture sur ses épaules. Le froid lui glaça les joues. Il leva les yeux vers le ciel constellé. Les étoiles y dessinaient leurs figures lumineuses et lointaines. Il contourna une vingtaine de tentes avant d'apercevoir les roulottes des cantinières, au nord.

« Comment faire, maintenant ? se demanda-t-il. Je ne vais pas appeler "Lia ! Lia !" comme ça dans le silence de la nuit jusqu'à ce qu'elle se montre ! » Il s'avança prudemment. Sous ses bottes, la neige fine et dure craquait à chaque pas. Aucun bruit ne parvenait des roulottes, aucune lumière. Il rit de lui-même. « Qu'est-ce que je fais ici ? Je n'ai aucune chance de la trouver. Elle dort dans une de ces roulottes, je ne sais même pas laquelle. Peut-être celle-ci, que je touche presque de la main ? Je suis fou. »

Très loin, un cheval hennit. C'était comme un appel douloureux. Les bêtes souffraient autant que les hommes ici. Il frissonna. « Si je reste encore, je vais geler sur place. » Il fit quelques pas, s'arrêta, repartit, et il allait renoncer quand il entendit un pas léger sur la neige.

– Aleks ? fit la voix.

Il se retourna et la vit.

Elle aussi avait mis une couverture sur ses épaules et elle en tenait les pans serrés contre sa poitrine. Elle ne portait pas la capuche avec laquelle il l'avait toujours vue, juste son bonnet.

– Aleks ?

– Lia..., répondit-il.

Elle s'avança vers lui, secoua doucement la tête et chuchota quelque chose qui ressemblait à :

– *Kyomi daak*...

– Je ne comprends pas...

Elle le désigna puis porta son index à sa tempe.

– *Kyomi daak*...

– Je suis fou ?

– *Ta*, approuva-t-elle.

– Alors *kyomi daak* toi aussi, dit-il en la montrant.

Elle sourit et regarda autour d'elle. Ils étaient à découvert. Elle le prit par le bras et l'entraîna vers une roulotte surmontée d'un tuyau de cheminée, sans doute faisait-elle office de cuisine. Ils en firent le tour. Une fois derrière, ils ne pouvaient plus être vus. Au-delà, c'était la limite du camp, le vide blanc de la plaine.

La lumière du ciel éclairait le visage de Lia, mangé par les deux grands yeux sombres. Ils se rapprochèrent l'un de l'autre. Entre eux cette fois, pas de marmite. Et derrière Aleks pas de soldat qui le presse : «Alors, ça avance ?» Juste eux et le silence de la nuit.

Elle le regarda avec tristesse et fit une phrase qui sonnait comme :

– *Astia altermityé veïta, Aleks...*

– Je ne comprends pas ce que tu dis, Lia, répondit-il, un peu désemparé, je n'y comprends rien mais... tu es belle... tu es très belle...

– *Ta*, approuva-t-elle innocemment.

Elle n'avait rien compris non plus.

Alors il ouvrit sa couverture et les enveloppa tous les deux dedans. Elle était plus petite que lui d'une demi-tête. Il l'embrassa sur le front, les paupières, les joues, la bouche. Des dizaines de petits baisers qu'elle se laissa donner, les yeux fermés. Puis elle y répondit et c'est lui qui les reçut sur son visage. Le contact des lèvres froides le fit presque défaillir. La longue campagne, les privations, la peur, la fréquentation grossière des soldats, tout cela avait creusé en lui, depuis des mois et sans qu'il s'en aperçoive, un espace béant, un manque douloureux dans lequel cette féminité venait s'engouffrer soudain avec véhémence. Il alla chercher, derrière les lèvres, la douce chaleur. Elle le laissa faire.

L'air glacé s'insinuait sous la couverture. Ils frissonnèrent au même moment.

– On ne peut pas rester dehors, dit Aleks, cherchant autour de lui où ils pourraient se cacher et s'abriter. Là, dans cette roulotte, non ?

Elle fit signe que non, qu'elle était fermée à clé.

– Où alors ? demanda-t-il.

Elle secoua de nouveau la tête. Il n'existait

aucun endroit pour eux. Leur seul refuge était ce dehors glacial, leur seul toit, le ciel constellé. Elle lui prit les mains.

– *Aleks, ostroï kreïd badyin...*

La langue qu'elle parlait était une agréable musique avec le roulement léger de ses *r* et ses consonnes mouillées. C'était joli à entendre mais il n'en comprenait pas un mot.

– Qu'est-ce que tu veux me dire ?

Elle mima le sommeil avec ses deux mains contre sa joue : toi tu vas dormir, et moi aussi je vais dormir...

– Non ! dit-il.

– *Ta !* insista-t-elle, et elle continua sa pantomime.

Elle accompagnait chaque mot d'un geste qui en révélait le sens :

– *Portiz geliodout... boratch...* toi et moi demain... ici... *o talyar veliou prisnat...* et j'aurai la clé de cette roulotte... *kreïdi badyin, Aleks...* va te coucher... *baltyi en ?* Tu as compris ?

– *Ta*, répondit-il... Oui...

Elle le repoussa, le reprit contre elle, l'embrassa encore et s'en alla.

Le lendemain fut une journée d'effervescence dans le camp. Le départ annoncé se confirma et les soldats durent s'y préparer. Les rumeurs les plus contradictoires couraient à propos du siège de la capitale et de ce qui les attendait là-bas. Certains affirmaient qu'on y était mieux traité qu'ici : meilleure nourriture, meilleur couchage. D'autres au contraire rapportaient que l'ennemi faisait le jour comme la nuit des sorties brèves et meurtrières qui démoralisaient les soldats. Les blessés et les morts se comptaient par dizaines chaque fois et on ne pouvait que subir. À se demander qui assiégeait l'autre. On parlait de poux, de mutineries, de désertions et d'exécutions publiques des déserteurs.

Aleks écoutait cela avec indifférence. Son aventure avec Lia avait mis entre lui et le monde une distance que rien ne pouvait plus combler. Tout lui était égal : les événements militaires, le sort de ses camarades, l'issue de la guerre… Il n'en était pas fier, mais rien d'autre ne lui importait que ceci : prendre encore Lia dans ses bras, l'embrasser, entendre la musique de sa voix, ne pas la perdre… Voilà, c'était ça : il ferait tout pour ne pas la perdre, parce que la perdre serait comme mourir.

Le soir même, l'ordre fut donné aux soldats de se préparer à lever le camp dès l'aube. Sous la tente, le calme était inhabituel. Ceux qui savaient écrire écrivirent une lettre. Les autres se firent aider. Aleks en commença une pour ses parents, mais il se trouva incapable d'exprimer, même en allusions, le bouleversement de sa vie, et il finit par renoncer. Puis on éteignit les lampes et les conversations continuèrent en sourdine. Les plus fanfarons semblaient avoir trouvé une gravité.

Baldur et Aleks bavardèrent longtemps à voix tamisée. Ils parlèrent de Petite Terre, de leur enfance là-bas, de Brisco, de la bibliothèque royale, du traîneau de M. Holm et du cheval Tempête.

Le silence régnait sous la tente quand Aleks se glissa dehors. C'était le même froid que la veille, le même ciel. Et son cœur battait de la même fièvre. Lia ne se fit pas attendre. Elle le rejoignit dès qu'il arriva près de la roulotte à la cheminée. Elle se précipita vers lui, l'embrassa, mais elle avait l'air contrariée.

– *Streïpyin veliou net, Aleks...* je n'ai pas la clé...

– Mince ! Qu'est-ce qu'on va faire ?

– *Militiyan balestyen portiz...*

– Je ne comprends pas, Lia.

Elle montra la direction de la capitale, vers l'est.

– *Portiz militiyan... boreït...* demain les soldats... là-bas...

– Oui, nous partons demain... Et toi, Lia, tu viens aussi ? Tu nous suis ?

Les yeux noirs s'emplirent de larmes brillantes, le front se plissa douloureusement.

– *Net, ipiyet boratch...* non, je reste ici... *Adress teyit, Aleks ?* Où est-ce que je pourrai te retrouver ?

Il sourit et prit la tête de la jeune fille entre ses mains.

– Que je te donne mon adresse à Petite Terre, Lia ? Je ne suis même pas sûr d'y revenir. Et que je te laisse ici ? Tu es folle. *Kyomi daak !* Si je te laisse, je te perds. Autant jeter un caillou dans l'océan en espérant le retrouver... Et toi, ton adresse, c'est quoi ?

– *Adress meyit ?* Mon adresse ? *Maï gaïnat...* je n'en ai pas... *molyin nostroï stokonot...* notre maison a été détruite...

Elle montra tristement la roulotte où elle dormait avec d'autres cantinières.

– *Adress meyit...* voilà mon adresse maintenant...

Puis elle se ravisa et fit un geste large vers le nord, vers la plaine qui s'étendait, blanche et glacée sous les étoiles et dont on devinait le début...

– *Adress meyit, Aleks...* voilà mon adresse...

– Oui, approuva-t-il, et sa gorge se serra.

Ils restèrent silencieux, serrés l'un contre l'autre, conscients que leur destin se jouait maintenant, selon le choix qu'ils feraient. Tous les deux s'étaient tournés vers l'espace immense et silencieux qui s'ouvrait devant eux. Dans la paix de cet instant, la plaine infinie semblait les appeler, leur dire : « Venez, n'ayez pas peur de moi... » Mais un piège mortel se cachait derrière cette douce invitation. Au loin, le cheval qu'ils avaient entendu la veille hennit de nouveau, et sa plainte douloureuse traversa la nuit comme un avertissement.

– Tu as raison, Lia. C'est notre adresse à tous les deux... *adress geliodout...* Seulement je ne voudrais pas t'entraîner à ta perte... Tout seul je prendrais le risque, mais partir avec toi me fait peur... tu comprends ?

– *Baltiyé...*, dit-elle, je comprends.

Ils s'embrassèrent encore, puis Aleks se dégagea soudain.

– Attends, fit-il, j'ai une idée, reste ici ! Ou plutôt rentre au chaud dans ta roulotte et attends que je revienne !

Il ne lui laissa pas le temps de protester et fila. Il se retint de courir jusqu'à sa tente et il y entra sans réveiller personne. Il regagna sa couche, à tâtons, dans l'obscurité, s'allongea tout habillé et appela doucement :

– Hé, Baldur ! Réveille-toi.

– Hein ? Qu'est-ce que tu veux ? grogna son camarade ensommeillé.

– Écoute-moi, je t'en supplie, écoute-moi bien… La petite cantinière dont je t'ai parlé, eh bien…

Il lui expliqua ce qu'il vivait depuis quelques jours, et plus il en parlait plus Baldur se redressait, stupéfait.

– Tu es fou… complètement fou, mon pauvre…

– Je sais, je ne te demande pas de commenter… ni de juger… je ne t'ai pas réveillé pour ça…

– Qu'est-ce que tu me veux, alors ?

– Baldur, on se connaît depuis toujours. Est-ce que je t'ai jamais demandé de faire une prédiction pour moi, hein ? Est-ce que je te l'ai jamais demandé ?

– Non. Et tu as bien fait, parce que je ne les fais pas sur commande.

– Je sais, Baldur, je sais, et pourtant… pourtant c'est ce que je te demande maintenant. Je t'en supplie, ne dis pas non !

– C'est bien ce que je pensais : tu es dingo !

– Baldur, arrête ! Rappelle-toi, quand tu as vendu ton certificat d'exemption, je ne t'ai pas trahi, je ne l'ai pas dit à tes parents, vrai ou faux ?

– Pff… vrai… Qu'est-ce que tu veux savoir ? Combien vous aurez d'enfants ? Si c'est des filles ou des garçons ? Je te préviens, je n'ai jamais rien vu sur commande, ce serait bien la première fois…

Aleks se jeta littéralement sur lui.

– Baldur, Baldur, écoute-moi. Lia et moi, nous voulons nous enfuir cette nuit.

– Vous enfuir ? Où ça ?

– Chut, ne parle pas si fort ! On ne sait pas. On veut s'en aller dans la plaine. Tout droit. On verra bien.

Baldur en resta d'abord muet de stupéfaction, puis :

– Vous en aller ! Mais vous êtes givrés, ma parole ! Complètement givrés ! Je vous donne deux heures avant de mourir gelés. Et tu sais comment ça s'appelle, pour toi ? Ça s'appelle désertion. Et tu sais comment on punit les déserteurs ! Tu seras repris et exécuté, Aleks, tu m'entends : exécuté ! Tu as vu la semaine dernière encore, ils en ont abattu deux ensemble, ici, dans ce camp.

– Non, je n'ai pas vu. Je ne regarde pas ça.

– Eh bien, moi j'y étais. Il y en avait un qui appelait au secours et qui pleurait. C'était à vomir. Je me suis bouché les oreilles. Ils ne te feront aucun cadeau. Tu recevras dix balles dans la poitrine, à travers le carton marqué DÉSERTEUR. Ne fais pas ça ! Ce n'est même plus une énorme bêtise, c'est une faute, c'est…

Les mots se bousculaient sur ses lèvres. Il se retenait de crier.

– Arrête ! l'interrompit Aleks, tu as sans doute raison, mais c'est comme toi avec ton exemption, il n'y a pas à discuter. Tu ne peux pas comprendre. Avant de partir, je voudrais seulement savoir…

– Qu'est-ce que tu veux savoir ?

– Je voudrais savoir si… si on va mourir…

– Oh, bon Dieu, gémit Baldur. Qu'est-ce que tu me demandes là… ?

– Je t'en supplie, fit Aleks.

– Pas question !

Il y eut un silence.

– Je t'en supplie, répéta Aleks. Fais-le pour notre vieille amitié.

Baldur soupira, exaspéré. Soupira encore. Se gratta la tête.

– Je n'y arriverai pas.

– Essaie… Essaie au moins…

– Bon. Je vais le faire pour toi. Je vais essayer. Mais ne te fais pas trop d'illusions. Laisse-moi tranquille quelques minutes.

Sur ces mots, il se retourna et se recroquevilla comme pour dormir.

Aleks patienta. Cela dura plus longtemps qu'il ne l'avait imaginé, et il finit même par se demander si Baldur ne dormait pas pour de bon. Un soldat se mit à rêver et il tint quelques propos incohérents où l'on reconnaissait juste quatre mots : « En avant la musique ! », ce qui le faisait rigoler. Celui qui était malade se remit à tousser dans la tente voisine.

– Baldur…, s'impatienta Aleks. Tu dors ?

L'infirme ne dormait pas. Il se retourna lentement et Aleks fut frappé par l'expression presque hallucinée de son visage. Il semblait revenir d'un ailleurs mystérieux.

– Alors ? demanda Aleks.

Baldur remua lentement la tête.

– Vous pouvez y aller…, dit-il comme à regret. Vous êtes fous, mais vous pouvez y aller.

Aleks l'agrippa par le col.

– Tu veux dire qu'on ne mourra pas ? Que je ne l'entraîne pas dans le malheur et la souffrance ?

– Je te dis seulement que vous ne mourrez pas. C'est ce que tu m'as demandé, non ? Pour le malheur, la souffrance et tout ça, je ne te garantis rien. Rien du tout. Je vous vois... vivants, c'est tout. Ça te va ?

– Vivants comment ? Qu'est-ce que tu as vu ?

– Je vous ai vus... à Petite Terre. Ensemble. Ne me demande plus rien. Ça m'a crevé...

– Baldur, oh, Baldur, merci ! pleura Aleks et il l'enlaça.

Les larmes lui brouillaient la vue.

– Ça va, ça va..., fit son ami, un peu gêné.

– La ferme ! râla un soldat qu'ils avaient réveillé.

Mais Aleks ne pouvait plus contrôler ses sanglots : tandis qu'il serrait Baldur dans ses bras, une idée brutale venait de le traverser : il ne le reverrait plus. Il tenta de la repousser. En vain.

– Au revoir, suffoqua-t-il, et il pensait : « adieu. »

– Au revoir, mon camarade, répondit Baldur. On se revoit à Petite Terre, hein ?

– D'accord, à Petite Terre...

Aleks hésita à prendre son mousquet, et finalement il y renonça. Déserter était une faute impardonnable, le faire avec son arme en décuplait la gravité. Il lui resterait son couteau.

Ils déjouèrent sans peine la surveillance des gardes. Ils s'en allèrent dans la nuit, marchant vers le nord. Le ciel était incroyablement clair. Il bruissait d'étoiles. Cela faisait au-dessus de leur tête une voûte lumineuse et cosmique dont la beauté rendait dérisoires toute crainte et toute hésitation. La neige ferme, sous leurs pieds, grinçait sa musique. Le froid lui-même semblait bienveillant.

– *Keskien diemst « Aleks »* ? demanda-t-elle en marchant. Qu'est-ce que ça veut dire « Aleks » ?

– Ah, « Aleks » c'est « Aleksander » et ça signifie « celui qui protège », répondit-il, pas peu fier.

Et pour le lui faire comprendre, il se plaça devant elle, tira son couteau et fit le simulacre d'un combat qu'il mènerait pour la défendre. Il écartait les bras, puis repoussait à coups de poing un ennemi imaginaire. Elle rit et sembla satisfaite, sinon tout à fait rassurée.

– Et « Lia », qu'est-ce que ça veut dire ?

– *Lia diemst : bourtyé…*

– Quoi ?

– *Bourtyé, meuh…*, expliqua-t-elle en formant deux petites cornes sur sa tête avec ses index.

– Une vache ? Tu es une vache ?

– *Ta. Bor net bourtyé sœk…* mais pas une vache domestique avec une corde non… *bourtyé ekletiyen…* et elle fit avec les bras le geste de cavaler… *takata… takata…* et répéta : *ekletiyen…*

Elle prononçait ce mot en accentuant fort la deuxième syllabe : *e'kletiyen…*

– J'ai compris. Tu es une petite vache sauvage.

– *Ta, pektit…*, répéta-t-elle en tordant les mots comme elle put.

– Pas *pektit…* petite…, corrigea-t-il.

– *Pektit…*

– D'accord, *pektit* si tu veux. Et *ekletiyen*, ça veut dire « libre » dans ta langue, c'est ça ?

– *Ta, e'kletiyen…*

4 *La troisième naissance de Brisco Johansson*

Très loin de là, cette même nuit, les mêmes étoiles scintillaient au-dessus de Grande Terre.

Fenris entra dans la sellerie, accrocha les harnais, la selle et le tapis sur leur support et revint à son cheval attaché par le licol dans le box. Vent du Sud, qui n'avait pas l'habitude de se ménager, était trempé de sueur. Fenris lui aussi était en nage. Ils venaient de galoper plus de deux heures sur des sentiers forestiers tout en côtes et en pentes, ils avaient gravi des collines, ils étaient descendus dans des ravins et seule la nuit les avait arrêtés.

Depuis longtemps, le jeune homme ne donnait plus vraiment d'ordres à son cheval. Il le dirigeait à mi-voix, d'un claquement de langue, d'une respiration. Il le faisait virer, ralentir, s'arrêter, repartir d'un mouvement infime de la jambe, du genou. Vent du Sud devinait ses intentions, les précédait parfois. Ils étaient comme un seul organisme, la prolongation l'un de l'autre. Ils possédaient la même passion des courses folles et de l'espace avalé.

Fenris bouchonna l'animal avec de la paille fraîche puis le brossa avec soin : les flancs, l'encolure, la croupe, jusqu'au bas des jambes blanches. La robe brûlée du petit cheval s'était assombrie avec les années, mais elle avait gardé son éclat étonnant.

– C'est bien... c'est bien..., marmonnait Fenris en le choyant.

Il était devenu un jeune homme de dix-huit ans, de bonne taille, bien bâti et plein de vigueur. Quelque chose d'impatient et de direct émanait de sa personne. Il s'était durci, de corps et d'âme. Les cheveux bouclés et les joues rondes d'autrefois avaient laissé la place à un visage osseux. La mâchoire était large, le nez un peu fort. L'unique reste de douceur était dans l'œil, une sorte de tendresse fragile venue de l'enfance et que rien n'avait pu chasser.

– Ah, tu es rentré ! fit une voix derrière eux.

La Louve apparut, souriante. Elle comprenait très bien, puisqu'elle en partageait le goût, ces galopades effrénées qu'on ne pouvait plus arrêter. Elle n'en voulait pas à Fenris de rentrer si tard.

– Je t'ai attendu pour dîner. Ottilia va préparer une omelette avec des champignons et nous boirons un peu de vin blanc. Viens.

– J'arrive, ma mère. Je crève de faim. Le temps de panser Vent du Sud et je vous rejoins.

Moins d'un quart d'heure plus tard, ils étaient attablés, seuls dans la grande salle à manger du château. La cheminée brûlait. Des bougies dressées par dizaines sur leur chandelier éclairaient la pièce. Ottilia leur servit l'omelette et leur versa le vin dans des verres de cristal.

– Bon appétit, mon fils, dit la Louve.

– Merci, ma mère, bon appétit à vous aussi.

Il lui disait « ma mère » maintenant. Mais cela avait pris beaucoup de temps. Pendant les trois premières années qui avaient suivi son arrivée au château, ne pouvant l'appeler ni « Louve », comme le faisait Guerolf, ni « madame », ni « mère », ni encore moins « maman », il s'était débrouillé pour vivre avec elle sans l'appeler du tout. Des mois de contournements et de silence, des années. Elle avait failli en devenir folle. Le jour où il la nomma « ma mère » pour la première fois, il lui vint à l'idée que c'était comme sa troisième naissance.

Il ignorait tout de la première. Elle était l'abysse insondable d'un océan. Comment aurait-il pu savoir qu'il était issu de quatre femmes. D'Unne, la belle, qui l'avait mis au monde et qui en était morte ; de Nanna et sa langue bien pendue, qui avait pris soin de lui l'espace d'une nuit et d'un jour ; de Brit la sorcière qui l'avait chauffé, porté et confié à la quatrième : Selma, la seule qu'il ait appelée maman, pendant dix ans. Dix années au long desquelles il avait porté un autre nom que Fenris, et où il y avait à côté de lui un autre garçon qui s'appelait…

De sa deuxième naissance, en revanche, il gardait le souvenir trouble et douloureux d'un long tunnel noir et bas dans lequel roulait un chariot. Il se rappelait la lente montée de l'angoisse, puis l'arrachement brutal, les cris, la séparation d'avec ce garçon qui s'appelait… Enfin, la lumière aveuglante de la neige, la course effrénée, les coups de Hrog et les cris sauvages de la Louve.

Sa troisième et dernière naissance avait eu lieu un jour de printemps, l'année de ses treize ans.

Il fait doux ce matin-là. C'est le dégel. Fenris est en train de boire son bol de lait au sous-sol, dans la cuisine. Il y trempe des tartines de cette confiture épaisse, presque collante, qu'il aime tellement. Elle est faite d'un mélange de baies qu'on trouve dans la forêt. Ottilia prépare déjà le repas de midi. Elle se tient debout de l'autre côté de la table et elle épluche des carottes, sombre et massive. Elle se tait, comme d'habitude. C'est une personne renfermée, inexpressive. Elle n'a semble-t-il jamais éprouvé de sympathie à l'égard de Fenris. Ni d'aversion non plus. C'est le fils de ses maîtres, elle garde ses distances avec lui. Et pourtant, il préfère prendre ses repas ici en bas, dans la cuisine, avec elle, parce qu'elle ne lui demande rien. Elle n'attend rien de lui. Il peut se tenir mal, renifler, roter ou manger salement, cracher les arêtes de poisson dans son assiette, elle s'en fiche. Elle l'ignore. S'il désire quelque chose, à boire ou à manger, il le demande sans s'embarrasser de politesse, elle le prépare, le lui sert et se remet à son travail. Elle ne montre ni mauvaise humeur ni bonne. Il ne sait pas où elle habite, ni si elle a une famille. Elle est un mystère pour lui, mais un mystère qui ne l'intéresse pas.

La Louve descend l'escalier et entre dans la cuisine. Elle porte une robe à larges plis, d'un jaune passé que la blondeur des cheveux surpasse.

– Soyez gentille, Ottilia, laissez-nous.

La cuisinière ne marque aucun étonnement.

Elle lâche dans la seconde son couteau sur les épluchures, s'essuie rapidement les mains à un torchon qu'elle jette sur la table et disparaît. La Louve s'assoit en face de Fenris. Ses traits sont froissés comme ceux d'une personne qui a mal dormi, ses yeux sont rouges. Est-ce qu'elle vient de pleurer ?

– Fenris. Je ne t'ai pas porté dans mon ventre, je le sais…

Elle commence comme cela, sans préambule, et il comprend qu'elle sort d'un long combat, qu'elle est à bout, qu'elle doit parler. Ses lèvres tremblent. La pâleur du visage fait ressortir davantage encore les cicatrices roses qui enlaidissent tout le côté gauche de son visage, malgré la poudre, depuis le bas de l'œil jusqu'au cou. La main gauche est abîmée, elle aussi, comme brûlée. Souvent la Louve porte des gants et un foulard de soie légère qu'elle réajuste sans cesse pour cacher ses blessures, mais ce matin-là elle a dégagé son cou et ses bras. Elle est à nu.

– Mais celle qui t'a élevé et que tu appelles maman – ne le nie pas je t'entends dire ce mot quand tu parles tout haut dans tes rêves, la nuit – cette femme-là ne t'a pas porté non plus, tu le sais.

Elle tord ses mains en parlant. Il ne l'a jamais vue aussi nerveuse, aussi peu maîtresse d'elle-même. Il se raidit. C'est vrai, Selma n'est pas sa mère. Il le sait depuis le soir où la Louve le lui a dit, dans sa chambre, et qu'il lui a mordu très fort la main. Il s'est défendu le plus longtemps possible contre cette pensée insupportable. Il l'a refusée, repoussée loin de lui, mais elle a travaillé comme un poison dans sa tête, comme une vrille. Et il s'est rendu à l'évidence : Selma n'est pas sa mère.

De là à la remplacer par cette femme-là, qui l'a enlevé, sûrement pas! Elle a tenté mille fois de l'apprivoiser, de l'approcher, de le caresser, de le prendre dans ses bras. Il s'est buté, obstiné. Il lui en a fallu, de l'entêtement, pour refuser cette tendresse offerte, alors qu'il en avait tellement besoin. Ensuite il y a eu cette nuit étrange où il a cru entendre son père qui l'appelait et au matin de laquelle la Louve est apparue défigurée. Et transfigurée. Car elle a changé aussi de manières. Quelque chose de profond et de douloureux est venu, qui n'y était pas avant. Elle s'est faite plus rare, plus ténébreuse.

Le côté indemne de son visage est comme le souvenir du temps où elle était heureuse et belle. Si on la regarde du bon côté, on est saisi par son charme mais, dès qu'elle se tourne, on sursaute d'horreur, oh mon Dieu!

– Elle a eu de la chance cette femme qui t'a élevé avant moi, Fenris, continue-t-elle. Elle ne t'a pas porté, pas mis au monde. Elle t'a eu «tout fait» et tu lui as dit maman tout de même. C'est sans doute le premier mot que tu as su prononcer, je me trompe?

L'émotion accentue davantage encore les étranges modulations de sa voix. Fenris baisse la tête. Sa tartine est finie. Il sent bien que ce serait provoquant d'en faire une autre en cet instant. Il gratte inutilement le fond de son bol avec sa cuillère.

– Alors que moi, regarde… j'ai sacrifié pour te défendre et te garder le plus précieux de moi-même… mon visage, ma peau… ma…

Elle veut dire «beauté», mais le mot ne passe pas sa bouche. Elle pleure sans bruit. Il sait que, s'il lève les yeux, il verra couler ses larmes.

– Les hommes, avant, se retournaient sur moi parce qu'ils me trouvaient séduisante, aujourd'hui ils me lorgnent comme une bête curieuse, comme une infirme. Je sens leurs yeux qui plongent droit sur ma laideur, sur mon œil abîmé, ma joue labourée, mon cou, ma main, ma jambe et ils se demandent ce que j'ai... Guerolf me dit que cela n'a pas d'importance, qu'il ne m'aime pas moins pour ça, mais je vois bien qu'il ne me considère plus comme avant... Pour te défendre j'ai perdu l'amour de mon mari, tu comprends ça ? Dis-moi, Fenris... est-ce qu'une autre femme a davantage souffert que moi pour être mère ? Que faut-il encore que je supporte ? Que faut-il encore que je perde pour gagner le droit d'être appelée « maman » ? Dis-le-moi, Fenris, dis-le-moi...

Sa voix chavire. Elle prend la main de Fenris dans la sienne, qui est brûlante. Il lui abandonne ses doigts. La cuillère tombe par terre.

– Je... je ne peux pas..., bredouille-t-il, je n'y arrive pas...

– Je le sais..., dit-elle, bouleversée parce que, pour la première fois, il ne l'a pas repoussée.

– Je le sais, mon garçon..., reprend-elle, j'y ai pensé souvent et je comprends que tu ne puisses pas... alors voilà... je voudrais... si tu veux bien... je voudrais que tu me dises « ma mère »... est-ce que tu pourrais m'appeler comme ça ?... je m'en contenterais... mais je ne peux pas attendre trop longtemps... j'arrive au bout de ma patience et de ma tristesse tu comprends...

C'est une supplication. Elle ne demande pas, elle mendie. Où est passée la somptueuse furie qui poussait des cris sauvages et fouettait debout ses chevaux le jour de l'enlèvement ?

– J'essaierai..., dit-il faiblement.

– Merci..., murmure-t-elle. Je ne t'ennuierai plus avec ça... pardonne-moi... je te laisse, maintenant... finis ton petit déjeuner... Guerolf t'attend, je crois.

Elle lui presse encore les mains, se lève et va vers l'escalier. Avant de disparaître, elle se retourne :

– À ce soir, mon fils...

Il hésite et finalement lève les yeux vers elle, la regarde et laisse échapper de ses lèvres les mots qu'elle attend :

– À ce soir, ma mère...

Mais cette journée lui réserve une autre émotion, tout aussi violente, et il est loin de l'imaginer en se hâtant de seller Vent du Sud. Guerolf est déjà dans la cour et il n'aime pas attendre. Il est toujours impatient d'agir. Il déteste les réunions politiques où l'on parle pour ne rien dire, les réceptions, les convenances. Il n'aime rien tant que côtoyer ses jeunes soldats sur le terrain et les entraîner à la dure.

– Tu viens ! appelle-t-il, et on entend renâcler son grand cheval noir.

Les voilà maintenant tous les deux qui cheminent vers le pré où va se dérouler l'épreuve. Le soleil de printemps filtre à travers les arbres, le ciel est moucheté de blanc. Guerolf va devant.

– Regarde ce busard, comme il vole bas ! Il a vu un lapin, il va plonger !

Fenris ne tourne même pas la tête. Ce que lui dit Guerolf lui est indifférent. « Regarde-moi, au lieu de regarder les oiseaux ! pense-t-il. Est-ce que tu as peur de devenir aveugle en me regardant pour une fois dans les yeux ? Est-ce que j'existe seulement pour toi ? »

Et c'est vrai que, depuis trois ans, Guerolf l'ignore. Il le côtoie, il lui parle mais il se détourne aussitôt. C'est comme une partie de chat et souris entre eux, sauf que le jeu n'en est pas un, et qu'il ne donne pas envie de rire mais de pleurer. Ou de hurler : « Regarde-moi, bon sang ! Est-ce que je ne vaux pas les autres garçons que tu entraînes pour la guerre ? Est-ce que je ne te fais pas honneur ? Je suis pourtant comme ton fils, non ? Nous arrivons ensemble à l'exercice et nous en repartons ensemble. Nous habitons sous le même toit, oui ou non ? »

Ça, pour valoir les autres, il les vaut ! À treize ans il chevauche plus vite que ceux de quinze, il frappe plus fort de son épée, il est habile, infatigable, vaillant et téméraire. Mais Guerolf assiste à ses exploits sans les voir. Il pousse la perversité jusqu'à tourner le dos s'il le faut. Fenris peut triompher de dix adversaires, revenir harassé, le corps douloureux des orteils au sommet du crâne, il ne lui dira rien, pas un mot, et en rentrant il sera capable de jeter, négligent, et pour tout commentaire : « Je pense qu'on aura la neige demain... » Et si la Louve demande : « Alors, comment s'est débrouillé notre garçon aujourd'hui ? » il fera celui qui n'a pas entendu la question.

Fenris le déteste et l'admire à la fois. Il déteste sa froideur, sa suffisance, sa dureté. Il admire sa force, son autorité, sa stature de chef qu'on ne conteste pas. Il ne demande pas grand-chose, juste un assentiment, un mouvement de la tête, un signe qui voudrait dire : « Je t'ai vu, mon fils, et ce que tu as fait est bien. » Rien de plus. Mais Guerolf lui refuse ce signe. Pire : il l'octroie aux autres, qui lui sont étrangers. Il les félicite, les prend par l'épaule. Souvent, la nuit, Fenris en pleure de rage, de jalousie, d'humiliation. Il frappe son lit du poing. Le sentiment d'injustice le taraude. La fois suivante, il redouble d'énergie, jusqu'à la brutalité. Il lui arrive de blesser des camarades.

Aujourd'hui, c'est une épreuve d'endurance et d'adresse qu'ils appellent « le chiffon ». C'est la plus dure. Elle se déroule une fois seulement dans l'année, au printemps, dans un grand pré, en bordure de forêt. Le parcours mesure une lieue environ. On s'affronte en duel, un contre un. Celui qui perd est éliminé, celui qui gagne continue. Fenris n'a encore jamais remporté l'épreuve. Trop jeune. La plupart des concurrents ont deux ou trois ans de plus que lui, mais l'année précédente, il en a vaincu trois avant de céder. Sous l'œil indifférent de Guerolf bien sûr.

On commence par galoper tout droit le long des arbres, le sabre à la main. Personne ne vous fera le moindre reproche si votre cheval bouscule celui de l'adversaire dans le talus et le fait tomber. On a le droit. On a presque tous les droits, sauf celui de se plaindre et de faire « la fille », c'est la pire des insultes. Plus loin, on descend dans un fossé boueux. Gare à celui qui tombe dedans ou s'embourbe : le temps qu'il ressorte, l'autre est loin et c'est déjà presque perdu. Ensuite on repique vers la gauche, dans le pré, on franchit deux barrières et on se dresse debout sur les étriers pour éventrer une outre d'eau accrochée en haut d'un mât. Si on est maladroit ou trop lent, elle vous inonde d'eau glacée. Puis on décapite au passage des mannequins de paille alignés sur le côté, il ne faut pas s'y reprendre à deux fois, il faut que les têtes volent du premier coup et se détachent bien du tronc.

Dès la première boucle on a les jambes dures et le souffle court, mais il faut en faire trois sans s'arrêter. Si vous partez trop vite, votre adversaire vous rejoindra sur la fin, si vous partez trop lentement, vous ne le revoyez plus.

Au bout du troisième tour, dans la galopade finale, celui qui arrive en tête ramasse à la volée un chiffon rouge jeté par terre. Il faut se coucher sur le flanc du cheval, s'accrocher à la bride, à la sangle, comme on peut, se remettre en selle et foncer jusqu'à l'arrivée qu'on franchit sous les acclamations, en brandissant le chiffon de la victoire au-dessus de sa tête et en poussant des « you you » retentissants si on a encore assez d'air dans les poumons pour le faire…

Fenris triomphe sans peine de ses premiers adversaires. Il veille à se ménager parce que le plus dur est à venir. On dirait que Vent du Sud le comprend. Lui aussi ajuste ses efforts et préserve sa force. Quand le soleil est haut dans le ciel, il ne reste plus que quatre garçons. Les autres sont éliminés et font leurs paris tandis qu'on se repose, assis sur le talus, en mangeant du pain, du lard et du fromage, et en buvant de l'eau.

– Je parie sur Fenris ! lance un des vaincus.

– Moi sur Anders ! répond un autre. Il va les écrabouiller.

– Moi aussi, je parie sur Anders !

– Moi aussi !

– Moi aussi !

Presque tous font d'Anders leur favori. Il a dix-

sept ans, quatre de plus que Fenris. Il est grand, robuste et ne montrera aucune pitié envers un plus jeune. Il y a en lui quelque chose d'adulte, ses joues sont déjà assombries de barbe, on l'imagine sans peine au milieu des vrais soldats, des hommes.

Guerolf, qui a disparu pendant la pause, revient au galop sur son cheval noir et annonce qui affronte qui. Il a son idée bien sûr, il sait quels finalistes il aimerait voir face à face.

– Ce sera Anders contre Grenjad, dit-il, et ensuite Fenris contre Leif. Les deux vainqueurs s'affronteront pour finir. Et celui qui l'emportera sera notre champion jusqu'au printemps prochain. En selle !

Grenjad donne davantage de fil à retordre à Anders que prévu. Dans l'envolée finale, les deux sont côte à côte et Anders doit faire valoir la masse et la puissance de son cheval pour écarter son adversaire et s'emparer le premier du chiffon. Fenris, lui, s'assure une avance confortable sur Leif dès le premier tour et il se contente ensuite de la maintenir jusqu'au bout.

– Facile pour toi… Tu ne t'es pas trop fatigué, lui lance Anders, tandis qu'ils prennent un peu de repos avant l'affrontement final.

– Qu'est-ce que tu insinues ? demande Fenris. Que j'ai été favorisé ?

– Je ne l'insinue pas, je le dis, réplique Anders en avalant une gorgée d'eau. Ton père t'a attribué l'adversaire le plus faible. Avec moi ce sera autre chose, je te le promets.

Fenris en reste d'abord muet. Il ne s'attendait pas à cette attaque aussi venimeuse qu'injuste.

– Ah bon, fait-il en tâchant de rester calme, et lequel de nous deux aura le plus de temps pour se

reposer ? Je viens de finir ma course. Tu as pensé à ça ?

Anders hausse les épaules.

– Comme si j'avais besoin de repos pour te battre !

Fenris préfère céder et il s'éloigne, la rage au ventre. Son père aurait favorisé tous les autres, sans exception, avant de le favoriser lui, et voilà qu'on lui envoie ça à la figure ! Il resserre les sangles de Vent du Sud et se rend vers la ligne de départ. La fatigue des tours précédents l'a complètement abandonné, il a hâte d'en découdre. Tous les concurrents déjà éliminés se sont assis en haut du talus pour assister à la course.

– An-ders ! An-ders ! scandent quelques garçons.

– Fen-ris ! Fen-ris ! ripostent quelques autres, moins nombreux.

Il est de loin le plus jeune des deux, et on devrait pour cela lui accorder la préférence. Mais ce n'est pas le cas et il ne s'en étonne pas le moins du monde. On ne l'aime pas beaucoup et il en connaît la raison : il est dur, renfermé, et surtout il est le fils de son père.

– Je vais leur montrer à tous, grommelle-t-il. Hein, on va leur montrer, Vent du Sud !

Le petit cheval semble approuver de la tête.

Guerolf donne le départ en abaissant le bras.

Fenris, qui a l'habitude de partir lentement et de rattraper son adversaire dans la dernière boucle, choisit pour une fois une autre stratégie. Il prend la tête dès le départ, pour obliger Anders à faire la course derrière, à le poursuivre sans cesse, et l'amener à douter peut-être. Il lance Vent du Sud comme si c'était déjà l'arrivée.

– Hey ! hey ! crie-t-il et il talonne son cheval.

Dans le ravin, il fait gicler la boue à cinq mètres, les têtes des mannequins volent comme des balles, l'outre d'eau explose. Il accomplit ainsi les deux premières boucles bride abattue, mais chaque fois qu'il se retourne, il voit Anders sur ses talons, qui semble sourire et le narguer : «Amuse-toi, fais à ta guise, je te rattraperai quand je le voudrai…»

Arrive le dernier tour et Fenris possède toujours trois mètres d'avance. Il sent que Vent du Sud peine. Malgré son courage et sa vitalité, le petit cheval arabe n'a plus la même force, il étire son cou, comme si sa volonté était en avance sur son corps, son souffle se précipite. Mais Fenris ne lui laisse pas une seconde de répit :

– Hey! hey! hurle-t-il.

Lui-même n'en peut plus, il a mal au dos, aux cuisses, sa tête bourdonne.

Quand Anders produit son effort, dans la dernière ligne droite, et revient presque à sa hauteur, c'est trop tard. Fenris a déjà saisi le chiffon rouge et il l'agite au-dessus de sa tête. Il ne parvient pas à crier, il est près de s'évanouir, mais il a gagné. Il est le nouveau champion.

Les applaudissements sont maigres. Guerolf le félicite à peine et commence à donner les ordres pour rassembler les mannequins de paille, les outres crevées, démonter les barrières. Puis il se ravise soudain et renvoie tous les garçons chez eux, sauf un à qui il demande de rester et d'attendre un peu plus loin. Fenris ne comprend pas pourquoi.

Bientôt il ne reste plus qu'eux trois dans le pré : Fenris, son père et le jeune garçon, à l'écart. On entend criailler les oiseaux dans le bois. Un vent tiède s'est levé et fait bruisser les branches.

– Est-ce que tu ferais encore une course ? demande Guerolf du haut de son cheval noir.

– Une course ? s'étonne Fenris. Contre ce garçon ?

– Non, dit Guerolf. Contre moi.

La bouche de Fenris s'ouvre grande.

– Contre vous !

– Oui, à moins que tu ne sois trop fatigué, bien sûr. Tu es trop fatigué ?

Il est éreinté. Sa tête bat. Ses jambes tremblent encore du terrible effort qu'il vient de faire pour triompher.

– Je ne suis pas fatigué, s'entend-il dire et il se maudit d'être si fier.

– Alors c'est bien, allons-y, dit Guerolf, et il appelle le garçon : toi, tu replaceras les outres d'eau et les mannequins de paille à chaque passage.

La fatigue aidant, Fenris a l'impression d'être dans un rêve. Un mauvais rêve où son père le défierait à la course. Ce serait dans le grand pré, il serait épuisé avant même le départ, il n'y aurait qu'eux et il devrait se mesurer à son père. Sauf que le rêve n'en est pas un. C'est la réalité.

Le garçon qui est resté donne le départ en abaissant son bras. Fenris veut appliquer la même méthode que contre Anders et il éperonne Vent du Sud :

Hey ! hey ! Mais le grand cheval noir de Guerolf est déjà loin devant. Il a avalé la ligne droite le long des arbres et il s'engage dans le ravin. Il monte la pente raide comme si c'était une bosselette. Fen-

ris sait déjà qu'il est vaincu, qu'il est inutile d'espérer, cependant il ne renonce pas. Il l'a appris de cet homme qui le précède et c'est inscrit en lui comme dans de la pierre : on n'abandonne jamais ! Le combat ne s'arrête pas lorsqu'on a mal et qu'on souffre, au contraire c'est là qu'il commence ! On doit lutter jusqu'au bout de ses forces, ne jamais accepter la défaite ! Alors il continue. Tout va mal. Tout lui fait mal. Il s'y reprend à deux fois pour crever l'outre, à trois pour décapiter un mannequin, le sabre pèse une tonne au bout de son bras, il s'embourbe dans le ravin, il n'avance plus, des larmes de rage coulent sur ses joues.

Quand, après la troisième boucle, il franchit enfin la ligne, Guerolf est arrivé depuis longtemps. Il tient négligemment le chiffon rouge entre l'index et le majeur.

Et puis il arrive cette chose incroyable.

Guerolf descend de cheval, donne quelques ordres au jeune garçon, pour l'éloigner sans doute, et il s'avance vers Fenris, qui a mis pied à terre lui aussi, boueux et rompu de fatigue.

– Viens. Viens là, fait-il.

Et il écarte les bras.

« C'est le rêve qui continue », se dit Fenris, et pourtant les pas qu'il fait pour s'approcher de son père sont de vrais pas, les bras qui se referment sur lui de vrais bras, la poitrine contre laquelle il se presse une vraie poitrine de chair.

– C'est bien, mon fils, dit seulement Guerolf. C'est bien.

Et il le maintient longtemps serré contre lui.

En revenant, ils chevauchent côte à côte. Parfois Guerolf regarde son fils de côté et il lui sourit.

– Anders est un nigaud, dit-il. Il aurait dû savoir qu'on ne laisse pas un gars comme toi partir devant, hein ? On ne te revoit plus, toi, quand on te laisse partir devant !

Fenris ne répond pas. L'orgueil et la fierté sont près de faire éclater sa poitrine. « Oui, mon père, Anders est un nigaud. Tous sont des nigauds ! Aucun ne nous arrive à la cheville, à vous et à moi, n'est-ce pas, mon père ? »

Ce soir-là, dans son lit, il se sent glisser dans un vertige. « Mon père… Ma mère… », répète-t-il, et pour la première fois il s'agit de Guerolf et de la Louve. Loin, dans les profondeurs de son âme, d'autres lui font signe et l'appellent. Un grand homme calme et une douce femme blonde. « Ne nous oublie pas, disent-ils. Ne nous trahis pas… » Il pleure et les supplie : « Laissez-moi tranquille, maintenant ! Laissez-moi vivre ! Je n'en peux plus de vous être fidèle… C'est trop loin tout ça… Vos images s'éloignent et se défont. Je ne sais plus comment vous êtes. Je ne sais plus à quoi ressemblent vos yeux. Je veux vivre normalement… »

Il se lève et va à la petite fenêtre qui donne sur l'arrière. Un jour quelqu'un l'a appelé de là-bas, une voix a crié son prénom d'autrefois. Ce cri a résonné longtemps dans sa mémoire, mais ce soir les ondes de son écho s'estompent, comme dans l'eau les ronds que fait une pierre : ils s'étirent, tremblotent et disparaissent.

À la fenêtre Fenris tend l'oreille. La nuit est silencieuse. Aucun cri ne résonne, ni même aucun souvenir de cri. Il retourne à son lit.

« Merci, dit-il à ceux qui le laissent enfin partir, qui cessent de l'agripper de leurs mains, de leur cœur. Merci… »

Et il s'endort.

C'est sa troisième naissance.

5 *Une mission*

Ottilia apparut à la porte et demanda si elle pouvait desservir et se retirer.

– Bien sûr, dit la Louve, nous n'avons plus besoin de vous.

La cuisinière débarrassa aussitôt la table, ne laissant dessus que les deux verres de vin blanc, elle jeta une bûche dans la cheminée et s'en alla sans dire bonsoir. La Louve et Fenris restèrent seuls dans la salle. Le feu crépitait.

– Un messager est venu ce matin, dit la Louve.

Fenris, qui portait le verre à sa bouche, arrêta son geste.

– Un messager ?

– Oui, il venait annoncer l'arrivée de ton père dans la journée.

– L'arrivée de mon père ! Et vous ne me l'avez pas dit ?

– Pardonne-moi. Je voulais te faire la surprise. Je l'ai espéré tout le jour, mais il aura été retardé.

Fenris but lentement, reposa son verre.

– Je vais l'attendre.

– Non, mon fils. Il ne rentrera peut-être pas de la nuit. Je crois qu'il vaut mieux que nous allions nous coucher.

– Vous avez raison. Nous nous lèverons pour l'accueillir s'il arrive.

– C'est ça, allons dormir.

Mais ils ne bougèrent pas. Plusieurs minutes s'écoulèrent, puis la Louve soupira :

– Voilà trois mois qu'il est parti. C'est long.

– Oui, c'est long. Est-ce vrai, ce qu'on dit, ma mère ?

– Quoi donc ?

– Que les soldats meurent par centaines chaque jour ? Qu'ils se mutinent ? Qu'ils désertent ?

– J'ai peur que oui. Mais si ton père poursuit la guerre, c'est qu'il compte bien la gagner. Tu le connais. Il veut entrer dans la capitale et il y entrera.

Fenris n'en doutait pas. L'idée que Guerolf puisse échouer en quelque chose lui était absolument étrangère. Si la conquête durait plus que prévu, c'est uniquement parce qu'on avait affaire à un ennemi retors. Retors et fuyant. Dépourvu de courage en tout cas puisqu'il refusait de se battre loyalement, en un combat frontal. Comment respecter une armée qui recule, qui s'enfuit et finit par se terrer derrière les murs de sa capitale en faisant le dos rond ? Ces gens-là ne méritaient pas le nom de soldats. Il les imaginait comme des rats lâches et insaisissables qu'on avait le droit d'anéantir sans scrupule.

Guerolf ne rentra que dans la soirée du lendemain, en compagnie d'une poignée d'hommes épuisés. Lui-même était amaigri et d'humeur maussade. Il embrassa la Louve avec tendresse, mais sans passion. En revanche, il étreignit Fenris avec vigueur et longuement.

– Comment va mon fils ?

Sans lui lâcher les épaules, il se recula pour mieux le voir.

– Je vais bien, mon père, répondit celui-ci. Mais je me morfonds. Il n'y a plus que des femmes et des gamins ici, sur Grande Terre.

Guerolf sourit. Il savait depuis longtemps l'impatience de Fenris, son désir ardent d'aller se battre.

La Louve s'était retirée, sans doute contrariée de voir à qui allait la préférence de son mari. Guerolf emplit une bassine d'eau, jeta sa chemise par terre et entreprit de se laver. Fenris admira son corps blanc et dur, tout de muscles et de tendons, travaillé par la longue campagne. Il se dit que le sien, en comparaison, devait sembler bien tendre et préservé. Oui, il était temps qu'il l'éprouve, ce corps, à la vérité de la guerre, et non plus à ses simulacres.

– J'ai besoin de toi, dit soudain Guerolf en s'aspergeant d'eau le visage et les épaules.

Fenris tressaillit.

– De quelle façon, mon père ?

Guerolf attrapa une serviette et se frictionna la tête et le torse, puis il vint s'asseoir près de son fils. Il jeta un coup d'œil à la porte et baissa la voix.

– Je dois te dire quelque chose. Quelque chose de… désagréable. La conquête…

Il hésita un instant, s'immobilisa, pensif. Ce qu'il avait à dire lui coûtait. Il finit cependant par reprendre, d'une voix lasse :

– La conquête… s'enlise.

Comme Fenris ne savait que répondre à cela, Guerolf hocha longuement la tête, continua machinalement à frotter ses bras déjà secs et il répéta :

– La conquête s'enlise… nous n'arrivons pas à entrer dans leur foutue capitale… ce n'est qu'une question de temps, bien sûr, mais le temps joue contre nous parce que… parce que nos soldats se découragent… et le pire… et c'est de cela que je veux te parler… ce sont les désertions… elles empoisonnent le moral de nos troupes… elles ont un effet désastreux…

– Il y en a tant que ça, mon père ?

– Elles se multiplient. L'une entraîne l'autre.

– Mais où les déserteurs vont-ils ? Il n'y a rien là-bas. Comment peuvent-ils survivre ?

– Je suppose que beaucoup ne survivent pas. Quelques-uns trouvent refuge dans des villages reculés, sur les hauteurs, là où notre armée n'est pas passée, et ils disparaissent. On ne les revoit plus.

Il pressa sa serviette entre ses mains.

– Je crois que je hais ces déserteurs davantage encore que l'ennemi. Ils trahissent, ils abandonnent. Ils représentent tout ce que je déteste.

– Qu'est-ce que vous attendez de moi, mon père ?

Guerolf marqua un temps, puis :

– Je n'ai pas envie de t'envoyer croupir sous les murs de la capitale, à t'ennuyer et à chasser les poux. Tu mérites mieux et j'ai autre chose en vue pour toi. Tu connais Berg ?

Comment Fenris aurait-il pu ne pas connaître

Berg ? Il avait vu des centaines de fois cet homme massif à la table de ses parents. Il y occupait toujours la même place, en bout. Il mangeait beaucoup et se taisait. Il était un des officiers les plus durs de la garde rapprochée de Guerolf, et un fidèle de la première heure. Tous les deux étaient du même âge, du même mois. Ils avaient grandi ensemble à Petite Terre. Berg avait reconnu le chef en Guerolf dès leur enfance. Il avait choisi de se vouer à lui, de le suivre, et il l'avait fait jusque dans l'exil. La Louve ne l'aimait pas. Elle disait de lui qu'il était à la fois ennuyeux et inquiétant. Elle détestait ce mélange. « Qu'est-ce que tu lui trouves ? » demandait-elle à son mari. « Je lui trouve, disait celui-ci, qu'il sera le dernier à côté de moi quand tout le monde m'aura trahi. » Que répondre à ça ?

– Je le connais, dit Fenris.

– Eh bien, reprit Guerolf, je lui ai confié la tâche de traquer les déserteurs, de les retrouver et de les punir comme ils le méritent.

– Comment les punit-on, mon père ?

Guerolf marqua un temps.

– Ils sont exécutés en public, devant leurs camarades.

– Dites-moi comment cela se passe, exactement...

– Cela va très vite, deux minutes à peine. C'est... comment dire ?... expéditif... Le peloton d'exécution se met en place. Le condamné est amené. Il est debout. Ou à genoux s'il ne tient pas debout. Certains veulent avoir les yeux bandés, d'autres non. On leur laisse ce choix. Il porte accroché au cou un carton sur lequel on a écrit : DÉSERTEUR.

On donne du tambour. L'officier ordonne : arme à l'épaule, en joue, feu… Les soldats tirent tous à la fois. Le condamné tombe. On le laisse là une heure, afin que tous puissent bien le voir, et on l'emporte en le tirant par les pieds. Voilà comment ça se passe. Il faut faire un exemple et dissuader les autres, tu comprends. Berg estime qu'il faut exécuter un déserteur par semaine pour frapper les esprits et maintenir l'ordre.

– Et vous êtes de son avis ?

– Je suis de son avis.

Suivit un silence assez long pendant lequel Guerolf se frotta lentement le cou et la nuque avec sa serviette. Fenris l'observait.

– Mais, mon père, s'il n'y en a pas ? Je veux dire, si aucun déserteur n'a été retrouvé dans la semaine ?

– S'il n'y en a pas, on peut toujours en inventer un…

Fenris hésita à comprendre.

– En inventer un ?

– Oui. Moi, je n'aime pas ça, mais Berg, ça ne le gêne pas.

– Vous voulez dire… qu'on exécute un innocent… pour l'exemple ?

– Je te répète que je n'aime pas ça, répondit Guerolf. Je laisse Berg s'en occuper. Mais c'est ainsi. Ça s'appelle la raison d'État. Tu en apprendras plus tard la nécessité. C'est une épreuve terriblement pénible, mais on ne parvient tout en haut que si on se montre capable de la supporter. Cela demande davantage de courage que de perversité, crois-moi. En tout cas il y faut un caractère bien trempé. Subir une injustice est une chose douloureuse, mais facile à vivre au bout du compte. En revanche, infliger une injustice en toute connaissance de cause, c'est très dur. Pour ce qui me concerne, je préfère de loin tenir les vrais déserteurs. Parce que ce sont eux, les responsables de cette injustice. Et c'est pourquoi j'ai besoin de toi.

– De quelle façon, mon père ? demanda Fenris pour la seconde fois.

– Je veux t'associer à Berg. Il connaît le terrain. C'est un chasseur. Il a une intuition extraordinaire pour débusquer les déserteurs là où ils sont, mais il est trop lent et trop lourd au moment de la capture. Ils lui filent trop souvent entre les pattes. Tu es rapide, vif et déterminé. Tu serais son complément idéal. Je lui en ai parlé.

– Qu'en a-t-il dit ?

– Rien. Berg ne dit jamais rien. Il exécute les ordres…

– … les ordres et les déserteurs, compléta Fenris.

Guerolf lui adressa un demi-sourire.

– C'est ça. Et toi, qu'en dis-tu ?

Fenris en disait qu'il était fou de joie à l'idée de partir enfin. D'autant plus qu'il n'irait pas s'ajouter à la piétaille infestée de poux qui campait sous les murs de la capitale. Non, on lui confiait d'emblée une mission de responsabilité. Il se voyait déjà chevaucher dans l'immensité blanche au côté de Berg lui-même, gravir les hauteurs et déloger ces poltrons qui déshonoraient l'armée de Grande Terre. Mais il contint son excitation.

– Moi, mon père, dit-il simplement, j'exécute les ordres…

La Louve entra à cet instant et elle fut saisie

par la proximité de ses deux hommes, assis tout près l'un de l'autre, face à face. Leur complicité évidente la blessa.

– Vous en avez, des secrets…

Ils ne répondirent pas. C'est ainsi qu'elle sut que son fils la quitterait bientôt et elle en ressentit par avance la douleur profonde.

6 *Itiyé… ça va*

Ils marchaient depuis des heures déjà dans la nuit glacée. Il n'y avait aucun vent. La neige dure chantait sous leurs pieds. Lia était la boussole.

– *Boreït…*, disait-elle en tendant son bras vers le nord : là-bas… sur les hauteurs…

Aleks la suivait en confiance. Elle était de ce pays après tout, et elle semblait avoir une idée précise en tête.

– Où est-ce que tu nous emmènes ? demandait-il.

– *Boreït…*, répondait-elle, et ne semblait douter de rien.

Son sentiment à lui était mêlé : il éprouvait tantôt la griserie de vivre un moment incomparable, tantôt une angoisse sourde : « Qu'allons-nous devenir ? Où l'ai-je entraînée ? » C'était une nuit magique et dangereuse. « Jamais, se disait-il, je n'ai été aussi vivant, et pourtant je vois bien que je marche vers l'inconnu, peut-être vers la mort blanche, cette mort dont on dit qu'elle engourdit peu à peu le corps et la pensée, si bien qu'on s'en va dans l'illusion trompeuse qu'on s'endort. » Il se raccrochait autant que possible aux paroles de Baldur : « Vous pouvez y aller… » et à l'assurance qu'il lui avait donnée : « Vous ne mourrez pas. »

Ils continuèrent ainsi, ignorant la fatigue qui les ralentissait peu à peu et la cruelle morsure du froid. Ils mangèrent sans s'arrêter le pain que Lia avait chipé dans la réserve de la cantine avant de partir. Ils firent fondre de la neige dans leur bouche.

Ils longeaient depuis longtemps une masse plus sombre, à l'est, une forêt de bouleaux sans doute, quand Lia trébucha et se retrouva à quatre pattes dans la neige. Il l'aida à se relever.

– *Itiyé…*, dit-elle. Ça va.

Elle lui sourit, mais son visage était pâle et ses yeux cernés. Elle tapa le bout de ses doigts gourds les uns contre les autres, à travers les gants.

– Tu es gelée, dit Aleks. On va aller là-bas, dans cette forêt. On pourra se reposer un peu…

– *Net !* répondit-elle et elle indiqua une fois de plus le nord. *Boreït…* là-bas… *Emiyet boreït…* c'est là-bas qu'il faut aller !

Peu après cet incident l'engourdissement le prit.

Il n'aurait pas pensé que cela surviendrait aussi vite. C'était comme s'il avait glissé lentement hors de son propre corps et de la réalité. La sensation de froid elle-même s'atténuait et il trouva cela très inquiétant. Ses pensées commencèrent à divaguer ailleurs, quelque part où il faisait doux et chaud, dans sa maison de Petite Terre. Les voix joyeuses des siens, celle de son père, celle de sa mère et celle de son frère Brisco, l'entouraient. Il se sentait bien.

Il lutta contre ce bien-être trompeur. « Ne t'endors pas ! s'exhorta-t-il. Reste lucide ! » Mais au même moment il se demandait qui était cette personne qui cheminait à côté de lui. Cette personne plus petite, cachée sous la capuche de son manteau, et qui marchait avec le même entêtement, comme une ombre de lui-même qu'aurait projetée sur la neige la lumière de la Voie lactée.

Car le ciel était d'une clarté somptueuse. Jamais il ne l'avait vu aussi vaste, pur et peuplé d'étoiles. Il en descendait comme une musique silencieuse, céleste et fascinante. « Et mortelle…, se disait-il. Attention, cette beauté est mortelle… N'y succombe pas… Reste éveillé ! » Mais les questions les plus simples devenaient insurmontables : « D'où est-ce que je suis parti ? Où vais-je ? Et qui est cette personne qui marche à côté de moi ? »

Alors Lia s'arrêtait, relevait sa capuche et le regardait. Et tout lui revenait d'un coup : le camp, leur fuite dans la nuit glacée, leur audace folle et la beauté bouleversante de ce visage qui voici quelques jours lui était inconnu et qui maintenant constituait le centre de ses préoccupations, de son amour et de sa vie.

– Ça va ? demandait-il.

– *Itiyé…*, répondait-elle. Ça va.

Ils s'embrassaient de leurs lèvres gelées, se pressaient corps contre corps pour sentir l'autre et s'assurer qu'il n'était pas une illusion. Et ils repartaient.

La seconde alerte survint plus tard, au milieu de la nuit. Lia, qui s'accrochait au bras d'Aleks depuis un moment déjà, tomba. Elle n'avait pas trébuché. Ses jambes trop fatiguées venaient de céder sous elle. Aleks s'accroupit, la redressa un peu et l'enveloppa de ses bras.

– Ça va ? demanda-t-il. *Iziyé ?*

Elle éclata de rire.

– Qu'est-ce qui t'amuse ? Qu'est-ce que j'ai dit ?

Elle désigna son oreille et la nomma :

– *Iziyé*...

– Ah, d'accord ! *Iziyé* c'est « l'oreille » et *itiyé* c'est « ça va »... J'ai compris, mais reconnais que ça se ressemble !

– *Ta*..., fit-elle et elle lui donna un petit baiser qui voulait dire : « Merci d'essayer de parler ma langue, mais tu as encore des progrès à faire. »

Il aurait aimé rire aussi mais le cœur n'y était pas, et il lui sembla que le moment était mal choisi pour une leçon de vocabulaire.

– Viens, Lia, dit-il, il ne faut pas s'arrêter. Il faut tenir jusqu'au jour. Regarde, les étoiles pâlissent déjà. Et puis on dirait que le terrain s'élève, là-bas, ce sont les hauteurs dont tu as parlé, non ?

Ils restèrent ainsi serrés l'un contre l'autre, agenouillés dans la neige un peu plus épaisse à cet endroit. Il était terriblement tentant de se laisser tomber sur le côté pour se reposer. Ils n'auraient pas dormi longtemps, quelques minutes c'est tout et ils seraient repartis. Mais ils savaient que ce n'était pas vrai. S'endormir, c'était mourir. Il ne fallait pas. L'effort qu'ils firent pour se relever et reprendre la marche leur donna presque la nausée. L'envie de s'abandonner se fit irrésistible. Comme si rien d'autre n'avait importé que cela : s'allonger et dormir. « Il ne faut pas », répétait au fond d'eux-mêmes une petite voix obstinée, le seul fil qui les tenait à la vie.

Ils cheminèrent longtemps sans se parler, afin d'économiser leurs forces, sans s'arrêter non plus, car s'arrêter signifiait se figer pour toujours. Au fil des heures, leurs pas se firent plus lents, plus incertains, comme irréels. Aleks essayait de se persuader que l'éclat des étoiles se ternissait vraiment, que le petit jour s'annonçait et avec lui la chance d'un secours.

Puis, insensiblement, ils entrèrent dans une sorte de marche hypnotique, où ils se demandaient s'ils marchaient pour de bon ou bien s'ils le rêvaient.

La nuit, dans sa beauté insidieuse et cruelle, entra en eux. Et tout se dérégla.

Tantôt il semblait à Aleks que le ciel était le lustre de cristal d'un salon gigantesque et baroque, tantôt au contraire qu'il se vidait d'étoiles et devenait tout blanc. L'instant d'après, il resplendissait d'un violet profond.

Tantôt le silence se refermait sur la plaine, si dense qu'ils n'auraient pas pu le rompre même en hurlant, tantôt la fanfare assourdissante d'un orchestre symphonique descendait du cosmos et se déversait sur eux.

« Venez… venez…, disaient la nuit, le ciel et le froid. Venez à nous… Est-ce que notre spectacle vous plaît ? Est-ce que le décor vous convient ? Et la musique ? »

Aleks ne sut pas de quelle façon il se retrouva portant Lia chargée en écharpe sur ses épaules. Sans doute était-elle tombée une fois de plus et qu'il l'avait recueillie. Il se souvint de la dernière image consciente : les yeux de Lia brillants de désespoir, et sa plainte :

– *Syita, Aleks, palyé net...* Désolée, Aleks, je n'en peux plus.

Maintenant, il allait avec cette charge sur les épaules. Lucide à nouveau. Les étoiles avaient redoublé d'intensité, comme si la nuit, après avoir fait semblant de s'achever, recommençait sa féerie depuis le début : le froid intense, l'absence de vent, le ciel illuminé, la plaine sans fin. Depuis longtemps il ne sentait plus ses membres. Il avançait comme un automate vers cette hauteur que Lia avait désignée, là-bas quelque part au nord, *boreït...* Il ignorait ce qu'ils pouvaient attendre de ce « là-bas » mais il n'avait pas d'autre espérance que de s'y diriger.

Lorsqu'il tomba, tête en avant, écrasé par le poids de Lia, il sut qu'il ne se relèverait pas, qu'il n'en avait plus la force. Mais il s'acharna à y croire encore, pour s'accrocher à quelque chose, pour entretenir l'infime espoir qu'il n'allait pas mourir ici, dans ce désert glacé, loin des siens, comme un animal. « Je veux juste me reposer un peu et je repartirai... je vais dormir une minute, deux peut-être et tout ira bien, tout ira bien, *itiyé...* » Son visage était enfoui dans la neige, son nez peut-être cassé.

« Je vais rester une minute encore sans bouger, comme ça, puis je dégagerai mon visage, très facilement... et je me relèverai, oui, je me relèverai sans peine... est-ce que d'ailleurs je ne suis pas déjà en train de le faire ? Si... voilà je suis debout et je marche... Oh, comme je marche plus facilement que tout à l'heure… et Lia ne me pèse plus… j'ai bien fait de m'accorder cette petite halte… non, je suis encore au sol… j'ai juste cru que… je suis toujours au sol… mais pour quelques secondes seulement… dès que je le voudrai je me relèverai… »

Puis il lui sembla que le ciel se couvrait, qu'il faisait bien plus sombre soudain. Cela le rendit furieux. C'est le jour qui devait venir ! Pas la nuit ! En quelques instants, les nuages éteignirent la lumière des étoiles.

Et la neige se mit à tomber.

Des flocons épais et silencieux que l'obscurité rendait invisibles commencèrent à recouvrir leurs deux corps.

Il essaya de bouger, de se débattre, de se révolter, mais ses muscles transis ne lui appartenaient plus et la révolte n'avait lieu que dans sa tête.

– Lia, gémit-il, pardonne-moi… je ne peux pas me relever… je n'ai plus de forces… Lia, tu m'entends ?

La jeune fille qui reposait, inerte, sur lui, ne répondit pas.

Alors il se mit à pleurer et à crier :

– Baldur ! Baldu-u-u-r ! Tu t'es trompé ! Tu m'avais dit qu'on ne mourrait pas ! Baldu-u-u-r ! Baldur Pulkkinen, je te déteste ! Baldu-u-u-u-u-u-r ! Baldu-u-u-u-u-u-r !

7 *Dans l'étable*

Il s'étonna que son cri dure autant, qu'il puisse le maintenir aussi longtemps sans reprendre son souffle, puis il comprit que cette stridence ne provenait pas de sa gorge. C'était un bruit différent et qu'il connaissait très bien, un de ceux qui lui étaient le plus familier et le plus cher : le crissement des lames d'un traîneau sur la neige. Cela le rassura. « Je ne suis pas mort, se dit-il, à moins qu'on n'emporte ainsi les âmes, dans ce pays, sur un traîneau qui glisse... »

Il eut la sensation très floue que des mains le manipulaient, le frottaient, le frictionnaient. À la suite de quoi ce fut à nouveau un long vide blanc dépourvu de sensations, une sorte de tunnel blafard. Puis le bruit des lames se transforma et laissa la place à un autre, insistant, entêté, et qu'il identifia très vite aussi : le sifflement de plus en plus aigu d'une bouilloire.

Deux voix s'y mélangeaient. Il identifia sans peine la première.

– *Bor keskien syimat* ? criait Lia.

Elle semblait furieuse, comme indignée, et elle répétait, très en colère :

– *Keskien syimat ?*

L'autre voix était incroyable. Une voix de gorge, terriblement éraillée. La voix d'un canard qui aurait avalé une râpe à fromage. On aurait dit que son propriétaire, un vieil homme sans doute, parlait ainsi pour faire rire. Sauf que personne ne riait. Il coupait la parole à Lia et criait encore plus fort qu'elle :

– *Batyoute ! Hok ! E pestyé net boratch ! Hok ! Batyoute !*

Son discours était parsemé de petits rots intempestifs *hok !* qui rythmaient les phrases.

Aleks écouta un moment, puis il ouvrit les yeux et la première chose qu'il vit fut la croupe impressionnante d'un grand cheval de trait, un percheron. Comme il n'imaginait pas du tout ainsi le royaume des morts, il acquit la certitude qu'il était toujours de ce monde.

Une vapeur dense s'élevait des flancs de l'animal. Sans doute venait-on juste de le rentrer. Un traîneau encore dégoulinant de neige fondue était rangé contre le mur. « Une étable, se dit Aleks, je suis dans une étable... » La pièce était basse de plafond et sombre, munie d'une seule petite fenêtre crasseuse. Cela sentait le fumier, le cuir et le cheval. Il gisait sur un lit de paille, contre le mur du fond. Une couverture grossière le recouvrait des pieds à la tête. Il était vêtu d'une chemise inconnue, pas très propre, mais sèche, et d'un manteau. Il reconnut sa capote militaire accrochée à un clou, contre la porte.

De l'autre côté de la cloison de planches, la

dispute s'envenimait, attisée par le sifflet exacerbé de la bouilloire. Il découvrait là un nouvel aspect de Lia : elle pouvait avoir un sacré caractère ! Le canard ne parvenait pas à la dominer. Au contraire, c'est elle qui finit par imposer sa colère. Il l'entendit crier : « *Sostyasit !* », ouvrir la porte et sortir. L'instant d'après, elle faisait irruption dans l'étable. Dans sa hâte, elle ne vit même pas qu'Aleks avait repris connaissance. Elle arracha la capote militaire du clou, la retourna complètement en commençant par les manches et l'emporta avec rage.

– Lia..., appela-t-il faiblement, allongé sur le côté et tout engourdi encore.

Mais la jeune fille avait déjà disparu avec l'uniforme.

Il tenta de remuer ses doigts et ses orteils. Le sang revenu y battait et cela le faisait souffrir. Il serra les dents et se rappela les paroles de Baldur qu'il avait maudit quelques heures plus tôt : « Pour le malheur, la souffrance et tout ça, je ne te garantis rien. Je vous vois vivants, c'est tout. »

Ils étaient vivants.

Il dormit pendant un temps impossible à mesurer et, quand il se réveilla, Lia était près de lui, assise sur ses talons, un bol en terre ébréché et fumant dans les mains. Elle le regardait avec tendresse.

– *Temni, Aleks, diouk...* Tiens, Aleks, bois...

Il se redressa sur le coude et but. C'était un thé très foncé et très amer, sans sucre, mais le liquide brûlant, en coulant dans sa gorge, le ramena définitivement à la vie.

– Où sommes-nous ? demanda-t-il.

Lia entreprit alors de lui expliquer comment ils étaient arrivés là. Elle le fit à sa manière, avec beaucoup de gestes et de mimiques, montrant tour à tour le cheval, le traîneau, la cloison derrière laquelle l'homme se taisait maintenant, se désignant elle-même ou le désignant lui, Aleks. Elle traça aussi des petits dessins avec un bâton dans la poussière du sol, si bien qu'il parvint à comprendre l'essentiel de ce qui s'était passé. Il comprit également que leur sauveur était un drôle de numéro.

– *Daak*..., souffla-t-elle en montrant la cloison, il est cinglé. *Toumtouk daak*... complètement cinglé. *O diouket*... et il boit... *krestya meï ayt boogt*... il m'a chargée sur son traîneau... mais pas toi... il t'aurait laissé mourir... *kietz uniform*... à cause de ton uniforme... on s'est presque battus pour qu'il accepte de retourner là-bas et te ramener toi, *it fetsat*... un ennemi... *Baltyi en ?* Tu comprends ? *Teï chostyin*... je t'ai frictionné pour te réchauffer...

Aleks comprenait. Il avait dû rester bien plus longtemps que Lia dans la neige et c'est pourquoi il s'en remettait si mal. Il l'avait sauvée en la portant sur ses épaules, et elle l'avait sauvé à son tour en obligeant l'homme à rebrousser chemin et à venir le chercher.

– *Itiyé ?* demanda-t-elle.

– *Itiyé*... ça va, répondit-il.

Ils burent le reste de thé et s'allongèrent tous les deux sur la paille, à l'abri de la couverture. C'était inconfortable, rêche, cela sentait le fumier, et la proximité du cheval inquiétait. On avait l'impression qu'il pouvait à chaque instant vous tomber dessus et vous écraser de son énorme masse. Malgré cela, Lia s'endormit aussitôt. Depuis le petit matin elle s'était démenée pour convaincre l'homme de recueillir Aleks. Maintenant l'épuisement l'avait rejointe.

Elle dormait, abandonnée, la bouche légèrement entrouverte, sans aucun souci d'être belle, mais elle l'était d'autant plus, pensa Aleks. Il regarda longuement ses lèvres, le grain de sa peau, les paupières, les cils. Il essaya de l'imaginer ailleurs qu'ici, vêtue d'une jolie robe, parfumée, coiffée. Elle serait magnifique, se dit-il. Mais elle n'était pas moins désirable sur cette paillasse malodorante, vêtue de son manteau de cantinière, de ses bas de laine et de son bonnet. Il caressa ses joues du bout des doigts et s'étonna une fois de plus qu'elle soit vraiment là, à côté de lui, que cela continue.

Ils furent réveillés après quelques heures de sommeil par des coups furieux donnés contre la cloison de planches.

– *Kastiet ! Hok ! Abi kastiet !* criait l'homme de son ahurissante voix de canard.

– *Bulat nostyé at dietdin...*, expliqua Lia, il nous appelle pour manger.

– *Abi kastiet ! Hok !* répéta l'homme.

Aleks l'imita à voix basse :

– *Abi kastiet ! Hok !*

Il s'étonna d'y arriver du premier coup et parfaitement. La voix de canard, le hoquet final, tout y était. Alors le fou rire les prit. Irrépressible. Incontrôlable. Il déferla sur eux comme une marée. Ils firent tout pour ne pas se faire entendre, mais c'était impossible. Ils rirent à s'en étouffer. Ils rirent pour s'arracher aux heures terribles qu'ils venaient de traverser, pour chasser loin d'eux le visage de la mort qui les avait frôlés de si près. Ils rirent pour célébrer la vie revenue.

– *Kastiet ! Hok ! Kastieeeeeiiiit !* insista le vieux en cognant de plus belle, et sa voix fit sur la fin du mot un tel dérapage dans les aigus que Lia faillit exploser.

Incapable de répondre, elle se tenait le ventre, se mordait les lèvres.

– *Balestyou…* on arrive, parvint-elle à dire finalement, après avoir respiré trois fois bien à fond.

En découvrant Rodione Lipine, Aleks eut un véritable choc. Il eut l'impression troublante de voir apparaître devant lui une sorcière Brit au masculin ! Même petit corps sec et noir semblable à une vieille racine, même incroyable vitalité. Quel couple ils auraient formé à tous les deux !

Il possédait une chose cependant que Brit ne possédait pas : un rire provocateur, énorme et tonitruant, un rire sans joie, un rire de fou : *ha ! ha ! ha !* une sorte de défi au monde qui devait s'entendre à des kilomètres, mais qu'il réservait à ses propres plaisanteries.

Cet homme ne devait pas peser plus de quarante kilos. Il portait, dedans comme dehors, des bottes fourrées d'un autre âge, un manteau rapiécé et une casquette de fourrure sale et bourrue sous laquelle son visage de rat paraissait minuscule. Un long nez pointu en émergeait de manière comique.

Dès qu'Aleks entra dans la pièce, il lui jeta un unique coup d'œil, assassin et parfaitement explicite : « Toi, l'ennemi, si je ne te fous pas dehors, c'est juste parce que cette fille va encore m'engueuler si je le fais, mais c'est pas l'envie qui m'en manque ! »

Aleks reçut le message et prit la résolution de se faire aussi petit que possible.

– *Dietdé ! Dioukdé ! Hok !* fit l'homme en leur montrant la table, mangez, buvez !

La pièce était sale, le sol en terre jonché de détritus, la cheminée noire de suie. Sur l'arrière on distinguait un lit-cage sombre et exigu d'où dépassait un drap presque gris. À manger, il y avait du pain dur, des pommes de terre cuites et du lard. Aleks considéra le fond de la marmite culotté sur deux bons centimètres. À croire qu'on ne l'avait pas récurée depuis un siècle. « Après ça, se dit-il, ou bien je meurs tout de suite, ou bien je résiste à tout. » Il mangea de bon appétit et ne mourut pas.

À boire, il y avait une bouteille à demi remplie. Est-ce que c'était de l'eau ? Oui, répondit l'homme, *skaya*... de l'eau... Lia s'en versa un verre, goûta et porta aussitôt ses deux mains à sa gorge. C'était de l'eau, en effet, mais... de-vie.

– *Firtzet !* gémit-elle d'une voix pitoyable dès qu'elle put à nouveau parler, *firtzet*... du feu...

Aleks goûta à son tour, du bout des lèvres, et il comprit pourquoi cet homme survivait à tous les microbes de sa marmite : aussitôt absorbés, ceux-ci périssaient par l'alcool.

Au cours des huit semaines qu'Aleks et Lia passèrent dans le village abandonné, ils ne rencontrèrent pas d'autre personne humaine que Rodione Lipine. Celui-ci leur révéla, par bribes, selon son humeur et dans le plus grand désordre ce qu'avait été sa vie passée et ce qu'elle était devenue. Il était confus et Lia elle-même avait du mal à le suivre dans ses divagations. Malgré les efforts qu'elle faisait pour expliquer à Aleks, celui-ci n'était jamais sûr de bien saisir. Voici pourtant ce qu'il parvint à comprendre au fil des jours :

– Rodione avait été marié à une femme nommée Polina pendant une vingtaine d'années. Il l'avait détestée.

– Le village avait abrité plus de deux cents personnes autrefois et Rodione jouait de l'accordéon les soirs de fête. Il avait toutes les filles qu'il voulait. Il ouvrait les bras, elles tombaient dedans *ha ! ha ! ha !*

– Parfois, il avait des hallucinations et se comportait comme si Polina, sa femme, était encore à ses côtés. Il la rudoyait, pestait contre elle à propos du rangement, de la cuisine, de tout. Il lui lançait des insultes et des obscénités épouvantables – Lia s'en bouchait les oreilles – et il finissait par jeter des casseroles sur le fantôme de la malheureuse.

– Il avait bu son dernier gobelet d'eau à l'âge de quatorze ans. C'était bon pour les enfants et les bêtes, l'eau... et il n'était ni un enfant ni une bête.

– La nuit parfois, il pleurait et appelait : Polina... Polina... Il lui demandait pardon et s'apitoyait sur lui-même.

– Avec la guerre, tous les hommes avaient rejoint l'armée. Les femmes et les enfants étaient partis à leur tour à mesure que l'ennemi approchait, et pour finir les vieux et les vieilles. Bref tous avaient quitté le village, tous sauf lui, Rodione, et il crèverait ici.

– Du haut de la colline, derrière la maison, on pouvait voir l'Afrique, certains jours. Il l'avait vue, lui.

– Le cheval n'avait pas de nom. À quoi ça sert de donner un nom à un animal ? Ça ne l'empêchait pas d'être un bon cheval, et de valoir mieux que les hommes.

– Peut-être que Polina n'était pas morte toute seule, peut-être qu'il l'avait aidée un peu, mais personne n'avait pu le prouver *ha ! ha ! ha !*

Le village, blotti dans un creux de la colline, était invisible depuis la plaine. Une forêt de pins souffreteux le protégeait du vent, à l'est. Il comptait une cinquantaine de maisons de pierre. Beaucoup tombaient en ruine et leurs toits étaient effondrés, d'autres étaient restées debout. Rodione Lipine ne se gênait pas pour visiter les unes et les autres et s'y servir en outils, en ustensiles de toutes sortes et en bois de chauffage, selon ses besoins. La sienne se situait un peu à l'écart des autres, en contrebas.

Un beau jour, il disparut et ne rentra que le lendemain soir, son traîneau chargé de victuailles : pommes de terre, navets, viande et poisson séchés, pain noir, fromage, sel, eau-de-vie. Beaucoup d'eau-de-vie... Où avait-il trouvé ça ? Dans un autre village, *boreït*... là-bas... En échange de quoi ? *Ha ! ha ! ha !* Quelle question ! Peut-être qu'il possédait caché quelque part un coffre rempli de pièces d'or ! Comment il avait gagné ce trésor ? Qui a dit qu'il l'avait gagné ? *Ha ! ha ! ha ! Hok !*

Son discours était un mélange de délires et de vérités. Il suffisait de faire le tri. Si on le pouvait.

La première tâche qu'Aleks et Lia se donnèrent fut d'aménager leur coin d'étable. Ils le rendirent aussi propre que possible. Ils balayèrent le sol et les murs, lavèrent, remplacèrent leur paille par un assez bon matelas de feuilles trouvé dans une maison voisine. Ils décrassèrent les carreaux de la fenêtre pour que la lumière du jour puisse entrer. Ils se procurèrent assez de couvertures pour se tenir au chaud, car hors des repas Lipine ne les tolérait pas ailleurs que dans l'étable. Dans ce combat permanent contre le froid, le cheval fut leur meilleur allié. On ressentait à deux mètres de distance la chaleur de son grand corps. C'était vraiment un bel animal à la robe foncée, aussi calme et tranquille que son maître était agité. Sa crinière blonde et soyeuse descendait bas sur ses épaules. Comme ils lui cherchaient un nom, Aleks se rappela le cheval du diacre de Myrka qui emportait Gudrun dans la nuit… «*file la lune… chevauche la mort…*» et il le nomma Faxi.

Il regretta de ne pas pouvoir raconter l'histoire à Lia. Il regretta davantage encore de ne pas pouvoir lui parler comme il l'aurait voulu de son frère Brisco, de ses parents, de Petite Terre. C'était très agaçant. Il essayait de retenir les mots de la langue de Lia mais sans papier ni crayon pour les écrire, c'était difficile. Souvent ils s'empêtraient dans des explications épuisantes :

– Brisco n'était pas mon vrai jumeau, Lia, la sorcière Brit l'avait apporté à ma mère…, ma mère oui… *amar meyit*… c'est comme ça que tu dis ?

– *Brit, amar teyit ?*
– Non, Lia, la sorcière Brit n'est pas ma mère ! Oh mon Dieu, pourquoi est-ce que c'est si compliqué de se faire comprendre ?

Lia était plus douée que lui dans cet exercice. Elle était inventive et savait exploiter à fond toutes les ressources disponibles : les gestes, les mimiques, les grimaces, les dessins. Elle pouvait être drôle un instant et bouleversante celui d'après. Il apprit qu'elle avait quitté son village en flammes… que son père avait mis lui-même le feu à sa propre maison… *firtzet, Aleks*… le feu… *apar meyit*… mon père… À ce souvenir, elle éclata en sanglots et mit très longtemps avant de pouvoir continuer. C'est la première fois qu'il la voyait pleurer. Il la prit dans ses bras. Il n'avait aucun mal à imaginer : le père qui met le feu à la maison qu'il a construite pour les siens, la famille qui regarde, Lia qui voit brûler tout ce qui a été sa vie de petite fille. Toute cette rage et tout ce désespoir.

Puis elle lui expliqua qu'ils étaient tombés entre les mains de l'ennemi, qu'elle avait été arrachée à sa famille, qu'un officier avait essayé d'abuser d'elle mais qu'elle l'avait mordu au sang… *boldye ! tay boldye !*… qu'elle s'était enfuie… qu'elle avait été reprise et qu'elle avait fini comme cantinière dans ce camp où elle avait rencontré un jeune homme complètement fou *toumtouk daak*… nommé Aleks…

Quand ils n'en pouvaient plus, quand ils s'agaçaient trop de mal se comprendre, ils finissaient toujours par en rire et par se dire : ça ne fait rien, laissons ça, taisons-nous ! Et ils se réfugiaient dans le silence.

Ils se glissaient sous les couvertures et oubliaient les mots.

Les verbes devenaient des caresses, les adjectifs des baisers. En peu de temps ils découvrirent l'un de l'autre toute la grammaire de leurs corps silencieux.

Et le vocabulaire.

Et l'orthographe.

Et la conjugaison.

Cela sous la protection paisible du cheval Faxi qui s'en désintéressait absolument.

Quand ils étaient apaisés, Aleks aimait parler à Lia, doucement. Il se perdait dans ses yeux noirs et lui soufflait des mots qu'il n'aurait jamais osé lui dire s'ils avaient partagé la même langue : mon petit amour brûlant… mon amour de neige… ma petite vache *ekletiyen*… ma première femme… ma toute douce… Elle les écoutait sans les comprendre, de toute son âme, et lui répondait avec la peau.

Un souci pourtant préoccupait Aleks et l'empêchait d'être tout à fait heureux. Ce n'était pas l'incertitude de leur sort, ni la peur d'être pris et exécuté comme déserteur. Non, c'était autre chose. Une pensée indistincte, trouble, angoissante. Elle rôdait autour de lui comme un animal invisible. À plusieurs reprises, il crut la tenir, mais elle s'échappa. Il détestait cela.

Il y avait quelque part un danger. Tout proche. Il en était certain, lui, Aleksander, « celui qui protège. » Il l'avait dit à Lia : « Je suis celui qui protège. » Des vibrations le mettaient en alerte, mais il ne parvenait pas à comprendre d'où venait la menace. Il interrogeait la maison, le village, la colline, le bois. Il ne trouva rien. Il n'en parla pas à Lia.

Les quelques semaines passées dans la maison de Rodione Lipine furent pour les deux amoureux une période suspendue hors du monde et du temps. La vie était rude mais ils arrivèrent à force d'ingéniosité à la rendre presque confortable.

Tous les cinq ou six jours, ils faisaient chauffer de l'eau dans la cheminée, transportaient les seaux et remplissaient un grand baquet dans l'étable qui s'embrumait alors de vapeur. Ils faisaient basculer la barre qu'Aleks avait installée à la porte, obturaient la fenêtre pour se cacher de Rodione, puis ils se déshabillaient, entraient dans le baquet et s'y lavaient ensemble, au savon noir, longuement, jusqu'à ce que Lia dise : « *Skaya a kod, irtyé*... L'eau est froide, je sors. »

Malgré les protestations véhémentes du vieux fou, ils nettoyèrent la pièce d'habitation, désencrassèrent la cheminée, lavèrent la marmite... Le bois ne manquait pas et le feu pouvait brûler en permanence. Lia avait l'art de cuisiner avec peu, et les repas pouvaient même prendre un air de fête quand Rodione avait piégé une perdrix pas trop maigre ou un lapin des neiges.

Souvent, ils partaient tous les deux en exploration dans le village fantôme et entraient dans les maisons abandonnées à la recherche de ce qui leur manquait : une casserole, un coussin, un drap, une bougie, un morceau de craie. Mais ils ne le faisaient pas comme des pillards. En chaque lieu ils tâchaient d'imaginer les personnes qui avaient vécu là, se demandant comment elles s'y étaient parlé, aimées. Si elles avaient été heureuses. Ce qu'elles étaient devenues maintenant.

Il leur arrivait de tomber sur un vêtement, sur un jouet qu'un père ou une grand-mère avait bricolé : une petite charrette en bois tirée par un cheval, une poupée de chiffon…

Un après-midi, ils firent leur découverte la plus précieuse : un cahier d'écolier et un crayon. Écrire des listes de mots dans leurs deux langues, les apprendre et s'exercer à les dire devint leur passe-temps favori. Ils en remplirent des pages et des pages, ils y passèrent des heures.

Daak, c'était « fou » bien sûr, leur premier mot ! *Kiét* c'était « petit » et *bastoul* « grand », *boogt*, le « traîneau », *boldye* le « sang ». *Temni !* signifiait « Tiens ! ». « Manger » se disait *dietdin*, mais « mangez ! » se disait *dietdé !* et « mange ! » *dietdi ! Boreït*, c'était « là-bas » et *boratch* « ici ». *Skaya* « l'eau », et *firtzet* « le feu ». « Mon » c'était *meyit* et « ma » *meyit* aussi. En revanche « partir quelque part » se disait de deux façons différentes : *balestdin* ou *kreïdin*, suivant qu'on y allait une seule ou plusieurs fois ! Dans tous les cas *batyoute !* voulait dire « on s'en fiche ! »

Lia enseigna à Aleks les deux mots les plus importants d'après elle : *otcheti tyin…* la paix soit avec toi, ou *otcheti ots* si tu t'adresses à plusieurs personnes, la paix soit avec vous, et le geste rapide qui va avec : tu lèves ta main droite devant toi, pas trop, juste comme ça, puis tu touches ta poitrine. Si tu salues quelqu'un de nous de cette façon, rien ne t'arrivera…

Certaines choses étaient faciles à exprimer,

d'autres incroyablement rebelles. Comment, par exemple, faire comprendre à Lia cette simple idée : « Mon ami Baldur est capable de prévoir l'avenir » ? Tous les dessins, toutes les mimiques, tous les mots disponibles n'y suffisaient pas.

Parfois, ils s'éloignaient un peu et exploraient les environs du village, les sous-bois, ou bien les hauteurs depuis lesquelles ils contemplaient la plaine qui avait failli les dévorer. De là-haut, on la voyait dans ses quatre directions, silencieuse et blanche, comme en attente d'eux. « Venez, venez donc, semblait-elle dire, vous voyez bien que je ne suis pas si terrible, vous êtes vivants, oui ou non ? »

L'idée de repartir et de l'affronter à nouveau les terrifiait. Elle ne leur donnerait pas une seconde chance. Et le miracle qui les avait mis sur la route de Rodione Lipine ne se produirait pas deux fois. Où seraient-ils allés, d'ailleurs ? Lia était une fugitive, et Aleks pire : un déserteur. D'un autre côté, la perspective de rester ici ne les enchantait guère.

Les jours passèrent, les semaines.

Rien d'important n'arrivait jamais, et malgré le miracle permanent d'être ensemble et de s'aimer, il leur arriva de se sentir désœuvrés, presque tristes.

C'était troublant de n'avoir aucune nouvelle du monde, ni des gens, ni de la guerre. Il y avait juste le silence de la plaine, en dessous, et parfois la bise qui sifflait dans la forêt voisine, la nuit. La vie était faite des menus événements du quotidien : fendre du bois, prendre soin du cheval, réparer le traîneau, préparer les repas, apprendre le vocabulaire du cahier, sculpter les figures d'un jeu d'échecs dans du bois dur.

Puis il arriva ceci : la pensée qui avait hanté Aleks pendant des semaines revint. Plus forte. Elle avait continué à voyager en cercles concentriques autour de lui. Puis elle s'était rapprochée, chaque jour un peu plus, sans qu'il puisse l'identifier. Un jour enfin, elle fit une percée et s'imposa à lui, avec la soudaineté d'une ombre qui surgit à l'improviste près de vous, dans le noir, et vous fait sursauter.

C'était l'après-midi. Il fendait du bois derrière la maison lorsque la révélation le frappa. Il suspendit son geste et resta comme pétrifié pendant quelques secondes.

Elle tenait en peu de mots, cette pensée : Rodione Lipine lui faisait peur.

8 *L'Afrique*

Rodione Lipine marcha à grandes enjambées vers le dernier piège, dans le sous-bois. Il n'avait rien trouvé dans les autres, même pas dans celui de la plaine, en bas, où les lapins venaient se faire prendre.

Depuis que sa vue avait baissé, quelques années plus tôt, il avait renoncé au fusil. Il l'avait accroché au mur, dans son lit-cage, et s'était mis à cette autre chasse, plus silencieuse et plus cruelle. Elle lui convenait. Il y avait pris goût. On pouvait voir de près les bêtes vivantes dans la cage, affolées de terreur : des renards, des lièvres, des campagnols… Et on pouvait décider à sa guise : toi je te lâche, toi je te mange, toi je te tue… Le plus souvent c'était toi je te tue ha ! ha ! ha !

La fille savait s'y prendre pour dépecer le gibier, le vider, le préparer. Bien sûr qu'il l'avait pas tirée de la neige et ramenée chez lui pour ça, la demoiselle. Bien sûr que non. Il avait autre chose en tête ha ! ha ! ha ! Il l'aurait bien passée à la casserole, elle, plutôt que le gibier ! Seulement comment faire avec l'autre, là, cette saleté d'étranger qu'on comprenait rien à son charabia et qu'on aurait dit le bon Dieu quand elle le regardait ?

– Si vous allez pas le chercher, je vous plante ça dans le ventre, elle avait dit en pointant vers lui un vieux couteau à viande à moitié rouillé, je vous jure que je vous le plante !

À peine dégelée, elle était drôlement combative, la tigresse !

– Que j'aille chercher ce *fetsat* de mes fesses ? Il peut crever ! J'y retourne pas ! C'est mon cheval, c'est mon traîneau, je fais ce que je veux !

Mais c'est qu'elle lui avait vraiment sauté dessus et piqué le couteau dans le bide, cette furie ! Il en avait encore la marque. Pourtant, elle la ramenait moins, l'heure d'avant, quand il l'avait jetée sur son traîneau, toute raide de froid. Il avait aperçu une tache sombre sur la neige, juste avant le bois. Ça tombait dru. Deux minutes de plus et elle était recouverte. Il l'avait retournée, pour voir. Et il avait vu. Oh, vingt dieux la jolie petite ! Ça se laisse pas perdre, un morceau pareil ! Et puis il avait vu l'autre, couché dessous, avec son uniforme. Un *fetsat* ! Merde alors ! Qu'est-ce qu'il fait là celui-ci ? Et elle, c'est qui, alors ?

Il avait fallu qu'elle se réveille et qu'elle parle pour qu'il comprenne : elle causait la même langue que lui ! Elle était du pays ! Et elle fricotait avec un *fetsat* ! La garce !

Elle lui rappelait Polina par certains côtés. Un sacré caractère. Sauf que Polina était moche comme un pou, et grosse, et qu'elle puait. Au début de leur mariage non, elle puait pas. Elle se tenait propre. La preuve : elle se lavait une fois par mois en entier. Après, ça s'était gâté. Polina, elle était la seule à le vouloir dans son lit, il avait pas eu le choix... Pas comme ce crétin d'accordéoniste qui les basculait toutes. Celui-là il lui aurait bien tiré une cartouche à caribou dans le ventre ! Est-ce qu'il l'avait pas fait d'ailleurs ? Peut-être bien que si ! Il était mort comment déjà, l'accordéoniste ? Des fois ça se mélangeait un peu, toutes ces morts...

Le ressort de la trappe avait bien fonctionné. Il y avait une hermine dans le piège. En sentant l'homme s'approcher, elle se mit à tourner avec frénésie dans la cage. Il entrouvrit la porte de la trappe, juste assez pour glisser sa main nue. Elle se débattit, le griffa, le mordit mais il ne s'en soucia pas. Il l'immobilisa dans son poing et la regarda dans les yeux. Salut, ma belle ! Puis il lui brisa la nuque, comme on casse une branche, et il fourra la dépouille sous sa veste.

Au sortir du bois, il obliqua dans la montée. Il irait voir ses bêtes avant de rentrer. Avec ce temps bouché, c'était le bon jour pour ça. La pente était raide. Il marcha penché en avant, sans s'arrêter ni ralentir. Arrivé au sommet de la colline, il tira de sa poche une fiole aux trois quarts pleine. Il en dévissa le bouchon et se la vida dans le gosier jusqu'à la dernière goutte. Le froid pinçait et l'alcool répandit une onde de chaleur dans son corps.

Puis il regarda en bas. Le soir tombait. Juste en dessous, un reste de lumière faisait scintiller le givre. Au-delà, c'était de la purée de pois. Il plissa les yeux vers l'endroit où elles venaient, les bêtes, là-bas, derrière ce gros amas de brume, juste au-dessus du bois.

Il en vit deux qui buvaient dans le fleuve, des éléphants, deux gros mâles… Et une girafe un peu plus loin, qui étirait son cou dans les branches hautes d'un acacia. Il rota, furieux. Il y en avait beaucoup plus, avant ! Il se rappelait en avoir vu par centaines. Des troupeaux et des troupeaux ! Des singes ! Des rhinocéros ! Et les tam-tams qui donnaient ! Et la chaleur qui vous trempait le dos ! C'était fini, ça ! Depuis que les deux étaient arrivés chez lui, tout s'était détraqué. Les bêtes avaient peur sans doute, et elles venaient moins.

Il en pouvait plus de ces deux-là ! Surtout de ce *fetsat*, qui se foutait de lui en imitant sa voix. Il croyait peut-être qu'il l'entendait pas ! Il entendait tout ! La cloison était mince ha ! ha ! ha ! Le dernier qui l'avait imité, il l'avait regretté pourtant ! C'était le rouquin de la maison d'en haut. Un coup de crosse derrière la tête, une poussée de l'épaule et à l'eau, *plouf* ! Ah non, c'était pas ça ! Ça lui revenait, maintenant : il lui était passé dessus avec son cheval, trois ou quatre fois, pour lui briser les os ! Voilà comment il l'avait eu, le rouquin ! À moins qu'il ne l'ait pas tué du tout finalement… C'est que ça remontait à trente ans en arrière, ça ! On a le droit d'oublier un peu, non ? Et puis il y a eu tous les autres. Et puis des fois on mélange ce qu'on a vraiment fait et ce qu'on avait juste envie de faire. Ça se brouille tout ! Pour Polina, au moins, il était sûr. Il se rappelait bien parce que ça avait duré longtemps. Empoisonner ça dure longtemps.

Un des deux éléphants leva la tête dans sa direction et poussa un long barrissement. Oui, oui, mon gros, je sais, toi aussi t'en as marre de ces intrus, mais tu dois comprendre : si je lui envoie une cartouche dans le ventre, à lui, tu crois qu'elle va sauter dans mon lit pour me remercier, la sauterelle ? C'est pas certain ! Qu'est-ce que tu dis ? Que c'est pas obligé que ça se passe dans le lit ? Et pas obligé non plus qu'elle soit d'accord ? T'as raison. Tu sais que t'es pas bête, l'éléphant ? Pas bête pour une bête ha ! ha ! ha ! ha ! ha ! ha !

L'idée de la fille, dans son lit ou ailleurs, lui mit dans le corps une chaleur qui ne devait plus rien à l'alcool. Il sortit la fiole de sa poche, se rappela qu'elle était vide et la jeta dans la neige. Et je vous nourris, en plus ! Vous vous tapez la cloche à mes frais, hein ? Et vous brûlez mon bois ! Et vous faites peur à mes bêtes ! Vous me prenez pour un joli couillon, finalement !

La girafe délaissa les feuilles d'acacia et le regarda de ses yeux tendres, sans cesser de mâchonner. Hein, ma belle, qu'ils nous prennent pour des couillons ? Eh ben, tu sais quoi ? On va remettre de l'ordre là-dedans ! T'es d'accord ? Tu fais confiance à Rodione ? Allez ! On va remettre les choses à l'endroit…

Aleks abandonna sa hache sur le tas de bûches et contourna la maison. Il n'y avait aucune urgence, mais il ne put s'empêcher de trottiner. Il poussa la porte de l'étable.

– Lia ! Tu es là ?

La jeune fille ne répondit pas. Il se tourna alors en direction du bois et appela plus fort :

– Lia ! Où es-tu ?

– *Io boratch…*, répondit-elle depuis l'intérieur, je suis ici !

Il entra, soulagé. Elle était en train de rassembler des braises dans la cheminée pour y mettre la bouilloire à chauffer. Une table sommaire était mise : deux bols et une assiette creuse, les cuillères, du pain. La soupe bouillonnait dans la marmite.

Elle se retourna, surprise.

– *Keskien ?* Qu'est-ce qu'il y a ?

– Viens ! On mangera dans l'étable !

Il prit les bols, y versa deux louches de soupe et les emporta. Puis il revint chercher un morceau de pain.

– Viens, je te dis…

– *Rodione ?* demanda-t-elle.

– Laisse tomber Rodione. Il mangera tout seul. *Batyoute !*

Comme elle ne bougeait pas, il la prit doucement par le bras, l'obligea à se lever et l'entraîna dans l'étable. Ils mangèrent en silence, assis contre la mangeoire de Faxi. Dès qu'ils eurent fini, Aleks prit un petit bâton et dessina au sol pour faire comprendre à Lia ce qu'il voulait lui dire :

– Regarde, Lia : ça c'est la maison de Rodione… *Rodione molyin…* et ça ce sont les autres maisons du village, d'accord ?

Il barra la maison de Rodione d'une grande croix.

– Demain, nous deux… *geliodout… portiz…* nous irons habiter dans une autre maison… Tu comprends ? *Balty en ?* Dans celle-ci, par exemple, ou dans celle-là, celle où on a trouvé le cahier. On aurait dû le faire avant…

Elle écarta les bras, étonnée, puis elle lui sourit et montra leur petit coin bien arrangé maintenant autour du matelas : la caisse qui servait de table de nuit, les couvertures, la bougie, l'étagère fixée par Aleks contre la cloison…

– Non, je ne comprends pas, Aleks, on était bien ici, Faxi nous donnait sa chaleur, et la cheminée de Rodione était juste de l'autre côté, c'est dommage de partir je trouve, mais si tu préfères comme ça…

– Je préfère comme ça, dit Aleks et il barra la porte.

Rodione Lipine ne toucha pas à la soupe. Il jeta l'hermine morte sur la table et alla chercher une bouteille d'eau-de-vie dans sa réserve. Il en but une longue rasade. Elle ne lui donna pas le plaisir qu'il en attendait.

Il faisait presque nuit quand il était revenu des pièges et de sa visite à ses bêtes. Il avait essayé d'entrer dans l'étable mais ils avaient barré la porte, ces cochons ! Alors il avait cogné dessus à coups de poing. La fille lui avait dit que le cheval était pansé, qu'il avait à boire pour la nuit, que c'était pas la peine d'entrer. Pas la peine d'entrer chez soi ! Dur à avaler, non ? Il avait gueulé qu'il était chez lui et qu'il avait le droit d'entrer dans son étable bon Dieu de bon Dieu ! Et qu'ils enlèvent cette foutue barre ! Elle lui avait répondu qu'il était saoul et qu'il ferait mieux d'aller cuver dans son lit. Alors il était allé chercher une pioche et il en avait donné un grand coup dans la porte.

Mais ça n'avait même pas fait sauter une planche. Avec l'élan il était tombé, et il s'était tordu le poignet.

Il s'assit sur un tabouret, près de la cheminée et il y resta jusqu'à ce que le feu soit presque mort et la bouteille complètement vide. Il rota, cracha par terre. Tout le dégoûtait. Il se leva et s'étonna de tenir debout. « Si j'arrive même plus à me saouler, se dit-il, qu'est-ce que je vais devenir ? » Puis il se traîna vers son lit-cage. Il y grimpa et se fourra tout habillé dans les draps sales. Rien ne bougeait de l'autre côté de la cloison. Ils dorment tranquilles, eux ! Bien collés ensemble, je parie ! Ça faisait combien de temps qu'il s'était pas collé à quelqu'un, lui ? Il jura à voix basse.

Polina était ce qu'elle était, c'est sûr. D'accord, elle l'avait rossé à tour de bras pendant des années. Et ça faisait bien rigoler dans le village. Elle faisait le double de son poids, alors c'était facile... *Vlan !* ça partait, sur le côté de la tête, là où ça fait bien mal, vers les oreilles. Des fois, ça le renversait par terre et il lui fallait un sacré moment pour retrouver ses esprits. N'empêche : c'était la seule qui l'avait voulu...

Il repensa aux derniers jours. J'ai mal au ventre ! qu'elle disait. Bon Dieu que j'ai mal au ventre ! Et à la tête ! Et partout ! Je vais crever ! Mais non, il lui répondait, t'auras juste pris froid ou t'auras mangé une saloperie... Tu penses qu'elle pouvait avoir mal... Il s'était chargé de lui relever sa soupe avec une petite poudre de sa fabrication. Il y a des racines pour ça. Pendant des mois ! Et personne s'était jamais douté de rien ! Mais n'empêche que là, tout de suite, elle lui manquait. Il se serait collé contre elle et il lui aurait demandé pardon : pardon de t'avoir tuée, Polina. Il y a que toi qui me voulais, et qu'est-ce que j'ai fait : je t'ai trucidée...

La lune s'était levée et il la voyait, toute ronde, par la fenêtre. Il pensa à sa propre mort et à ce qu'il y aurait après. Il était bon pour l'enfer.

Ce soir-là, Aleks et Lia laissèrent la bougie se consumer presque tout entière. Ils restèrent à se regarder et à écouter les bruits. Parfois le cheval Faxi s'ébrouait ou bien se déplaçait de quelques centimètres et ses sabots frottaient le plancher. De l'autre côté de la cloison, Rodione avait longtemps pesté et juré, puis il s'était enfin calmé. Dehors une brise paresseuse faisait murmurer les arbres du bois.

– *Kiét fetsat meyit...*, disait Lia de temps en temps, mon petit ennemi... et elle lui caressait les cheveux.

Ils avaient tous les deux l'intuition qu'un épisode s'achevait. Ils ignoraient quel serait le suivant. Ils savaient seulement qu'ils le vivraient ensemble, comme ils vivraient ensemble le reste de leur existence. Ils s'endormirent dans cette certitude. La bougie finit par s'éteindre d'elle-même.

Il n'y eut aucun pressentiment, aucun signe d'aucune sorte : quand Aleks se réveilla au milieu de la nuit et qu'il ouvrit les yeux, il se trouva plongé directement dans le plus épouvantable cauchemar de sa vie.

Un homme se tenait debout devant leur matelas, dans la pénombre, parfaitement immobile, et il pointait un fusil sur eux.

Aleks ne poussa pas de cri, il ne sursauta même pas. La terreur l'avait coulé dans la pierre. Il resta allongé sur le dos et regarda sans rien faire l'homme dont on entendait le souffle oppressé. Peu à peu, son cerveau se remit en marche. Ils étaient dans l'étable. Lia dormait à côté de lui. Cet homme était Rodione Lipine.

Comment avait-il pu entrer alors que la porte était barrée ? Il y avait dans sa présence quelque chose de surnaturel qui ajoutait à l'horreur. Il n'avait pas épaulé le fusil, il le tenait à hauteur de hanche. L'obscurité empêchait de distinguer son visage. Il était une ombre vague mais terriblement réelle. Et il respirait fort. C'était le plus effrayant, cette respiration. Et cette immobilité.

« Depuis combien de temps est-il là ? se demanda Aleks. Depuis combien de temps nous regarde-t-il dormir en se demandant s'il tire ou s'il ne tire pas ? Et s'il n'a pas tiré jusque-là, pourquoi tirerait-il maintenant ? »

Lui parler ? Il ne comprendrait pas. Et cela réveillerait Lia qui se mettrait à hurler peut-être…

Saisir son couteau sur l'étagère ? Il lui semblait que le moindre geste pouvait déranger cette miraculeuse suspension du temps dans laquelle ils se trouvaient et dans laquelle Rodione Lipine… ne tirait pas.

Il ne fit rien.

Il attendit.

Il essaya de penser aux siens, à sa mère, à son père. Il essaya de prier. Mais il n'y arriva pas. Il ne parvenait à se poser que les questions de l'immédiat. Est-ce que Rodione ne respirait pas plus vite depuis quelques secondes ? Est-ce qu'il n'était pas en train de se décider ? Sur lequel des deux tirerait-il en premier ? Est-ce qu'il les atteindrait aux jambes ? Au ventre ? Au visage ? Est-ce que cela ferait mal ou bien est-ce qu'ils mourraient sur le coup ? Est-ce qu'on pouvait imaginer qu'il les rate, même de si près ? Le vieux y voyait mal, et c'était la nuit. Combien y a-t-il de cartouches dans un fusil ? Deux, non ? Que ferait-il de leurs corps ?

Le temps passa.

« Ne tirez pas, s'il vous plaît..., suppliait Aleks dans une prière muette. Ne tirez pas... Tout va bien... Voilà, c'est bien, restez comme ça encore un peu... »

Rodione Lipine commença à sentir que l'acier du fusil lui gelait les doigts. Il se dit qu'il fallait agir, maintenant. Il allait pas y passer la nuit. Il se sentait nauséeux, sa tête battait, ses jambes commençaient à trembler. Ça faisait combien de temps maintenant qu'il était piqué là, à hésiter comme un idiot ?

Il avait entendu du bruit dans l'étable, à côté, et tendu l'oreille. C'était cette petite pisseuse qui allait faire son tour dehors, comme chaque nuit. Et puis elle était revenue et elle avait pas remis la barre... Il en était sûr. Ça s'entend quand on remet la barre. Il connaissait bien le bruit.

Oh, mais tu sais que tu viens de faire une grosse bêtise, ma fille ? Parce que c'est une grosse bêtise de pas remettre la barre de l'étable quand il y a Rodione à côté et que Rodione est en colère, tu le sais ?

Il avait décroché le fusil. Les cartouches étaient dedans, toutes prêtes. Du douze. Il avait attendu que tout soit calme à nouveau, qu'elle se soit rendormie. Et puis il était descendu de son lit-cage, il était sorti et il avait poussé la porte de l'étable, centimètre par centimètre.

Son idée, c'était de le tirer lui, le *fetsat*. Et il se serait occupé de la fille après. Qu'elle soit d'accord ou pas, l'éléphant avait raison. Seulement maintenant, il était dans le brouillard... Parce que l'envie de la fille était dans sa tête, mais il était pas sûr que ça suive ailleurs... Il était même sûr que non... Il était devenu moins vigoureux avec le temps. Et même plus vigoureux du tout. Voilà la vérité! Il était devenu sec. De larmes et du reste. Quand il pleurait Polina, ça le faisait couiner, mais les larmes sortaient pas. Et c'était pareil à l'étage en dessous. Y avait plus rien. Elle se moquerait de lui quand elle verrait ça. Elle lui ferait honte... Alors il avait changé son idée. Il les tirerait tous les deux, et voilà...

Sauf qu'il y arrivait pas, à tirer...

Cela dura une heure peut-être.

Puis il abaissa lentement le fusil et marcha vers la porte. Les deux dormaient toujours. Il sortit sans faire de bruit. Dans une trouée du ciel, la lune ronde donnait en plein. Pourquoi est-ce que la lune le faisait toujours penser à sa mort? Est-ce qu'on va quand même en enfer si on se punit soi-même du mal qu'on a fait?

Il rentra chez lui. Maintenant que le feu de la cheminée était éteint, il y faisait presque aussi froid que dehors. Il regarda l'hermine morte qui gisait près de son bol. Il fit quelques pas vers son lit-cage et se rendit compte qu'il s'était uriné dessus, dans l'étable. Le devant de son pantalon était trempé. Il pensa en désordre à des choses confuses : à sa voix de canard, au drap gris de crasse de son lit, à Polina qui le battait…

Il entendit qu'on remettait la barre, à côté.

Tout le dégoûtait.

Alors, il repensa à l'Afrique.

J'arrive, mes bêtes, j'arrive…

Il était temps que Rodione Lipine abaisse son fusil. Aleks n'aurait pas supporté ce cauchemar beaucoup plus longtemps. Il vit le vieil homme se tourner vers la porte, sortir et la refermer derrière lui, sans bruit. Comme un père quitte la chambre de ses enfants après les avoir endormis, se dit-il. Il murmura un merci inaudible, sans savoir au juste à qui il l'adressait.

Il se força à patienter encore, jusqu'à entendre Lipine rentrer chez lui, à côté. Alors seulement, il se rua vers la porte, la barra et s'adossa contre elle, pantelant de fatigue et d'émotions. Lia ouvrit les yeux.

– *Kaskien, Aleks?*

Il n'eut pas le temps de répondre. La déflagration retentit, unique, assourdissante et affreusement proche. Son écho métallique la suivit pendant quelques secondes. Le cheval Faxi poussa un hennissement affolé. Lia hurla. Aleks se précipita vers elle et la prit dans ses bras.

– Tout va bien, mon amour, tout va bien… *Itiyé…*

Rodione gisait toujours au sol, entre la table et le lit. Il s'était tiré le coup de fusil dans la bouche, et cela faisait beaucoup de sang. Aleks remit le fusil à sa place, dans le lit-cage, puis il entortilla un chiffon autour de la tête de Rodione. Lia tourna le dos. Ensuite, il voulut prendre le drap en guise de linceul, mais Lia le trouva trop sale pour un mort, même s'il avait convenu au vivant, et elle alla chercher le leur. Ils y enveloppèrent le corps et le portèrent à deux jusque dans l'étable où ils le déposèrent en travers sur le dos de Faxi.

Le petit cimetière à l'abandon était tout en côtes et en pentes. La brume s'était levée et la lumière froide de la lune éclairait les tombes à demi recouvertes de neige. Ils arpentèrent plusieurs fois les allées, ils se penchèrent sur les inscriptions de toutes les stèles. Nulle part ils ne trouvèrent le prénom qu'ils cherchaient : Polina. Mais Lia finit par tomber sur autre chose.

– Aleks, appela-t-elle, *kiemni* ! Viens !

Même si le temps et les intempéries avaient rendu les lettres presque illisibles, ses yeux ne la trompaient pas.

– *Lipine*..., assura-t-elle. *Io sestyé*... Je suis sûre !

Faxi porta le fardeau de son maître mort jusqu'au cimetière comme il aurait porté n'importe quoi d'autre, avec indifférence. « Faxi dans un cimetière..., songea Aleks. *File la lune... chevauche la mort...* » Comme tout se rejoignait !

Ils laissèrent le corps dans l'allée. Puis ils passèrent une corde autour de la pierre tombale, l'attachèrent au harnais du cheval et le firent tirer. La pierre glissa d'un mètre, sur le côté. Dessous, la terre était durcie par le froid. Ils durent creuser longtemps, à la pelle et à la pioche. Parfois, Lia s'arrêtait et regardait les ampoules sur ses doigts. Sous le drap, Rodione Lipine attendait sans faire d'histoires. Pour une fois.

Au bout d'une heure d'efforts, Aleks trouva du bois sous sa pioche. Était-ce le cercueil de Polina ? Ou celui du père de Rodione ? Ou de sa mère ? Qu'importe, il serait avec quelqu'un des siens, et le trou était assez profond, maintenant. Ils y allongèrent le corps. Comme Aleks allait faire couler sur lui la première pelletée de terre, Lia l'arrêta.

– *Sostdi*... Attends !

Elle prononça quelques phrases, un bref éloge funèbre pour l'homme qui reposait sous le drap. Aleks ne comprit pas les mots, mais il en devina le sens.

– Merci, Rodione, dit-il à son tour, merci de nous avoir sauvés...

Puis ils reprirent leur travail. Peu à peu, la terre recouvrit la dépouille de Rodione Lipine, jusqu'à ce qu'on ne la voie plus. Quand ce fut fini, ils replacèrent la pierre comme ils l'avaient trouvée. La lune toute ronde éclairait la tombe.

Ils rentrèrent à l'étable, dormirent un peu et, dès leur réveil, se mirent aux préparatifs. Aucun des deux ne pouvait imaginer de rester plus longtemps dans cet endroit que la mort venait de marquer. Ils quitteraient le village dès le lendemain.

9 *Des dents qui claquent*

Au cours de l'hiver, la guerre prit une tournure catastrophique. Le froid, qu'on croyait chaque jour à son apogée, resserrait encore sa prise le lendemain et gelait tout : l'eau, la boue et le courage des hommes. Le vent était glacial, le soleil, rare et froid.

Sous les murs de la capitale, l'armée de Guerolf ne voyait plus le bout de ses épreuves. Il ne se passait pas une semaine sans qu'on annonce la reddition prochaine de l'ennemi, mais elle ne venait jamais. Cette fois, c'est fini, disait-on. Ils ont brûlé leurs meubles, leurs lits, ils s'attaquent à leurs cloisons. Ils font cuire les semelles de leurs chaussures, ils vont bientôt se manger les uns les autres ! Il suffit de tenir trois jours de plus...

En réalité, les assiégés semblaient dotés d'une résistance surnaturelle. Cela faisait peur. Les canons avaient déversé sur leur ville un enfer de feu, plus un mur ne tenait debout, mais ils se terraient dans leurs caves et survivaient.

Ils trouvaient même la force de mener encore

leurs attaques meurtrières. Ils sortaient de leurs murs et déboulaient au galop, la nuit, au milieu des campements. Des fantômes hâves et creusés, vêtus de haillons, sur des chevaux encore plus maigres qu'eux. Ils poussaient des hurlements sauvages et tiraient au hasard à travers la toile des tentes. Le temps qu'on se réveille et qu'on les abatte, ils avaient tué dix ou vingt soldats, et fait autant de blessés. Parfois, on trouvait parmi ces suicidaires des garçons de douze ans.

Des ombres silencieuses venaient rôder, la nuit. Elles poignardaient les sentinelles et se glissaient sous les tentes. On entendait à ce sujet les récits les plus effrayants : ce sont des vieilles femmes, elles sont capables de vous tuer sans réveiller votre voisin qui dort à moins d'un mètre. Elles s'agenouillent, se penchent sur vous, et vous enfoncent la lame effilée d'un couteau dans le cœur. Vous mourrez avec cette image-là : une vieille femme qui vous regarde, qui vous chuchote un nom à l'oreille et qui vous tue. Ensuite, elle passe au suivant. Elles disent un nom différent chaque fois. Ce sont les noms de leurs morts. Elles continueront leur macabre litanie jusqu'à ce que tous les noms soient prononcés.

Le typhus apparut, propagé par les poux, et il fit des ravages effroyables. Cela commençait par une forte fièvre, suivie de rougeurs sur tout le corps, puis le malade délirait et sombrait dans le coma. L'issue était toujours la même.

Les convois de ravitaillement venus de Grande Terre subissaient de plus en plus d'attaques. Les pilleurs s'emparaient de tout et n'épargnaient pas les hommes.

Le froid, la faim, la maladie, l'épuisement étaient en train de réussir ce que l'ennemi avait espéré depuis le début de la guerre : Guerolf avait perdu, sans combattre ou presque, plus d'un tiers de ses hommes.

Plus grave que tout : la rumeur commença à courir qu'une armée se levait dans le pays, à l'est et au nord. Maintenant qu'on était à bout de forces, ils allaient lancer leur grande offensive pour libérer la capitale. D'assiégeants on deviendrait assiégés, pris entre deux feux... Cela viendrait peut-être plus tôt qu'on ne l'imaginait.

Voilà où en était la conquête lorsque Fenris rejoignit le front, en compagnie de son père, à la fin de ce terrible hiver. Il eut le privilège d'être logé avec les officiers, dans une habitation en dur, à l'écart du campement. C'était une sorte de palais de briques, au sol carrelé de faïence, inconfortable et bancal, mais on y avait plus chaud qu'ailleurs et on y était protégé des attaques. De la terrasse on pouvait voir, en contrebas et à perte de vue, les milliers de tentes où croupissaient les soldats.

– Ta place n'est pas là-bas, lui avait répété Guerolf, et tu n'apprendrais rien dans cette pouillerie. Mais ne compte pas que je te préserve de tout.

Il eut l'occasion de le vérifier moins de trois jours après son arrivée.

– Viens avec moi, lui dit Berg.

Le jour se levait à peine.

– Où allons-nous ?

– Faire une promenade matinale. Et assister à un spectacle.

– Un spectacle ? De quel genre ?

– Ce genre de spectacle qu'on donne au petit matin.

Fenris sentit son estomac se nouer. Il savait où l'officier voulait le conduire. Ils descendirent à cheval, l'un derrière l'autre, vers le campement. Le ciel était gris et bas.

– Est-ce que c'est un vrai déserteur ? demanda Fenris.

Il regretta aussitôt sa question et fut presque soulagé que Berg n'y réponde pas.

Ils chevauchèrent au pas parmi les tentes. La plupart des soldats dormaient encore dessous. Les autres, emmitouflés dans des couvertures et la tête cachée sous leur bonnet de fourrure, tournaient le dos au feu pour se réchauffer. Certains tenaient leur timbale d'une main et buvaient à petits coups. Fenris remarqua leurs yeux brillants, leurs joues creuses. Il se sentit mal à l'aise dans son uniforme trop neuf.

– On a bien dormi là-haut ? fit une voix ironique sur son passage.

Il se raidit pour ne pas répondre à la provocation. Oui, il avait dormi bien au chaud, et bien mangé aussi, mieux en tout cas que ces soldats affamés. Comment avait-il mérité ce traitement de faveur ? Il ne l'avait pas mérité, il était le fils de Guerolf et c'est tout. Mais il leur montrerait bientôt ce qu'il avait dans le ventre.

La cellule des condamnés se trouvait dans une cave, sous les décombres d'une maison brûlée. Une dizaine de soldats à pied et deux officiers à cheval attendaient là, dans le froid.

– On peut y aller ? demanda le premier, dès qu'il vit Berg s'approcher.

Berg acquiesça d'un mouvement de tête. Un soldat, une échelle sous le bras, enjamba les poutres noircies, les débris de pierre et ouvrit la trappe. Il fit descendre l'échelle par le trou et appela :

– Monte !

Le condamné apparut au bout d'une minute, tête nue, ébouriffé, crasseux. La lumière l'éblouit et il se cacha les yeux avec ses deux mains. Le soldat le tira vers le haut pour l'aider à monter les derniers échelons.

– Allez, viens !

Fenris fut frappé par sa jeunesse. Il ressemblait à un garnement qui aurait fait une bêtise et qu'on aurait puni en l'enfermant dans l'obscurité. Son visage était tuméfié, comme si on l'avait roué de coups. Son uniforme, ses bottes, son pantalon étaient couverts de boue. De véritables convulsions secouaient tout son corps et il titubait au point qu'il fallait le soutenir pour le faire avancer.

– C'est les pieds..., dit un soldat. Il a les pieds gelés.

Mais le plus effrayant n'était pas là.

Lorsque le condamné s'approcha, Fenris entendit une succession de claquements sonores, tantôt espacés et tantôt rapprochés en une sorte de sinistre crépitement. On devait les entendre de loin. Il mit quelques secondes avant d'en comprendre l'origine, et cela le glaça d'horreur : le pauvre garçon claquait des dents...

Les mâchoires se percutaient dans un mouvement indépendant et incontrôlable, comme celles d'un squelette. Fenris le savait : les condamnés à mort sont pris d'un froid intense en attendant qu'on vienne les chercher. Et rien ne peut les réchauffer de ce froid-là. Aucune couverture. Aucun vêtement. Le souvenir de ces dents qui claquaient le hanta longtemps.

Deux soldats traînèrent le garçon jusqu'à une palissade dressée au milieu des tentes. Ils lui ôtèrent son uniforme, le laissant en chemise. Ils lui lièrent les mains derrière le dos et lui suspendirent au cou le panneau de l'infamie : DÉSERTEUR. L'un des deux lui tendit un tissu rouge.

– Tu le veux ?

Le garçon hocha la tête pour dire que oui il le voulait. Le soldat lui banda les yeux.

Ensuite tout alla très vite, exactement comme Guerolf l'avait rapporté. Le peloton d'exécution se mit en place. Il était composé de huit soldats dont le visage n'exprimait rien d'autre que ceci : « Je ne pense rien, je ne veux croiser le regard de personne, j'exécute les ordres. »

Quelques curieux se tenaient à distance, avec l'air de ne pas regarder, mais regardant quand même. Un roulement de tambour en fit sortir une dizaine d'autres des tentes, mais ils ne s'approchèrent pas davantage.

Aucun mot ne fut prononcé. Berg, du haut de son cheval, leva le bras et les huit soldats portèrent leur fusil à l'épaule. Le rituel était bien réglé, le commandement presque inutile. Le garçon vacillait sur ses jambes, le buste penché en avant, mais il s'acharnait à ne pas tomber, comme s'il avait mené là son dernier combat : rester debout jusqu'à la fin.

Allez, pensa Fenris, au bord de la nausée, dépêchez-vous, qu'on en finisse !

Les soldats mirent en joue. Alors Berg fit cette chose détestable : au lieu de donner l'ordre de tirer, il laissa un temps, une suspension, comme pour mieux profiter de la terreur du condamné, du désarroi de ceux qui allaient le tuer, et du pouvoir qu'il possédait, à cet instant, de donner la mort.

La salve déchira le silence. Le corps fut secoué par l'impact des balles et le supplicié s'effondra d'un bloc, comme quelqu'un qui s'évanouit. Fenris se sentit défaillir, mais il ne détourna pas les yeux.

Sur le chemin du retour, Berg allait devant. La brume s'était épaissie. Des silhouettes fantomatiques de soldat émergeaient et s'écartaient lentement sur leur passage. Comme il suivait Berg et qu'ils ne se regardaient pas, Fenris osa lui reposer la question qui le travaillait :

– Est-ce que c'était un vrai déserteur ?

– Qu'est-ce que tu veux dire ?

– Vous le savez très bien. Mon père m'a expliqué…

– Tu tiens à le savoir ?

– Oui, je tiens à le savoir.

Berg ne broncha pas. Fenris ne voyait que son dos massif.

– Je veux le savoir, insista-t-il.

– Je ne te le dirai pas, répondit Berg.

– Pourquoi ?

– Parce que ça n'a aucune importance.

– Donc ce n'était pas un vrai déserteur, c'est ça ? Vous pouvez me le confier, je suis capable de l'entendre. Et de me taire.

– À quoi ça va te servir ?

Ils étaient arrivés. Ils mirent pied à terre. Fenris suivit Berg dans l'écurie sans le lâcher d'un pas.

– Je veux le savoir.

Berg se taisait et Fenris eut la conviction que ce silence était un aveu.

– Comment les choisissez-vous ? Je veux dire pourquoi ce garçon et pas un autre ?

La réponse tomba, déconcertante :

– Parce qu'il n'avait pas de famille.

– Je ne comprends pas.

Berg, qui en avait assez de Fenris et de ses questions, laissa tomber au sol la selle qu'il venait d'ôter à son cheval et se tourna brusquement vers lui. Il lui fit face, de près. Fenris le dominait presque d'une tête, mais l'autre était beaucoup plus lourd et compact. Il s'étonna de lui voir des yeux si petits et si durs. Il eut l'impression de voir apparaître une autre personne.

– Il faut un soldat qui n'ait pas de famille. Pas de famille, pas de questions. Pas de questions, pas d'ennuis…

– Mais ses camarades…

– On prend un isolé, un qui ne manquera à personne. Celui-ci était à moitié débile.

– Mais ceux qui dormaient avec lui sous la tente… ils ont bien vu qu'il ne s'était pas enfui…

– On l'a pris à l'infirmerie. Il avait une gangrène. On allait l'amputer.

– Et alors ?

– Alors il serait mort de toute façon.

Fenris revit les marques bleues sur le front et les tempes, le nez éclaté.

– Mais les coups… il a reçu des coups…

– Il faut que ça fasse vrai. Quand on met la main sur un vrai déserteur, il se fait cogner… je peux pas empêcher les gars, c'est normal…

Fenris marqua un silence, stupéfait.

– Vous l'avez battu pour que ça fasse vrai ?

– Et aussi parce qu'il avait compris.

– Compris quoi ?

– Ce qui l'attendait. Tout demeuré qu'il était, il avait compris. Il a fallu le calmer. Tu as encore beaucoup de questions de ce genre ?

Fenris se tut et baissa les yeux. Il repensa à la Louve et à ce qu'elle disait à propos de Berg : « Je n'aime pas cet homme… » Il entendit aussi les mots de son père : « Subir une injustice est pénible mais devoir en infliger une l'est bien plus encore… il faut être capable de supporter ça si on veut arriver tout en haut… »

Est-ce qu'il voulait arriver tout en haut à ce prix ? Il en doutait soudain.

En sortant de l'écurie, il se demanda comment il se faisait que Berg puisse traverser le campement sans qu'un soldat ne sorte d'une tente et ne lui tire une balle dans la tête, quelles qu'en soient les conséquences.

Mais plus encore qu'à Berg, sa haine allait aux déserteurs, aux vrais, ceux qu'on ne retrouvait pas et qui étaient la cause de tout. Il était impatient de partir en chasse et d'en débusquer un.

10 Le cinquième soldat

– Mon lieutenant, mon lieutenant, on dirait des toits là-bas, à main gauche, vous les voyez ?

Berg, qui chevauchait en tête, fit un vague signe du bras : « Je sais où je vais, ne t'occupe pas de ça. »

– Vous les avez vus, les toits, mon lieutenant ? insista une deuxième voix venue de derrière aussi. Ils sont sous la neige, mais on les voit. On pourrait peut-être y faire un tour, non ?

– Oui, si on trouve quelque chose, on trouve quelque chose, et si on trouve rien, on trouve rien.

– Oui, on pourrait y faire un tour, ça mange pas de pain...

Cette fois, il ne se donna même pas la peine de réagir. Parfois les deux petits caporaux l'agaçaient vraiment. Il continua d'avancer tout droit vers le nord. Les antérieurs de son cheval dessinaient de belles traces dans la neige dure, et il avait plaisir à ouvrir la voie dans cette immensité intacte et blanche.

Magnus Berg était une personne taciturne. Ce

n'était pas pour agacer les gens, mais parce que le bruit que faisaient les mots en sortant de sa bouche ne lui plaisait pas. Et il estimait qu'il n'y avait la plupart du temps rien à dire sur rien.

Guerolf l'avait promu lieutenant et il n'aspirait pas à mieux. Il n'en avait ni la compétence ni l'ambition. Être l'homme de confiance du maître de Grande Terre lui suffisait et il considérait que cet honneur valait mieux que n'importe quel grade. Il avait lié son destin à celui de Guerolf, depuis le premier jour, et il ne l'avait jamais regretté. Il lui était certes arrivé de se demander : « Est-ce bien, ce que je fais là ? » Par exemple lorsqu'ils avaient déchiqueté Iwan, le fils du roi Holund, et son valet, avec des griffes d'ours attachées à des bâtons. Ou bien lorsqu'ils avaient incendié la bibliothèque royale avec cette femme enfermée dedans. Ou quand il fallait exécuter des gens et les jeter, la nuit, dans ce ravin, près du château, sur Grande Terre. Mais les ordres venaient de Guerolf, alors… Il avait ses raisons. Quand on fait une omelette, on casse des œufs. Ensuite on oublie les œufs cassés et on mange l'omelette ensemble.

Il se retourna.

Derrière lui venaient les deux petits caporaux. Ils n'étaient pas spécialement dégourdis, ceux-là, un peu bêtas même, mais au moins ils jacassaient entre eux, alignaient leurs lieux communs et lui fichaient la paix. Ils allaient côte à côte sur leurs chevaux, chacun tirant un traîneau à une place, au cas où on reviendrait plus nombreux qu'on était parti… Tous les deux étaient originaires du même village, sur Grande Terre, et ils passaient leur temps à évoquer leurs souvenirs communs :

tu te rappelles untel ? Et untel ? Et quand il a fait ci et quand il a fait ça... Ce genre de bavardage insupportable à un étranger. Mais Berg s'en accommodait comme on s'accommode du bruit du vent : il ne l'écoutait pas.

Derrière eux suivaient une dizaine de soldats, silencieux et inquiets. Parcourir la plaine à découvert ne leur disait rien qui vaille. Et si une horde d'ennemis leur tombait dessus et les découpait en morceaux ?

Plus loin encore, et chevauchant tout seul sur son petit cheval arabe, venait le fils de Guerolf, enfin le fils adoptif... Celui-ci, il ne savait pas trop par quel bout le prendre. Il l'avait lorgné au moment de l'exécution. Rien à dire. Il s'était bien tenu. Le regard droit. Solide. Sans émotion apparente. Mais au retour il avait fléchi et lui avait posé des questions sur le condamné. Des questions qui ne servaient à rien. Mais bon, il apprendrait. Il n'avait que dix-huit ans, après tout.

Ils étaient partis très tôt, avec le jour, et ils rentreraient avant la nuit. Moins de dix heures pour ramener un déserteur, vivant. C'était possible avec un peu de flair, et Berg n'en manquait pas.

C'est lui qui repéra le premier ce point noir sur la neige, vers le milieu de la journée. Il posa dessus son œil de chasseur et il arriva à cette double certitude : ça se déplaçait en direction d'un bois et ce n'était pas un animal. Il obliqua légèrement, sans perdre la chose de vue, et il mit son cheval au trot, suivi de tous les autres. Moins d'une minute plus tard, il fut assez proche pour distinguer la silhouette. Une femme...

Quand il vit qu'elle courait vers les arbres, il passa au galop. Très vite un autre cheval arriva à sa hauteur. Il jeta un coup d'œil de côté. C'était Fenris.

– Je l'ai vue, moi aussi. C'est une femme on dirait.

– Oui.

Maintenant, elle s'était immobilisée et les regardait venir. Elle tenait quelque chose de caché sous son manteau et cela faisait une bosse. Ils la cernèrent et se retrouvèrent à former une ronde autour d'elle. Cela faisait une figure étrange, ce cercle d'hommes sur leurs chevaux, l'espace immense de tous les côtés, sauf vers le bois, et elle au milieu, comme un animal pris au piège.

– D'où tu sors, toi ? demanda le premier petit caporal.

– Qu'est-ce que tu as sous ton manteau. Montre un peu ! fit le deuxième.

Berg les laissa faire. Leurs questions n'obtiendraient pas de réponses. Il commençait à connaître ces paysannes : soit elles vous abreuvaient d'insultes qu'il valait sans doute mieux ne pas comprendre, soit elles se taisaient.

Celle-ci se taisait. Et elle était belle, pour ce qu'on voyait de son visage sous le bonnet et la capuche. Et jeune. L'œil noir les défiait.

– Elle ne parle pas notre langue, dit le premier petit caporal.

– Ou alors elle est sourde ! fit le deuxième. Vous parlez la sienne, mon lieutenant ?

– Non.

Berg s'avança d'un pas et interrogea la fille d'un geste : « Qu'as-tu sous ton manteau ? » Elle en écarta le pan et sortit un lapin des neiges qu'elle tenait par le cou. Un peu de sang vermeil tachait la fourrure blanche. Puis elle montra plus loin et fit le geste *clac !* d'un piège qui se ferme.

– Ah, c'est bien. Et ton village, où il est ?

Elle plissa les yeux.

– Ton village ! répéta Berg.

– *Net baltiyé...*

– Elle dit qu'elle ne comprend pas, intervint un soldat.

C'était un garçon à l'allure fragile, chaussé de petites lunettes rondes.

– Tu parles sa langue, toi ?

– Un peu, j'ai appris quelques mots.

– Quelques mots ! fit un autre. Il en connaît plein, il passe son temps à ça !

– Alors demande-lui où est son village.

Le soldat fit avancer son cheval d'un mètre et se racla la gorge.

– Votre village s'il vous plaît... euh... *chaak veyit...* mademoiselle.

La fille plissa de nouveau les yeux en signe d'incompréhension. Décidément elle était plus que jolie, avec ses pommettes hautes, son nez fin et sa peau brune. Les quinze hommes ne la quittaient pas des yeux.

– J'ai l'impression que ton accent laisse à désirer, plaisanta quelqu'un et ils rirent tous.

– Attendez. Je vais y arriver, reprit le soldat et il s'adressa de nouveau à la fille : *chaak veyit... lyéni nosoy ostoute* euh pardon... *ostyoute !* Oui *ostyoute... Ostyoute destya chaak veyit...* Vous comprenez, mademoiselle ?

Il mit ses mains en forme de toit pour illustrer

sa phrase, puis la répéta en changeant un mot ou deux.

Sa voix timide n'était pas celle d'un soldat en mission, mais plutôt celle d'un promeneur égaré qui demanderait sa route. La fille secoua la tête. Elle était la seule à ne pas rire.

– Elle ne me comprend pas, mon lieutenant, je suis désolé. J'essaierais bien en mettant *ostyoute* en fin de phrase puisque c'est une subordonnée, mais à ce moment-là ça deviendrait *ostyét* parce qu'il faut accorder avec... Attendez, je vérifie...

Il ôta ses gants, tira un carnet de la poche intérieure de son uniforme, défit le cordon qui le tenait fermé et se mit à feuilleter dedans.

– Voilà, c'est bien ce que je disais... *lyéni nosoy*... euh... *destya chaak veyit*... *ostyé*... *baltyé en*, mademoiselle ? Non, elle ne me comprend pas.

– Elle te comprend très bien, l'interrompit Berg. Laisse tomber. Fenris !

– Oui, mon lieutenant.

– Va jusqu'au piège et regarde d'où viennent les traces !

Fenris talonna à peine Vent du Sud et s'éloigna lentement dans la direction indiquée par la fille. Berg le regarda s'en aller et revenir. Il nota qu'il prenait tout son temps. Ça ne trompait pas. Il avait de l'allure, ce garçon, l'allure d'un futur chef.

– Alors ?

– Les traces s'arrêtent là-bas, mon lieutenant. Elle est revenue sur ses pas. À mon avis, le village se trouve sur les hauteurs, derrière le bois.

Berg pensait la même chose. Il descendit de son cheval et marcha jusqu'à la fille. De près, il la trouva plus troublante qu'il ne l'aurait voulu. La délicatesse des traits, la bouche charnue, le regard noir qui soutenait le sien, tout cela le mit mal à l'aise. Comme si elle avait pris le pouvoir sur lui sans rien faire, juste en se tenant là, en face de lui, son lapin ensanglanté à la main.

– Village ? demanda-t-il. Où ?

Elle haussa les épaules.

– *Net baltiyé...*

– Elle dit qu'elle ne comp..., commença le soldat au carnet.

– C'est bon, je sais ! le coupa Berg.

Il sentit une onde mauvaise lui parcourir la poitrine. S'il avait été seul avec cette fille, il lui aurait volontiers descendu une gifle qui l'aurait aidée à comprendre les langues étrangères. Il fit volte-face.

– Chargez-la sur le traîneau !

Les deux petits caporaux s'en occupèrent et ils eurent du mérite. Elle se débattit, les frappa, leur cracha dessus et leur lâcha quelques politesses d'autant plus drôles qu'elles étaient obscures.

– Pas moyen, mon lieutenant, elle est enragée ! dit l'un en tenant son nez endolori.

– Il faudrait l'assommer ! dit l'autre.

– Attachez-lui juste les poignets au bout d'une corde. Elle suivra en marchant.

La troupe se remit en mouvement, au pas, vers le bois de pins. Le soleil de midi filtrait sa lumière froide à travers les branches maigrichonnes. Ils trouvèrent plusieurs traces. La plupart menaient à des pièges. D'autres en haut de la colline. Presque toutes allaient vers l'ouest, derrière le bois. Ils les suivirent. Au bout de dix minutes, ils virent les maisons.

Lia mettait bien du temps à rentrer.

Aleks posa la caisse qu'il s'apprêtait à fixer sur le traîneau. Il sortit une fois de plus devant l'étable pour guetter le retour de la jeune femme. Il s'avança sur le chemin qui conduisait au bois et attendit là quelques instants, perché sur une pierre, sans bouger. Il faillit appeler et ne le fit pas. « Elle sera allée relever le piège d'en bas, dans la plaine, se dit-il pour se rassurer. Elle est têtue. Elle voulait trouver un lapin pour le rôtir avant notre départ et elle le trouvera. Elle va bientôt revenir. »

À choisir, il aurait préféré partir le matin même. L'image de Rodione au pied de leur lit, le fusil à la main, et celle de sa tête ensanglantée dans le tissu ne le quittaient pas. Il avait hâte de rompre avec ce lieu. Mais Lia était d'avis qu'ils prennent leur temps et soient prêts à affronter la plaine. Leur but était de trouver cet autre village d'où Rodione avait rapporté des provisions. Elle pensait savoir où il se trouvait mais ils ne l'atteindraient pas forcément le jour même. Il fallait être prêt à passer une nuit dehors, peut-être deux, et s'équiper en conséquence. Elle avait raison, bien sûr. Ils avaient remis leur départ au lendemain.

Sans dire un mot ou presque, Berg répartit ses hommes en quatre groupes qui se dispersèrent autour du village avec la mission de repérer des habitants s'il y en avait. Ils progressèrent au pas, l'arme à la main. Le silence de l'endroit les oppressait, comme si l'ennemi, tapi quelque part derrière les murs effondrés ou les fenêtres, allait soudain surgir et les égorger. Mais rien n'arriva de cela et ils se retrouvèrent vite réunis à l'endroit d'où ils étaient partis, bredouilles.

– Il n'y a personne dans ce patelin, dit le premier petit caporal.

– Ouais, pas un chat, dit le deuxième.

La fille regardait le sol à ses pieds, l'air buté.

– C'est ton village ça ? la questionna Berg. Ta maison, c'est laquelle ?

Elle ne leva même pas les yeux sur lui.

– *Molyin seyit ?* traduisit le jeune soldat à lunettes.

Elle l'ignora.

C'est à cet instant que Fenris vit la fumée grise sortir de la cheminée. C'était presque rien, l'équivalent d'un souffle de fumeur de pipe. Il fallait avoir l'œil. Elle ne s'élevait pas, mais coulait paresseusement sur le rebord et sur la pierre.

– Là-bas, dit-il, et il tendit son doigt.

Toutes les têtes se tournèrent vers le toit d'où elle provenait, en contrebas.

– Quelqu'un est allé dans cette maison ? demanda Berg.

Ils se regardèrent les uns les autres. Personne n'y était allé. Berg fit pivoter son cheval. Alors la fille cria. Ou plutôt elle hurla. Vers la maison. Comme si sa vie en avait dépendu.

– *Tyadni, Aleks, tyadni !*

– La ferme ! lui lança Berg.

– *Tyadni, tyadni !*

– Je pense que ça veut dire « sauve-toi ! » fit le petit soldat. Ça vient de *tyadin*, c'est un verbe irrégulier du troisième groupe, mais…

– *Tyadni, Aleks !* s'égosillait la fille, désespérée.

À présent, elle pleurait en même temps qu'elle criait.

– Faites-la taire, bon Dieu ! Et empêchez-la de fuir ! ordonna Berg en s'élançant, suivi des autres.

Ne restèrent que deux soldats qui se jetèrent sur la fille et la plaquèrent au sol.

Aleks était en train de sangler sur le traîneau une caisse remplie de victuailles quand le cri de Lia déchira l'air. Il se précipita à la petite fenêtre de l'étable et vit une dizaine d'hommes à cheval se diriger vers lui, vers la maison de Rodione. Des soldats de l'armée de Guerolf…

Il comprit que Lia n'appelait pas pour qu'il vienne à son aide, mais pour l'exhorter à fuir. Seulement, il était trop tard. Sortir maintenant, c'était se jeter entre leurs griffes. En une fraction de seconde, la situation où il se trouvait lui apparut dans son épouvantable simplicité : il était un déserteur, on était en temps de guerre et il allait être pris.

Il barra la porte, d'instinct. C'était inutile, il le savait, mais il avait besoin de mettre quelque chose entre eux et lui, comme on met ses bras devant son visage pour se protéger de quelqu'un qui vous frappe. Lia ne criait plus. Il chercha un coin d'étable où on ne pourrait pas le voir en regardant par la fenêtre, un angle mort, et il se retrouva contre la tête de Faxi, devant la mangeoire. Le grand cheval lui donna une bourrade affectueuse.

Il les entendit taper à la porte de Rodione, à côté.

– Il y a quelqu'un ?

– Ouvrez !

– Allez-y, entrez ! Mais faites attention.

Puis leurs voix, de l'autre côté de la cloison. Entendre, pour la première fois depuis deux mois, parler la langue familière de son pays ne lui donna aucun plaisir. Elle lui parut au contraire hostile et dangereuse.

– C'est bien ça, mon lieutenant, regardez, il y a un feu dans la cheminée.

– Oui, un petit feu, mais un feu…

– C'est ce qui faisait cette fumée…

– Oui, pas de fumée sans feu, c'est ce qu'on dit, non ?

– Oui, c'est ça : pas de fumée sans feu ! Ha ! ha ! ha, ça se vérifie !

– Et ça, qu'est-ce que c'est, par terre ?

– On dirait du sang…

– Oui, ça poisse.

– Fais voir… oui t'as raison, c'est du sang, ça poisse…

– Oui, oui, pas de doute, ça poisse, c'est du sang.

– Et ça ! Regardez-moi ça, mon lieutenant ! Au clou, là !

– Un uniforme retourné !

– Oui, c'est ce qui s'appelle retourner sa veste, non ?

– Oui, on peut pas mieux dire !

– Je crois que l'oiseau n'est pas loin…

– Oui, pas loin… En tout cas, on a trouvé le nid !

– Hé, regarde ! Dans le lit-cage, là, un fusil accroché !

– Oui, un fusil ! Un fusil de chasse, on dirait.

Puis une autre voix, plus grave et qui fit taire les autres :

– Fenris, prends trois ou quatre gars avec toi et va fouiller l'étable.

Aleks, le front contre la douce crinière de Faxi, sentit son cœur marteler les parois de sa poitrine comme s'il voulait les traverser. Il imagina une seconde de se cacher sous la paille, au fond de l'étable, mais l'idée d'être débusqué dans cette situation humiliante, piqué par une fourche peut-être, lui déplut infiniment. S'ils devaient le trouver, ils le trouveraient.

Quelqu'un s'acharna un moment sur le loquet de la porte, puis donna des coups d'épaule.

– Rien à faire. C'est barré de l'intérieur.

Un autre regarda par la fenêtre, et toqua au carreau.

– Il y a un cheval. Et un traîneau on dirait. Et un matelas par terre !

Ils cognèrent à la porte, sans doute avec la crosse d'une arme.

– Ouvre. On sait que tu es là. Ouvre et sors avec les bras en l'air.

– On ne te fera pas de mal.

– Ouvre !

– On va casser la porte…

– On va mettre le feu…

Aleks ne bougea pas.

Il ne répondit pas non plus. Ce qu'il avait à dire ne signifiait rien pour eux : « Vous ne pouvez pas me comprendre, je n'ai pas déserté parce que je suis un lâche, j'ai déserté pour ne pas perdre Lia… Je sais que vous allez m'écraser de votre haine et de votre mépris, mais je n'éprouve pas de honte… De quoi aurais-je honte ? Je ne regrette rien… Si, je regrette une chose, très fort : ne pas avoir quitté ce village ce matin, avant votre arrivée… Je regrette aussi que Lia ait voulu relever le piège de la plaine, en bas, et que vous l'ayez prise, parce que c'est comme ça que c'est arrivé non ? »

Le premier coup ébranla la porte et le fit sursauter. Les autres suivirent. Ils avaient dû trouver la hache derrière la maison.

« Arrêtez de cogner à cette porte, vous me faites peur. Oui, j'ai peur de vous, de votre brutalité, de votre certitude d'avoir raison. J'ai peur pour Lia, qui ne crie plus. Qu'avez-vous fait d'elle ? Qu'allez-vous faire d'elle ? Que va-t-elle devenir sans moi ? Est-ce qu'elle a seulement trouvé ce lapin, au fait ? J'ai peur pour moi aussi, à cause de ce qui m'attend : cette chose noire, ténébreuse et innommable à laquelle je ne veux pas penser encore, mais dont je sens bien qu'elle est déjà dans mon ventre, enfoncée comme un coin, et qu'elle me fait mal. »

Le bois grinça et le fer de la hache passa à travers. Deux coups de plus et le trou fit la taille d'un bras. Une main s'y glissa et chercha la barre, à droite, à gauche, dessus, dessous.

« Tu es un bon cheval, Faxi. Tu nous as donné ta chaleur. Tu tires les traîneaux, lourds ou légers, là où on te dit de les tirer, tu portes sur ton dos n'importe qui sans le juger, tu portes ton maître vivant, ou ton maître mort, tu portes les gens d'ici ou les *fetsat*, tu portes Lia, ou moi ou un de ces soldats qui va entrer. Je caresse ta crinière, Faxi, et je te remercie, ce sera la dernière chose que j'aurai faite de ma liberté. Parce que je suis encore libre, à cet instant, pour quelques secondes encore, libre… *ekletiyen…* »

Soudain la barre bascula et la porte s'ouvrit en grand, envahissant l'étable de lumière blanche. Ils entrèrent à cinq et se mirent en ligne. Les trois de gauche étaient des soldats de son âge qui pointaient leur arme sur lui en se donnant un air farouche, le quatrième, à contre-jour, avait l'air plus inquiet qu'agressif avec ses lunettes cerclées.

Le cinquième était Brisco.

Il le sut immédiatement et cette évidence le foudroya. Il n'eut pas le moindre doute ni la moindre hésitation : le cinquième soldat, celui de droite, plus grand que les autres, avec un nez assez fort et cette expression presque brutale à la bouche, le cinquième soldat était son frère Brisco. Dès que leurs regards se croisèrent, il le sut.

Les yeux sont les fenêtres de l'âme. Il l'avait éprouvé en tombant dans ceux de Lia deux mois plus tôt. Et voilà qu'il le vivait de nouveau, avec la même violence, dans ceux de Brisco. En un instant, son enfance lui sauta au cœur. Les milliers d'heures passées à jouer sous ce regard tendre et rieur, dix années passées à sentir sur lui la lumière confiante de ces yeux-là.

« Je suis sauvé…, se dit-il, sauvé… »

Mais cela ne dura qu'une fraction de seconde, le temps de s'apercevoir que Brisco, lui, ne le reconnaissait pas. Il se rappela ne plus s'être rasé depuis quelques jours. C'était trop douloureux avec les mauvaises lames de Rodione, ça lui brûlait les joues, il y avait renoncé. « Tu piques », lui faisait remarquer Lia. Mais est-ce que cela le changeait au point de… ? Non, c'était stupide, la barbe n'expliquait rien. Brisco ne l'avait plus revu depuis plus de huit ans, voilà la vérité.

– Lève les bras ! lança un soldat. Et sors de derrière ce cheval !

Il leva les bras. Tous l'observaient avec curiosité, presque fascination. Voilà à quoi ressemble un déserteur, semblaient-ils se dire. L'un d'eux s'approcha, le fouilla, lui retourna les poches, y trouva le couteau.

– C'est bon, il n'a que ça.

– Sors de l'étable, dépêche-toi.

Il marcha vers la porte, ébranlé par les émotions : celle, angoissante, d'être pris, et celle, bouleversante, de revoir Brisco. Il se demanda s'il allait voir Lia dehors. Pourquoi ne l'entendait-il plus ?

– Finie la promenade…, marmonna un soldat sur son passage.

« Ce n'était pas une promenade, eut-il envie de répondre, j'ai failli mourir deux fois… »

Devant l'étable se tenaient une dizaine d'autres militaires, immobiles et silencieux. Leur chef, un lieutenant à l'air placide, le toisa du haut de son cheval, flanqué de deux caporaux qui hochaient la tête en souriant.

– Le voilà, notre ami voyageur…, dit l'un.

– Oui, le voilà, dit l'autre.

– Ton nom, ton affectation et ton grade ? demanda le lieutenant.

– Aleksander Johansson, soldat de deuxième classe, quatrième unité de…

– C'est bon.

Aleks chercha Lia et ne la vit nulle part. Sa gorge se noua. Il se retint de l'appeler.

– Qu'est-ce qu'on fait de lui ? demanda le soldat qui l'avait fouillé.

Il semblait tout excité par l'aventure, et impatient de la suite. Le genre de jeune gars capable d'accomplir n'importe quelle infamie si on le lui demande, pensa Aleks.

– Si vous avez des comptes à régler, allez-y, marmonna le lieutenant. Je vous laisse cinq minutes. Restez raisonnables…

Il fit demi-tour et s'éloigna vers le bois. Les deux caporaux le suivirent.

Aleks comprit quand le cercle se resserra sur lui.

– Alors, on laisse les camarades se battre tout seuls ? fit le premier, comme pour s'échauffer l'esprit.

– On se dégonfle ? fit le deuxième. On abandonne les autres ?

– Salaud ! lança celui qui l'avait fouillé. C'était le plus excité de tous. Salaud ! Et tu essaies de t'enfuir, en plus ! Hé, regardez-le, il essaie de s'enfuir, non ?

Aleks ne bougeait pas d'un pouce. Il se dit seulement : « S'ils me frappent, je me défendrai. Je ne me laisserai pas tabasser sans me battre. »

– Oui, il fout le camp ! renchérit un autre soldat. Oh là ! Arrête-toi !

Et il lui donna le premier coup. Avec sa crosse, sur la hanche.

Aleks l'encaissa sans broncher.

– Arrête-toi, on te dit ! reprit un autre, et il le cogna au visage, avec sa crosse aussi.

Aleks gémit.

– Laissez-moi…, supplia-t-il.

Ce fut le signal qu'ils attendaient peut-être : le son de sa voix. Ils se ruèrent sur lui. Alors il se mit à cogner au hasard autour de lui en hurlant. Son nez éclata. En tombant, il se tordit l'épaule gauche et la douleur l'écœura. Il eut juste le temps d'apercevoir Brisco qui observait à l'écart, les sourcils froncés. Puis il reçut dans le dos un choc terrible qui lui coupa le souffle, un coup de genou sans doute, et il perdit connaissance.

Quand il revint à lui, il ne vit d'abord qu'un ciel blanc, immense, et qui occupait tout l'espace. Cela lui donna le vertige. Il inclina la tête, le flanc d'un cheval lui apparut et le monde se remit à l'endroit. Il gisait sur le dos, emporté par un traîneau. La douleur martyrisait son corps tout entier, surtout l'épaule et le dos. Il entendit des voix et des rires. Cela résonnait.

– Comment tu lui as dit à la fille ?

– Je lui ai dit *chaak veyit*...

– Chak vouyit ?

– Non, *chaak veyit*, ça veut dire « votre village ».

– Ha, ha, ha, « votre » village ! Tu l'as vouvoyée ?

– Oui, comme je ne la connaissais pas, je l'ai vouvoyée, sinon j'aurais dit *chaak tuyit*...

– Chatouillite ! Ha, ha, ha, sacré Lenart ! T'es impayable dans ton genre. Si t'existais pas, y faudrait t'inventer. Et ta longue phrase, là, c'était comment ? Tatyoute quelque chose...

– J'ai pas envie de la dire.

– Allez, dis-la qu'on rigole...

– J'ai pas envie.

– Dis-la, bon sang, qu'on se marre.

– J'ai pas appris ça pour vous faire marrer.

– Laissez-le, s'il a pas envie…

– Oui, c'est vrai, s'il a pas envie, il a pas envie, c'est son droit.

Aleks essaya en vain de se redresser, mais on l'avait lié serré. Le cheval qui trottait près de lui appartenait au jeune soldat qui l'avait fouillé puis accusé de fuir. Celui qui tirait le traîneau, à l'un des deux caporaux. Brisco et le lieutenant étaient hors de vue, sans doute devant.

– On se réveille ? fit le soldat, qui guettait ce moment.

– Lia…, demanda-t-il d'une voix faible. Qu'est-ce que vous avez fait d'elle ?

– Qui ça ?

Aleks ne sut pas comment la nommer autrement et répéta :

– Lia…

– La petite sauvage ? T'en fais pas pour elle. On connaît bien cette race. Ils sont increvables. C'est plutôt pour toi que tu devrais t'inquiéter, non ?

– Vous lui avez laissé le cheval ?

– T'en fais pas pour elle je te dis.

À cet instant, le traîneau obliqua vers le sud. On s'engageait dans la plaine. Il aperçut le bois, à main droite, qui disparaissait. Le village se trouvait caché derrière. Il lui vint à l'esprit qu'il n'en connaissait même pas le nom.

11 *L'encre de mes veines*

Ils arrivèrent au camp avant la nuit. Depuis son traîneau, Aleks découvrit les murs de la capitale, au loin. Des nuages presque violets étaient arrêtés dessus. Cela ressemblait à un faux, à un décor de théâtre mal réussi. Ils marchèrent au pas entre les tentes, croisant quelques rares soldats emmitouflés dans leurs manteaux sales et fripés. Il fut frappé par le silence et la désolation de l'endroit. Des têtes hirsutes et maigres se tournaient vers lui. Les visages étaient sans expression. Elle avait bonne mine, l'armée de Guerolf.

Ils s'arrêtèrent devant les restes d'une maison brûlée qui n'avait plus ni toit ni murs. On le délia, on le fit se lever et enjamber les décombres noircis. Un soldat ouvrit une trappe et y fit glisser une échelle qui comptait une douzaine d'échelons. Elle y disparut presque.

– Vas-y, descends.

Il grelottait. Son épaule le torturait.

– Je n'y arriverai pas, j'ai mal…

– Je te conseille d'essayer. Il y en a qui sont

descendus plus vite que prévu, si tu vois ce que je veux dire.

Il s'accroupit, s'appuya sur son bras valide et commença à descendre. Lorsqu'il n'eut plus que la tête dehors, il la redressa et regarda autour de lui. Le lieutenant se tenait affaissé sur son cheval, l'air morne, sans qu'on sache si c'était par lassitude ou par indifférence. Les deux caporaux l'encadraient, toujours droits et fringants, eux. Les autres soldats attendaient visiblement qu'on les autorise à disposer. Il chercha Brisco et finit par le voir qui s'en allait déjà. Il eut le temps de remarquer sa monture : un petit cheval arabe à la robe de feu.

– Je voudrais des habits en plus, dit-il, j'ai froid.

Il n'avait sur lui qu'une veste matelassée prise dans les affaires de Rodione.

– On verra ça avec le lieutenant, répondit le soldat, et il lui appuya sur la tête pour l'obliger à descendre.

Aleks trouva les échelons sous ses pieds, un par un, dans la pénombre, avec infiniment de lenteur, et l'obsession de ne pas tomber à nouveau sur son épaule endolorie.

Lorsqu'il arriva tout en bas, il s'agenouilla et toucha le sol de ses mains.

– Tu y es ? demanda le soldat.

Il ne répondit pas. Il vit l'échelle s'élever dans les airs et disparaître. La trappe se referma aussitôt après, le laissant dans les ténèbres.

La terre était froide. Il avança à quatre pattes jusqu'au mur, fit demi-tour, erra comme un insecte et finit par buter sur une couchette basse, en planches. Il grimpa dessus, et se recroquevilla sur lui-même. Dans le silence qui suivit, il se demanda ce qui venait de lui arriver ? Il se répondit qu'il avait dix-huit ans, qu'il était blessé, transi de froid et qu'on venait de le jeter au fond d'une cave sordide dont il ne sortirait que pour recevoir huit balles dans la poitrine. Cette réflexion, au lieu de le désespérer, le plongea dans une sorte de stupeur. Il resta longtemps ainsi, incapable de penser ni de ressentir quoi que ce soit.

Puis la trappe s'ouvrit de nouveau. Là-haut c'était la nuit. Quelque chose tomba et s'écrasa au sol en un choc lourd. La trappe se referma. Il rampa et trouva un tas de couvertures pliées au carré. Il y en avait cinq.

– Merci, balbutia-t-il. Vous ne voulez pas que je gèle. Vous me gardez en vie pour pouvoir me l'ôter, c'est ça ?

Il déplia les couvertures. Elles étaient rêches mais épaisses, il s'enroula comme il put dans les quatre premières et prit la cinquième comme oreiller. Il se coucha sur le côté de sa bonne épaule et tenta de s'endormir.

Il n'y arriva jamais et la nuit fut interminable. Il passait de l'effroi – je vais mourir – à l'hébétude – je suis en train de rêver. Il somnola parfois, mais le réveil était le pire moment. Il cria : « J'ai mal. », il cria : « Aidez-moi. » Sa voix était assourdie, enterrée, sans aucune portée. Personne ne vint. Il repensa à l'étable de Rodione, au matelas de feuilles, à Lia allongée près de lui, et estima que c'était là-bas le paradis et le comble du luxe. Il pleura sur lui-même, sur ses parents sans nouvelles de lui depuis des mois. Est-ce qu'on le laisserait seulement leur écrire une dernière lettre ?

Et si c'était le cas, que leur dirait-il ? La vérité. « Mes chers parents, j'ai déserté pour l'amour d'une jeune fille qui s'appelle Lia. On m'a repris et je suis condamné à être fusillé. Je vous demande pardon de toute la peine que je vous cause. J'ai revu Brisco. Il a l'air de bien aller. Il ne m'a pas reconnu… »

À l'aube, il remarqua que le jour filtrait entre les planches de la trappe. Cela dessinait un fragile rai de lumière sur sa main. Son œil s'y accrocha. C'était peu de chose mais un réconfort tout de même, après la noirceur de four où il se trouvait depuis la veille.

Le plus douloureux restait son épaule. Elle n'était pas cassée, mais démise, il le sentait bien, et aussi longtemps qu'elle ne serait pas replacée, il aurait très mal.

La trappe s'ouvrit alors qu'il ne l'espérait plus. Il faisait gris là-haut. La cave s'emplit cependant de la clarté du jour.

– Ça va ? fit une voix.

Il était difficile d'aller plus mal, mais il répondit par réflexe et sans réfléchir :

– Oui.

– Je t'apporte à manger, attrape.

On n'y voyait pas bien, à contre-jour, mais les lunettes cerclées de l'homme agenouillé au bord du trou brillèrent, et il reconnut un des soldats qui l'avaient arrêté dans l'étable. Celui qui s'était tenu en retrait lorsque les autres l'avaient frappé. Celui aussi dont ils se moquaient parce qu'il apprenait la langue de Lia, et qu'il l'avait vouvoyée. Un cordon coulissa sur le rebord de la trappe. Une gamelle se balançait au bout.

– Vas-y, défais le nœud. Je l'ai pas serré. Et renverse pas. C'est de la soupe. Y a une cuillère.

Il se traîna à nouveau jusqu'à la verticale de la trappe et trouva la gamelle déposée par terre. Il réussit à défaire le nœud d'une main.

– C'est bon ? interrogea le soldat. Tu y arrives ?

– Oui, dit Aleks.

Le cordon remonta, et le soldat commença à remettre la trappe en place.

– Attends ! dit Aleks.

– Qu'est-ce que tu veux ?

– Tu t'appelles Lenart ?

Il venait de retrouver le prénom entendu sur le traîneau et se rappelait la réflexion méprisante du soldat : « Sacré Lenart, si t'existais pas, y faudrait t'inventer… »

– Oui, comment tu le sais ?

– Attends, répéta Aleks, attends ! Ne referme pas !

– Tu veux quelque chose ?

– Quand est-ce que tu reviendras ?

– Demain matin, je pense…, répondit Lenart. Si c'est moi…

– Et quand est-ce que je… ? Tu le sais ?

Lenart comprit et s'embrouilla :

– Ah ça… je sais pas… pas encore en tout cas… enfin normalement ils… je sais pas…

Sa voix flanchait.

– En tout cas, tiens bon ! conclut-il et il ferma la trappe.

La soupe était tiède, épaisse et mangeable. Dans l'obscurité, Aleks prit tout son temps pour la finir sans en perdre une miette. Puis il retourna sur sa couche et se remit sous les couvertures.

Il passa la matinée à brasser des idées lugubres et confuses. Parfois, la rage et la révolte lui venaient :

– De quel droit est-ce que vous décidez de ma vie ? D'un droit que vous vous donnez à vous-mêmes ? Oh, vous m'entendez ! Répondez-moi ! Vous n'êtes pas Dieu !

D'autres fois, il pleurait, mordait ses doigts et appelait sa mère en gémissant. Il se revit au temps de son enfance, si proche au bout du compte, ce temps où il y avait Brisco à côté de lui, comme un autre lui-même, Brisco son frère de glissades, de cachettes, de rires, de serments… Y repenser le secoua de sanglots bruyants, mais il y trouva aussi et soudainement son unique chance de survie. Dès que cette pensée lui vint, il cessa de crier et de pleurer. Et il se mit à réfléchir.

La chance était infime, mais elle existait.

Il faudrait seulement que tous les éléments se combinent sans faille : le rai de lumière, Lenart, Brisco et d'abord, pour commencer…

Il fouilla, fébrile, la poche arrière de son pantalon. Ce qu'il cherchait était là. Il y vit le signe que le combat venait de s'engager. Qu'il n'était plus soumis ni vaincu. Son cœur s'accéléra. C'était une feuille arrachée à leur cahier de vocabulaire et pliée en huit. Lia la lui avait laissée sur l'étagère un matin qu'elle était partie seule relever les pièges. « *Edi firtzet, kiét fetsat meyit, talyé dey tchout* »… avait-elle écrit dessus. « Fais du feu, mon petit ennemi, je reviens avec un lapin »… et, au cas où il n'aurait pas compris, elle avait dessiné le feu *firtzet*, le lapin *tchout* et même eux trois, Rodione, elle et lui, en train de le manger. Il avait fait du feu, préparé la marmite, elle n'avait rien rapporté du tout, ni lapin ni rien d'autre, et ils en avaient bien ri. Mais il avait gardé ce message dans sa poche arrière. Sans savoir combien il lui serait précieux.

Manquait le crayon…

Il gratta de l'ongle le bois de sa couchette, jusqu'à en détacher un éclat pointu. Il commença à se percer la peau, à l'intérieur du poignet, pour trouver le sang. Il arracha un deuxième éclat de bois, moins acéré, qui lui servirait de plume. Il en trempa le bout dans le peu de sang qu'il réussit à faire couler. Il plaça l'envers de la feuille sous le rai de lumière et se pencha dessus, à quelques centimètres. Il écrivit la première lettre, un B, en prenant soin de bien la dessiner et de laisser de la place pour celles qui suivraient. Quarante-neuf lettres. Pour neuf mots. Il les avait comptées très exactement. « En voici une de faite. Mon sang est clair mais c'est lisible, j'en suis sûr. La deuxième maintenant, un R… La troisième, un I… »

Il perdit son poinçon dix fois et sa plume cinq, ne trouva plus de sang sur son poignet gauche, s'attaqua au droit, se mit à trembler si fort qu'il dut se reposer longtemps pour se calmer entre deux lettres, mais au bout de sa souffrance il avait réussi à écrire plus de la moitié de son message :

BRISCO
QUEUE DE RAT
DE LA SORC

Il lui sembla que sur le papier le sang rouge devenait rose. Mais peut-être était-ce seulement la lumière qui baissait déjà. Il fallait à tout prix finir avant la nuit. À force de se crever les yeux sur le papier, il n'y voyait presque plus rien. Les larmes brouillaient sa vue. «Arrête de pleurer, imbécile!» Il ne pouvait pas s'en empêcher. L'épuisement et l'exaspération le gagnèrent. À quoi bon tout ça? Si ça se trouvait, on viendrait le chercher dès le lendemain matin et il mourrait avec dans sa poche ce message que Brisco ne lirait jamais. Ses yeux brûlaient, ses mains tremblaient, son épaule et ses poignets blessés le tourmentaient. Les derniers mots lui coûtèrent davantage en temps et en peine que tous les autres réunis :

IÈRE BRIT
AU SECOURS

Comme il restait beaucoup de place en bas de la page, il traça avec le bout de son index rougi de sang les cinq dernières lettres :

ALEKS

Quand il eut fini, le soir tombait. Le rai de lumière s'estompa lentement et disparut. Il ne plia pas la feuille de peur d'effacer davantage encore les caractères. Il la posa ouverte sur le sol, à côté de la couchette. Elle lui tint compagnie toute la nuit. Parfois il allongeait le bras pour la toucher, s'assurer qu'elle était toujours là, son unique chance de salut. Si tout allait bien…

Tout irait bien. Lenart viendrait. Il lui dirait la phrase qu'il avait préparée : «Lenart, s'il te plaît… » Et Lenart ferait ce qu'il faudrait. Et Brisco se souviendrait.

« Brisco, rappelle-toi… on était assis sur le muret, nos jambes ne touchaient pas le sol parce qu'on était petits… il y avait du soleil ce jour-là, je nous revois… on a craché, juré craché, à la vie à la mort, qu'on s'aiderait l'un l'autre si on en avait besoin… qu'on aurait notre code secret et qu'on s'aiderait… on a sauté du muret et on a mélangé nos crachats avec un bâton, rappelle-toi, Brisco… et maintenant j'ai besoin de toi, à la vie à la mort… je t'écris avec l'encre de mes veines, Brisco… rappelle-toi… »

La lumière et le raclement de la trappe le réveillèrent en sursaut. Est-ce qu'on ouvrait ou est-ce qu'on refermait déjà ? Il s'était endormi profondément, sur le petit jour, et il eut pendant une seconde la peur affreuse d'avoir tout manqué. Il se redressa d'un coup et cria :

– Attends !

Mais les lunettes cerclées de Lenart brillèrent dans l'ouverture.

– C'est moi. Je t'apporte la soupe. Ça va ?

– Ça va.

– Je descends la gamelle. Tu me rendras l'autre, celle d'hier, la vide, d'accord ?

– Lenart, s'il te plaît…

Il prit la feuille et la regarda au jour. Certaines lettres étaient vraiment mal réussies. Le B de Brit ne ressemblait à rien, et la signature **ALEKS** était sanglante et sinistre, comme tracée par un mourant, mais le message était plus que lisible.

– Lenart, s'il te plaît…

– Qu'est-ce que tu veux?

– Je te mets un message dans la gamelle vide. Tu dois le donner à quelqu'un.

– J'ai pas le droit. Je dois juste te donner ta soupe. Je devrais même pas te parler.

Lenart chuchotait. Il regardait à gauche et à droite.

– Je t'en supplie, Lenart…

– À qui?

– À ce soldat qui était avec vous dans l'étable…

– Lequel? On était cinq…

– Brisco.

– Je connais pas de Brisco…

– Si, celui qui n'a rien dit. Il montait un petit cheval arabe à la robe brûlée.

– Ah, Fenris?

Non, pas lui… faillit répondre Aleks, avant de comprendre : son frère avait changé de nom. Quelque chose s'effrita en lui, cela fit comme un effondrement douloureux, mais il n'avait pas le temps de se laisser aller.

– Oui, dit-il comme à regret, celui-ci. Vas-y, tire le cordon. Le message est dans la gamelle.

– Je devrais pas…

– Lenart, je t'en supplie… *kreïdni*… va…

– Ah, toi aussi tu… C'est la fille qui t'a appris?

– Oui.

– Tu as de la chance, c'est dur, tout seul, avec les déclinaisons et tout… Bon, c'est d'accord, je donnerai ton message.

La gamelle se balança au bout du cordon et remonta vers le jour. La trappe se referma.

– Merci, Lenart, merci. Sois béni…

Il passa les heures suivantes dans un état d'excitation extrême, comme si Brisco pouvait arriver à chaque instant, descendre l'échelle, le message à la main, et lui tomber dans les bras. «Aleks! Bien sûr que je me rappelle! T'en fais pas, je vais te sortir de là!» Mais la matinée s'écoula sans que rien n'arrive.

Du haut lui parvenaient çà et là l'éclat assourdi d'un appel ou bien le banal hennissement d'un cheval. S'il n'avait pas su où il se trouvait, il aurait pu se croire dans un village paisible, loin de la guerre et de ses drames. Il entreprit de fredonner des airs. C'était davantage une plainte qu'un chant, et cela le fatigua vite. Il avait soif, il aurait dû le dire à Lenart, mais il n'avait pensé qu'au message.

Le rai de lumière sur son bras se dissipa. La nuit vint, et avec elle le doute. «Brisco, qu'est-ce que tu fais? Lenart, est-ce que tu as remis le message?» Et l'angoisse. «Pourquoi est-ce que rien ne bouge? Pourquoi ce noir et ce silence?» Et la douleur. «Cette épaule me torture, je ne sais plus comment me mettre pour avoir moins mal.» Et les regrets. «Lia, on ne s'est même pas dit adieu. Où es-tu maintenant, mon petit amour de neige? Si tu me voyais dans mon trou, tu pleurerais comme je pleure de ne plus t'avoir contre moi.»

Le frottement de la trappe qu'on déplaçait le réveilla au milieu de la nuit. Il ne bougea pas d'un centimètre. Seuls ses yeux fixèrent l'ouverture. Ce n'était pas la manière de Lenart, franche et rapide. Celui qui ouvrait prenait soin de ne pas heurter le bois de la trappe contre l'encadrement.

Pendant quelques secondes il n'y eut plus rien qu'un carré de ciel et une étoile unique qui scintillait au milieu. L'air glacé entra dans la cave. Puis l'échelle descendit le long du trou, lentement. Des bottes apparurent, qui cherchaient les échelons, des jambes, un long corps. Une fois en bas, le visiteur prit l'échelle à deux mains et utilisa un des montants pour remettre la trappe en place. Cela dura un peu mais il semblait y tenir. Enfin, il gratta une allumette et la flamme d'une bougie éclaira son visage.

– Brisco..., murmura Aleks. Tu es venu...

Il se redressa et s'assit au bord de sa couchette, une couverture sur les épaules.

Brisco fit de même et posa la bougie devant eux, sur le sol. Ils se trouvaient côte à côte. Leurs bras se touchaient. « Comme autrefois », pensa Aleks. Il ne savait plus que dire. Il s'était imaginé leurs retrouvailles autrement. Plus chaleureuses. Plus émouvantes en tout cas. Ils auraient dû se regarder, s'étreindre. Au lieu de quoi, ils étaient là, l'un à côté de l'autre, dans cette cave obscure et glaciale, comme deux étrangers.

– Tu as eu mon message ?

– Oui, je l'ai eu. Je ne peux pas faire grand-chose pour toi.

La réponse était tombée, aussi brutale qu'un coup de poing. Aleks se tut, désemparé.

– Je suis désolé. Tu as déserté. C'est la faute la plus grave qui existe dans l'armée, tu le savais, non ?

– Je le savais.

– Eh bien alors ?

Aleks avala sa salive. Il ne s'était pas préparé à

cette épreuve. À qui parlait-il ? À son frère perdu, tellement pleuré et maintenant retrouvé ? Ou à un inconnu qui lui faisait la leçon ? Il essaya de trouver le regard de Brisco, mais celui-ci se détourna.

– Tu me mets dans une situation embarrassante, je suppose que tu le comprends.

La voix était ferme, celle de quelqu'un qui n'aime pas se laisser aller. Il y eut un long silence, oppressant. Puis Aleks reprit, avec lenteur :

– Je suis moi aussi dans une situation embarrassante…

Brisco s'emporta soudain, à voix blanche :

– Pourquoi tu as fait ça, bon Dieu ? Tu déshonores notre armée ! On ne va quand même pas perdre cette guerre à cause de… de lâches de ton espèce !

– Je ne suis pas un lâche, je…

– Ah bon, et comment appelles-tu quelqu'un qui trahit, qui abandonne ses camarades au combat ? Un héros ?

– Je n'ai trahi personne. Je n'ai jamais compris ce qu'on était venus faire ici, Brisco, je…

– Ne m'appelle pas comme ça !

– Je ne comprends pas ce que nous faisons ici. La conquête, tout ça…

– Ah, voilà ! C'est bien un raisonnement de Petite Terre, ça !

« C'est normal, je suis de là-bas… » faillit dire Aleks, mais il pressentait déjà que toute discussion à ce propos serait vaine.

– J'ai détesté te revoir dans ces conditions, continua Brisco. J'ai détesté ça !

– Tu m'as reconnu, dans l'étable ?

– J'ai eu des doutes, mais la fille avait crié ton

nom. Elle parlait dans sa langue mais elle a crié «Aleks», je l'ai entendue. Elle a crié assez fort.

Il y eut un nouveau silence, moins pesant que le précédent, comme si la distance entre eux venait de s'amenuiser un peu.

– Qui est cette fille ? Qu'est-ce que tu fabriquais avec elle ?

– Elle s'appelle Lia. Elle était cantinière dans le camp où j'étais stationné. On est partis ensemble. Je ne suis pas un lâche…

– Ah, je vois ce que c'est alors : « un très grand, très long et très bel amour… » ?

– Qu'est-ce que tu dis ?

– Il me semble que quelqu'un t'a prédit ça un jour, tu l'as oublié ?

– Non, je m'en souviens.

Comment aurait-il oublié les mains douces de cette femme blonde tenant la sienne, et son étrange voix d'ensorceleuse : « Tu as une ligne de cœur magnifique… je te prédis un grand amour… » C'était huit ans plus tôt. Brisco était à ses côtés sur le chariot, enfant rieur et complice, plus frère qu'un vrai frère. Ce souvenir lui serra le cœur.

– Tu te souvenais de notre serment ?

– Quel serment ?

– Queue de rat de la sorcière Brit… Je l'ai écrit sur le message.

– Oui. Un serment de gosse. Ne me dis pas que tu y attaches encore de l'importance.

– Si, j'y attache de l'importance. Et toi aussi sans doute, puisque tu es venu.

– Je n'aurais pas dû venir. Tu es un déserteur. On exécute de faux déserteurs, tu le sais ? Je ne devrais pas te le dire, mais c'est la vérité. Toi, tu en es un vrai. Rien ne peut te sauver, et surtout pas moi. Même si je le voulais.

– Tu ne le veux pas ?

– Je ne le peux pas.

– Guerolf t'écouterait. Tu es comme son fils, j'imagine.

– Je *suis* son fils ! Justement ! *Ça* me donne des obligations. Et rendre visite à un déserteur, la nuit, dans son cachot, n'en fait certainement pas partie. Et encore moins le laisser filer.

– Tu es mon frère.

– Je ne suis pas ton frère !

– Brisco…

– Ne m'appelle pas comme ça, je te l'ai déjà dit !

– Je ne pourrai jamais t'appeler autrement.

– Alors ne m'appelle pas ! Tu n'es pas mon frère. Et même si tu l'étais, ça n'y changerait rien. Tu resterais un déserteur ! Je ne bougerais pas le petit doigt. Ça s'appelle la raison d'État. On ne parvient tout en haut que si… enfin seulement si on se montre capable de…

– Capable de quoi ?

– Je n'ai pas envie de parler de ça avec toi. Tu ne peux pas comprendre. J'ai un destin.

– Tu as un destin ?

– Je suis le fils de Guerolf. Tires-en les conclusions.

La flamme de la bougie, qui s'agitait sous leur souffle, se calma dans le silence qui suivit, jusqu'à brûler tout droit, comme une forme figée. Aleks se contorsionna pour prendre un mouchoir dans sa poche.

– Qu'est-ce que tu as au bras ?
– J'ai mal. Je crois que mon épaule est démise…
Le silence de nouveau. Puis :
– Est-ce que tu veux savoir comment vont nos parents, ce qu'ils sont devenus… ?
– Je ne t'ai rien demandé !
– Je peux te le dire sans que tu le demandes…
– Aleks, bon Dieu ! J'essaie depuis des années d'oublier ma vie d'avant. J'ai réussi. J'ai un père, une mère, une idée du monde… Et toi tu débarques, tu me parles de gens…
– De « gens » ? Ils se sont occupés de toi pendant dix ans.
– Ils n'étaient pas mes parents !
– Pas plus que Guerolf et…
– Tais-toi ! Tu n'as pas à me dire ça ! Tu le sais peut-être, qui sont mes vrais parents, toi ?
Il avait posé la question sans attendre de réponse, mais elle tomba, toute simple :
– Oui, je le sais.
À ces mots, une vibration parcourut Brisco. Puis il se figea. Sa voix se fit tremblante et lourde de menaces :
– Aleks…
– Oui ?
– Tu le sais peut-être, mais je t'interdis de me le dire. Tu m'entends ? Je te l'interdis. Si jamais tu le fais, je te jure qu'aussitôt sorti de cette cave je remuerai ciel et terre pour qu'on avance ton exécution à ce matin même et que je serai au premier rang pour y assister.
– Pourquoi ne veux-tu pas le savoir ?
– Je ne veux pas le savoir !
Son éclat de voix le surprit lui-même. On

pouvait peut-être les entendre d'en haut. Il continua, plus bas, mâchoires serrées :

– Je me fiche de savoir de quel ventre je sors, et qui m'y a mis ! Je suis le fils de Guerolf et de la Louve !

– Ils t'ont enlevé.

– Ils ont bien fait !

– Ils t'ont arraché à nous.

– Ils m'ont offert une seconde vie. Une vie ambitieuse et qui me plaît ! Je ne reviendrai plus à la première et je ne veux pas d'une troisième !

– Mais tu n'es pas n'importe qui…

– Tais-toi ! Je t'ai prévenu ! Laisse-moi avec ça ! Je m'en vais !

Que dire à cela ? Aleks sentit le désarroi l'envahir. Leur confrontation allait vers sa fin, il le devinait. Le découragement l'accabla soudain. Il laissa passer un temps, puis reprit dans un souffle :

– Je peux te poser une dernière question ?

– Si elle est du même acabit que les autres, c'est inutile…

– Non, c'est autre chose.

– Vas-y.

– Pourquoi es-tu venu me voir dans cette cave ?

– Je te l'ai dit, je n'aurais pas dû. Je le regrette.

– Ce n'est pas une réponse.

– C'est la mienne.

– Il est interdit de rendre visite à un condamné. Tu as pris un risque important en le faisant. Et tu ne peux rien pour moi, tu l'as dit en arrivant. Alors, même si tu regrettes maintenant de l'avoir fait, pourquoi es-tu venu ?

– Ça me regarde. Je n'ai pas à me justifier.

Malgré la rudesse du ton, Aleks sentit que

quelque chose se rompait chez son frère. C'était presque imperceptible, mais il en eut la certitude.

– Moi je crois que tu es venu pour…

– Tu n'as rien à croire à ma place !

– Tu es venu pour nous dire adieu.

– C'est ça. Je te dis adieu…

– Non, ce n'est pas ce que je veux dire. Tu es venu pour *nous* dire adieu, adieu aux jumeaux de Petite Terre. Aux deux petits garçons de Bjorn et Selma.

– Tais-toi…

– Mais tu t'es trop endurci, tu te raidis et tu n'y arrives pas. Voilà ce que je crois… Finalement, c'est peut-être moi qui peux faire quelque chose pour toi et non le contraire…

– Je m'en vais, dit Brisco. Je n'aurais jamais dû venir ici.

Il prit la bougie et se leva.

– Attends ! dit Aleks, et il se leva aussi.

Ils se faisaient face, maintenant. Brisco était plus grand de quelques centimètres.

– S'il te plaît, dit Aleks. Soulève un peu la bougie. Je voudrais juste te voir un peu mieux avant que tu t'en ailles. Je ne te demanderai rien d'autre.

Brisco s'exécuta à contrecœur et plaça la bougie à la hauteur de sa poitrine, un peu sur le côté. Aleks le regarda dans les yeux, semblant y chercher quelque chose. Trois secondes suffirent. Ce fut comme un torrent. Il éclata en sanglots. Sa tête tomba en avant sur sa poitrine. Il parla dans ses larmes, les bras pendant le long du corps :

– Oh, Brisco, comme tu m'as manqué… Dieu que tu m'as manqué… tu appelais « Aleks ! Au secours !» et je ne pouvais rien faire… j'étais dans le noir, je tambourinais contre la porte de la galerie… je t'entendais m'appeler «Aleks ! Au secours ! Aleks ! »… mais je ne pouvais rien faire pour empêcher qu'ils t'emportent… j'ai couru… j'ai donné l'alerte… c'était trop tard… j'aurais voulu mourir… j'en ai pleuré des nuits entières… est-ce que tu m'en as voulu ?

– Ne pleure pas, je t'en prie… je déteste ça…

– Toi aussi tu pleures, Brisco… Est-ce que tu m'en as voulu ?

– Je ne pleure pas… et je t'en ai pas voulu… ce n'était pas de ta faute… arrête s'il te plaît… je dois partir… Aleks… arrête…

– Oh, Brisco, je suis tellement heureux de te revoir, même ici dans ce trou où je suis comme un rat, même si tu n'es plus comme avant, même si je vais mourir, je suis heureux de t'avoir revu, oh bon Dieu que je suis heureux…

Un élan incontrôlable le jeta en avant. Il enlaça son frère de son bras valide et le serra contre sa poitrine.

La bougie tomba au sol et s'éteignit.

Brisco ne s'esquiva pas. Il accepta d'abord l'étreinte, passif, puis il posa sa tête contre celle d'Aleks. Enfin, il prit son frère contre lui. Sa voix chavira :

– Tu m'as manqué aussi… Aleks… c'est comme si on m'avait coupé en deux… j'ai continué à te parler pendant des mois… des années… l'image des parents s'en allait mais pas la tienne… j'entendais ta voix… je te parlais tous les soirs… et puis tu t'es éloigné… tu as cessé de me répondre… c'est de ta faute !

À présent, Brisco laissait lui aussi couler ses larmes, dans un mélange de chagrin et de colère.

– Tu ne me répondais plus... j'étais tout seul... abandonné... toi, tu avais les parents... moi, je n'avais personne... tu comprends ?... il fallait bien que je vive... j'avais bien droit à vivre, non ?... et maintenant c'est trop tard... trop tard...

Ils restèrent ainsi, soudés l'un à l'autre, hoquetant, malheureux, en deuil d'eux-mêmes.

Brisco fut le premier à se dégager. Il le fit avec brusquerie, et dès lors tout alla très vite. Il ne chercha pas la bougie. Il retrouva l'échelle à tâtons, fit glisser la trappe avec le montant. L'étoile était toujours au milieu du carré de ciel. Au moment de poser le pied sur le premier échelon, il s'immobilisa, se tourna vers Aleks et dit d'une voix redevenue ferme :

– Je ne peux rien faire pour toi.

Puis, rapidement, comme s'il voulait en finir le plus vite possible, fuir, il monta. Une fois dehors, il tira l'échelle vers lui et remit la trappe en place. Il n'eut aucune hésitation au moment de la refermer. Il ne regarda même pas en bas.

Aleks se retrouva seul, debout dans le noir, vidé de tout. Comme lavé.

12 *Deux épées en bois*

Au cours de la journée qui suivit cette visite nocturne de Brisco dans la cave où se trouvait son frère, l'armée de Guerolf mena son attaque la plus violente contre la capitale. Elle y jeta toutes ses forces. Cela avait des airs de « cette fois ou jamais ». Dès le petit jour, des assauts simultanés eurent lieu aux quatre entrées de la ville. Les portes détruites et les murailles endommagées semblaient pouvoir être franchies à tout instant, mais les assiégés opposèrent une résistance furieuse et ne plièrent pas. Ils manquaient de tout, mais pas encore de munitions, et ils déversèrent un déluge de feu sur les assaillants. Une brèche fut ouverte à la porte sud. Sept cents soldats s'y engouffrèrent à la suite de leur capitaine, certains déjà d'être des héros. Ils ne revinrent jamais.

À la nuit, on se replia et Guerolf rassembla son état-major dans le « palais ». Il semblait plus nerveux que jamais, épouvantablement contrarié. Un tic agitait en permanence le coin de sa paupière gauche. La réunion eut lieu dans la grande salle. Elle était vide, froide et inhospitalière avec ses colonnes de marbre sale et le plâtre fendu de son plafond. Le feu qui brûlait dans la cheminée ne chauffait rien. Il y avait là un maréchal, trois généraux, une dizaine de capitaines et un lieutenant, Berg. Les officiers, assis sur leurs chaises à haut dossier autour de la table rectangulaire avaient tous gardé sur eux leur long manteau militaire, certains même leurs gants.

La colère de Guerolf fut provoquée par le mot malheureux d'un vieux général à la moustache poivre et sel qui osa parler d'« inutile entêtement ». Guerolf ne le laissa pas continuer une seconde. Il bondit de sa chaise et, penché sur la table, il se lança dans une diatribe enflammée contre les défaitistes, les faibles, les « baisseurs de culotte » qui travaillaient à la démoralisation de l'armée. Que les soldats cèdent à cette bassesse, il pouvait le comprendre – pas le pardonner mais le comprendre – mais un général !

Le vieil homme, qui ne s'était plus fait gronder ainsi depuis l'âge de sept ans, regarda sans sourciller le doigt de Guerolf pointé sur lui. Il n'avait pas l'air impressionné pour un sou et, dès qu'il le put, il glissa cette phrase qui plongea d'un coup la réunion dans un silence épais :

– Je ne suis pas le seul à penser ainsi.

Guerolf se rassit, livide. Il fit, du regard, un lent tour de table et demanda sur un ton glacial :

– Vraiment ? Qui d'autre ici pense la même chose ?

– Je pense également, intervint le maréchal, qu'il serait sage d'envisager une retraite. Voilà des mois que depuis Grande Terre le parlement nous somme de mettre fin à cette campagne.

– Ce sont des politiques ! Ils n'y comprennent rien ! Quand je leur aurai apporté la ville et le pays sur un plateau, ils oublieront leurs discours de femme, et ils nous élèveront des statues.

– Ils voient la réalité avec une distance que nous n'avons plus ici. Nous manquons peut-être de lucidité. Nous butons sur ces remparts depuis deux hivers, je crains que nous n'arrivions jamais à…

– Qui d'autre ? le coupa Fenris.

– J'ajouterais, dit un général, que des informations très inquiétantes nous parviennent à propos de ces troupes mal identifiées, venues du nord et de l'est, et qui pourraient bien…

– Quelques bandes de cosaques sans commandement ! Des crève-la-faim !

– Certes, mais ils seraient plus nombreux qu'on l'imagine et, s'ils nous attaquaient, nous nous trouverions pris entre deux feux, dans une situation que…

– Qui d'autre ?

Les officiers se succédèrent, chacun à sa façon, mais c'était toujours le même son de cloche. Les uns mirent en avant le moral calamiteux des troupes. Les autres leur état d'extrême fatigue. D'autres encore la difficulté de plus en plus grande d'acheminer le ravitaillement. On évoqua les ravages causés par l'échec de l'attaque menée ce jour même contre la capitale. On rappela l'épuisement progressif de la réserve de soldats sur Grande Terre. Un des généraux, documents en main, établit le bilan militaire désastreux de la conquête, et il termina en brisant un tabou.

– Il est difficile de l'évaluer avec précision, dit-il en pesant ses mots, mais il n'est certainement pas exagéré de penser que depuis le début de la campagne cinquante mille de nos soldats ont succombé sous les balles ou les coups de l'ennemi, et que trois cent mille au moins sont morts de maladie ou de froid. Ce qui représente environ les deux tiers des forces engagées. Je ne parle pas des blessés graves, estropiés, amputés, moribonds… Je pensais que cela devait être dit…

Guerolf l'écouta jusqu'au bout avec dureté et sans le quitter des yeux. Puis il hocha la tête, marqua un long silence et se tourna finalement vers Berg qui, comme simple lieutenant, se tenait assis à l'écart, sous les fenêtres.

– Et toi, Berg?

Berg était le seul de tous à le tutoyer.

– Je pense comme toi, dit-il simplement. On est venus pour entrer dans cette ville, on y entrera.

Une émotion inhabituelle passa sur le visage de Guerolf. Il contracta ses maxillaires et déglutit.

– Tu as raison, Berg. Je te remercie.

Puis il se leva et s'adressa à tous, avec lenteur. La pâleur mortelle de son visage les frappa.

– Je vais demander au parlement de Grande Terre un dernier renfort en hommes, un renfort exceptionnel et massif. Nous rapatrierons les malades et les blessés, et les remplacerons par des soldats valides. Nous doublerons les effectifs chargés de la protection des convois de ravitaillement. Je veux que dès demain la discipline, l'ordre et la propreté des campements soient rétablis et strictement respectés. J'ajoute que dorénavant tout propos défaitiste sera passible de la cour martiale. Ceci vaut autant pour les soldats que pour les officiers. Messieurs, je vous souhaite une bonne nuit.

Aucun de ces messieurs ne passa une bonne nuit. Sauf Berg qui, de sa vie, n'avait jamais mis plus de trente secondes pour s'endormir.

Ceux que Guerolf avait traités avec mépris de « cosaques sans commandement » et de « crève-la-faim » firent leur apparition le lendemain. Il en vint non seulement du nord et de l'est comme on le pensait, mais des quatre horizons. On vit leurs lignes noires se former au loin, comme une menace silencieuse. On s'était grandement mépris sur leur nombre. Il ne s'agissait pas de bandes isolées, mais de dizaines de milliers de combattants, une véritable armée préparée à se battre.

Pendant toute la matinée, ils prirent position à bonne distance. Sans hâte et sans se cacher. Puis ils lancèrent des escarmouches. Chaque fois, quelques centaines d'hommes à cheval que l'infanterie repoussait sans trop de peine. De près, on vit mieux qui ils étaient. Des cosaques en effet, hirsutes et débraillés, équipés d'un armement disparate : fusils de chasse, carabines, arcs, lances, sabres.

– Piqûres d'abeille ! estima Guerolf. Ils cherchent à nous provoquer pour nous faire sortir. Ils peuvent toujours attendre !

Au début de l'après-midi, le temps se couvrit. Le ciel devint gris sale. Et les cosaques déferlèrent.

Ils surgirent par vagues, tirant, frappant, incendiant les tentes avec leurs flèches et se retirant, laissant aussitôt la place à d'autres plus enragés encore.

Les plaies causées par l'assaut de la veille contre la capitale étaient loin d'être fermées. Les blessés gisaient encore par centaines sur leur paillasse, entortillés dans leurs pansements sanglants, à geindre et à implorer des soins que personne ne pouvait leur prodiguer. Pire : on n'avait pas eu le temps de creuser la terre gelée pour y enterrer les morts et ceux-ci attendaient, alignés sous leurs draps, qu'on leur donne une sépulture. Et voilà que l'ennemi, pour la première fois depuis le début de la guerre, lançait une véritable offensive.

Les soldats en furent frappés de stupeur. Et de colère. Comment leurs chefs avaient-ils pu ignorer à ce point l'état des forces adverses ? Dans quel épouvantable traquenard les avait-on entraînés ? Des ordres contradictoires furent donnés pour déplacer l'artillerie et la retourner contre les assaillants, si bien que les manœuvres se déroulèrent dans la plus grande confusion. L'infanterie avait perdu l'habitude de se battre en lignes et il n'était plus temps de s'organiser. Des groupes épars et affolés se constituaient au petit bonheur la chance, sans aucune stratégie.

La cavalerie tenta de sortir à plusieurs reprises pour desserrer le piège et prendre l'ennemi à revers, mais elle n'y parvint pas et subit de lourdes pertes, en hommes et en chevaux.

En quelques heures, le combat tourna au désastre. D'autant plus que les assiégés jetaient leurs dernières forces pour soutenir leurs libérateurs. Depuis leurs murs ils tirèrent ce qui leur restait de balles et de flèches. Le « cette fois ou jamais » de la veille avait changé de camp.

La nuit n'arrêta rien. Au contraire. Les flammes devinrent plus rouges, les cris, plus sauvages, le tonnerre des fusillades, plus sonore.

Vers minuit, Guerolf convoqua un conseil de guerre au « palais ». Des quinze hommes réunis la veille, sept seulement y vinrent.

– Où sont les autres ? demanda Guerolf.

Ils étaient morts ou prisonniers.

– Et Berg ?

– Je suis là, fit le gros lieutenant, qui se tenait vers la porte.

– Approche-toi ! Ne reste pas si loin ! Tu as vu Fenris ?

– Il se bat…

La réunion fut expéditive, et le bilan sans détour : la pagaille régnait dans toutes les lignes et il fallait y mettre fin d'urgence. On décida de restructurer au mieux la défense avec les officiers disponibles. Ils se répartirent sur la carte les différents points où on se battait, et se dispersèrent aussitôt.

Il sembla pendant les heures suivantes que le combat s'équilibrait. Des lignes d'artilleurs se formèrent et firent reculer l'ennemi. Le canon tonna de nouveau. Guerolf se multiplia pour exhorter ses officiers et ses hommes.

La bataille fit rage pendant le reste de la nuit. Maintenant que la plupart des tentes avaient brûlé, on se battait dans le noir et dans une écœurante odeur de cuir et de chair roussis. On trébuchait sur des corps, sur des cadavres de chevaux éventrés. On aurait dit que les cosaques avaient des yeux de chat et qu'ils y voyaient comme en plein jour.

Comme le palais brûlait, Guerolf réunit ses hommes une dernière fois dans les écuries vides de chevaux. En s'y rendant, il passa devant un blessé qui gisait sous une couverture. L'homme le reconnut, désigna la plaie béante qu'il avait à la tête et l'injuria à voix basse :

– Qu'est-ce que tu dis de ça, matamore ? Regarde ce que tu as fait… J'espère que tu crèveras ici comme moi…

Et il cracha vers lui : *pff !*

Jamais Guerolf n'avait subi pareil outrage, mais il détourna le regard et s'en fut. Dans les écuries, ils se retrouvèrent à quatre, debout dans le fumier et le purin : Guerolf, deux généraux et Berg.

– Où sont les autres ?

Ils étaient morts.

– Il faut rompre, dit un des deux généraux qui cachait mal son inquiétude. La sueur perlait sur son front. Il faut rompre, ou bien nous périrons jusqu'au dernier.

– Se rendre ? C'est ce que tu veux dire ?

– Pas vraiment. Ils nous ménagent un passage à l'ouest, un couloir. C'est une tradition guerrière chez eux : ils laissent à l'ennemi une chance de se retirer. Je suis d'avis de la saisir, de négocier et d'engager la retraite. Il n'y a pas de déshonneur. Il faut sauver ce qui reste de nos hommes.

Guerolf interrogea le deuxième du regard.

– Il a raison, dit celui-ci, posément. Il faut partir. Vite et tous. Sinon cet endroit sera notre cimetière.

– Berg ?

– Je ne sais pas. Je ferai comme toi. Je te suivrai.
– Je te demande ce que tu penses.
– Je pense comme toi.

Guerolf, pour la première fois depuis qu'il connaissait Berg, c'est-à-dire plus de vingt ans, fut agacé par cette soumission inconditionnelle. Il le rudoya.

– Non ! Je te demande ton avis ! Ton avis à toi ! Tu as le droit d'en avoir un. Tu n'es pas mon chien !

Le gros lieutenant accusa le coup. Il regarda son maître avec plus de tristesse que de peur. Comme si l'idée de mourir l'effrayait moins que celle d'être rejeté.

– Mon avis, énonça-t-il avec peine, mon avis est qu'il faut s'en aller, Guerolf.

L'homme qui avait soumis Petite Terre, puis Grande Terre, et qui s'était lancé à la conquête du Continent, baissa la tête et soupira. Un rictus tordait sa bouche. Il y eut un silence.

– M'en aller ? dit-il enfin, si bas que les autres purent à peine l'entendre. M'en aller ? Négocier ? On aurait dit qu'il prononçait des mots répugnants. Jamais ! Je ne pourrais pas vivre après ça. Partez si vous le voulez, je vous y autorise. Prenez ce couloir de l'Ouest. L'ennemi fera peut-être une haie d'honneur sur votre passage…

Puis il releva la tête et regarda chacun des trois hommes.

– Messieurs…

Il tourna le dos et sortit lentement. On se battait en dessous. La fusillade crépitait dans la nuit. Il monta son cheval et s'engagea au pas dans la descente, en direction du combat.

– Attends-moi ! appela Berg qui était sorti derrière lui. Attends-moi, Guerolf, j'arrive.

Le maître de Grande Terre se laissa rejoindre et ils allèrent côte à côte.

– Dis-moi, Berg, est-ce que tu te rappelles nos batailles d'épées, quand on était enfants, à Petite Terre ?

– Oui, je me rappelle.

– On avait quel âge ? Huit ans ? Neuf ans ?

– Quelque chose comme ça, oui.

– On avait nos épées de bois.

– Oui, et des couvercles de lessiveuse comme boucliers.

– On se mettait en haut de la rue, pour attaquer ceux d'en bas, ceux de la poissonnerie.

– Oui, on était toute une bande, une sacrée bande, et c'était toi le chef.

– Oui, et toi mon lieutenant.

– Oui.

Tout en parlant, ils tirèrent chacun l'épée du fourreau. Ils se tenaient de près, les flancs de leurs chevaux se touchaient. Le « palais » brûlait sur leur droite et ses flammes rougissaient le ciel nocturne. Des cris montaient du champ de bataille, en contrebas.

– On se jurait de lutter jusqu'à la victoire ou jusqu'à la mort, c'est ça ?

– Oui, on disait : « La victoire ou la mort ! » et on se jetait dans la descente en hurlant.

Guerolf éclata de rire.

– Oui ! Ils devaient faire dans leur culotte, en bas, avant même qu'on arrive, rien qu'en nous entendant brailler !

Il mit son cheval au trot, et Berg fit de même.

– Allez, Berg, on va leur flanquer une bonne dérouillée à ceux de la poissonnerie.
– Oui, Guerolf, une bonne dérouillée !
– T'as pas peur, Berg ?
– Non, Guerolf, j'ai pas peur.
– Alors allons-y ! La victoire ou la mort !
– La victoire ou la mort !
Guerolf lança son cheval au galop, droit dans la descente. Berg talonna le sien et le suivit.

13 Où es-tu ?

Où es-tu, Lia ? Je te cherche depuis si longtemps.

Je te vois partout et tu n'es nulle part.

Où es-tu ? Tu ne crois tout de même pas que je suis mort ? Dis-moi, ma petite vache libre, mon grand amour, ma toute douce, tu sais bien que je ne t'aurais pas quittée comme ça sans te serrer si fort dans mes bras que personne n'aurait pu nous décrocher. Tu ne penses pas que je serais allé mourir sans te dire adieu, alors qu'on a toute une vie devant nous, à se caresser, à rire... *ziliadin*... à s'apprendre nos mots. Dis-moi, mon tendre amour, tu ne crois quand même pas que je suis mort ?

Quand je suis sorti de mon trou, j'étais pire qu'un rat. Maigre, échevelé, livide. Je devais faire peur à voir, mais j'étais vivant. Ça veut dire que mon cœur battait, que l'air entrait dans mes poumons et que j'étais capable de penser. La preuve :

j'ai su dire la phrase que tu m'avais apprise et qui m'a sauvé, j'en suis sûr.

Après la visite de Brisco dans la cave, je suis resté longtemps anéanti. Le petit frère que j'avais perdu n'existait nulle part ailleurs que dans ma mémoire. La recherche était finie.

Lenart est venu, au point du jour. Il m'a apporté du pain et de l'eau. Il m'a demandé si j'avais un autre message. Je lui ai dit que oui, mais qu'il me faudrait un crayon et du papier. Ce que j'avais à écrire était long et je n'y arriverais pas avec mon sang. Il est revenu un peu plus tard et il a juste soulevé la trappe pour jeter un carnet et un bout de crayon. Il n'avait certainement pas le droit de faire ça. Il risquait gros. Il avait l'air timide et froussard avec ses lunettes cerclées mais il avait du cran. En plus, c'est le seul soldat, de tous ceux que j'ai rencontrés depuis le début de la campagne, à s'être donné la peine d'apprendre ta langue, la langue de l'ennemi. Moi aussi bien sûr, je l'apprends, mais j'ai une bonne raison.

J'ai commencé à écrire dans le rai de lumière : « Mes chers parents… » et ça m'a rendu tellement triste que je ne suis pas arrivé à continuer. Comment leur dire la vérité sans les plonger dans une souffrance insupportable ? « *C'est votre grand garçon Aleksander qui vous écrit… pardonnez-moi mais je vais vous causer une peine affreuse… j'ai déserté… on m'a repris… je suis enfermé dans une cave… on va me fusiller…* » Comment dire ça à ses parents ? Et comment leur mentir alors qu'on va mourir ?

La journée s'est passée comme ça, j'étais assis, le crayon dans mes doigts, désespéré. En haut, le canon a tonné et j'ai supposé qu'on avait lancé un nouvel assaut contre la capitale. Quand la nuit est arrivée, j'avais trempé le carnet de mes larmes et toujours rien écrit. Je n'ai pas dormi. J'avais froid. Mon épaule me faisait mal.

Le lendemain matin, Lenart est venu pour la dernière fois. Il m'a fait descendre une soupe dans la gamelle. Je lui ai demandé si j'allais être fusillé bientôt. Il m'a dit qu'on avait d'autres soucis pour l'instant. J'ai demandé lesquels et il a simplement répondu : « Les cosaques arrivent. » Je n'ai pas bien compris. Je n'avais jamais entendu ce mot-là : cosaques.

Et puis l'après-midi, ça a commencé. J'entendais mitrailler, ferrailler, batailler. Les hennissements des chevaux et les cris des hommes m'arrivaient assourdis. Sans rien voir, je devinais la férocité du combat. Plusieurs fois, des soldats se sont trouvés près de la trappe. Je les entendais crier. Tantôt les tiens, tantôt les miens, tantôt dans ta langue, tantôt dans la mienne. Alors, petit à petit, j'ai compris qu'il se passait là-haut des choses graves et nouvelles. J'ai surtout compris que cette cave où je croupissais n'était plus tout à fait une prison où j'attendais la mort. Elle était en train de devenir au contraire un refuge qui me permettrait peut-être d'en réchapper ! J'étais au milieu de la tuerie, mais protégé, intouchable.

Je me suis rappelé l'histoire de ce prisonnier, seul survivant de l'éruption d'un volcan dans sa ville engloutie sous la lave, et sauvé parce qu'il était détenu dans une geôle souterraine. Je me suis rappelé aussi ces soirs où la tempête faisait rage, sur Petite Terre, et que je la regardais avec

Brisco, par la fenêtre de notre petite chambre. Nous écoutions hurler le vent glacial, mais il ne pouvait rien contre nous. Nous étions bien à l'abri.

Le calme est revenu avec le petit jour. Le silence, au-dessus de moi, était irréel. Lenart ne s'est pas montré. Qu'était-il arrivé là-haut ? Est-ce que tous étaient morts ? Est-ce qu'ils s'étaient rendus ? Est-ce que la ville était ouverte ?

J'ai patienté longtemps avant d'oser crier. J'ai appelé au secours. D'abord à mi-voix de peur qu'on m'entende, je sais, c'est ridicule. Puis de plus en plus fort, jusqu'à hurler. Personne ne m'a répondu. Alors je me suis demandé si cet endroit qui avait d'abord été ma prison, puis mon refuge, ne serait pas en réalité et finalement mon tombeau. J'avais bu depuis longtemps toute mon eau. La soif et la fatigue m'accablaient.

J'ai choisi de ménager mes forces et de ne crier que lorsque je sentirais une présence tout près de la trappe. C'est arrivé quatre ou cinq fois, mais j'avais beau me casser la voix, personne ne me répondait. Chaque échec me laissait plus faible et découragé que le précédent.

Et puis le miracle a eu lieu. Je ne savais plus depuis combien de jours et de nuits j'étais là, affamé, à bout de forces, le corps endolori. Ma hantise était de m'endormir et de manquer les occasions de mon salut. Alors je restais couché sur le dos, les yeux ouverts fixés vers la trappe, l'oreille aux aguets, la gamelle vide à la main afin d'être prêt à la jeter le moment venu. C'est un léger changement d'intensité dans le rai de lumière qui m'a alerté. Quelqu'un venait de le couper, quelqu'un qui venait peut-être même de s'asseoir sur la trappe. J'ai bondi, hurlé.

– Héééé! Héééé!

J'ai lancé ma gamelle qui a percuté le bois de la trappe. J'ai entendu une voix d'enfant qui répondait, dans ta langue, Lia. Je ne sais pas ce qu'il a dit. Sans doute : « Il y a quelqu'un là-dessous! » J'ai continué à crier :

– Hééééééé! Ouvrez!

Une minute plus tard, la trappe s'ouvrait et l'échelle descendait. La lumière m'a ébloui. J'ai monté les échelons, tremblant, hébété. Ceux qui m'avaient ouvert s'étaient retirés au-delà des décombres de la maison. Ils se demandaient sans doute quel animal aveugle et monstrueux allait sortir des entrailles de la terre. J'ai vu des tentes couleur d'argile et des gens assis devant, autour de foyers. J'ai avancé vers eux, moitié à quatre pattes, moitié trébuchant sur les poutres et les pierres noircies. Ils me regardaient en silence, stupéfaits. Je portais la veste de Rodione bien sûr, mais j'étais avant tout un *fetsat* et ils l'entendraient dès que j'ouvrirais la bouche pour parler.

Alors j'ai pensé à toi, Lia, et à cette phrase que tu m'as apprise. « Si tu salues quelqu'un de nous de cette façon, rien ne t'arrivera... » Voilà ce que tu m'avais assuré. Alors j'ai prononcé la phrase : « *Otcheti ots...* » parce que je m'adressais à plusieurs personnes, pas « *otcheti tyin* » non, ça c'est pour une seule personne, tu vois j'ai bien retenu, je suis bon élève... « *otcheti ots* »... la paix soit avec vous, et j'ai fait le geste qui allait avec, comme tu me l'avais montré, la main droite devant soi, pas trop, juste comme ça, puis sur la poitrine en l'effleurant à peine.

Et sais-tu ce qui est arrivé à cet instant? Sais-tu ce qu'ils ont fait en m'entendant dire la phrase? Ils ont éclaté de rire! Ce fantôme ébouriffé, sale, maigre, et qui leur disait «*otcheti ots*» avec son accent de *fetsat* était incroyablement comique à leurs yeux. Alors j'ai ri aussi. Que faire d'autre? Mais ça m'a fait si mal à l'épaule que je suis tombé à genoux en la tenant. Un homme s'est approché. Je me suis rappelé comment on disait «j'ai mal» et je l'ai dit :

– *Matyé*...

Il s'est retourné et a crié quelque chose à un enfant. L'enfant est parti en courant et il est revenu très vite avec un gros bonhomme placide qui m'a palpé l'épaule avec ses mains énormes et chaudes. Je me souviens qu'il chantonnait en sourdine en le faisant, comme si c'était une routine pour lui. Son haleine empestait l'alcool. J'ai pensé que c'était un rebouteux. En effet, c'en était un. Mais un rebouteux expéditif. Il m'a fait coucher sur le dos. Lui aussi s'est couché, en angle droit par rapport à moi. Il a mis un de ses pieds sous mon aisselle et l'autre contre mon cou. Il a pris mon bras par le poignet et a tiré très fort dessus en lui imprimant une torsion. J'ai entendu un craquement sinistre. Mon épaule était à sa place. Et moi j'étais évanoui.

Ils ne m'ont pas traité en *fetsat*. Ils m'ont pris pour ce que j'étais : un garçon de dix-huit ans, jeté malgré lui dans cette guerre, presque mort et qui avait besoin d'aide. Ils m'ont recueilli, soigné. Ils m'ont fait manger, boire, ils m'ont tenu au chaud.

Chaque fois que j'y repense, ma gorge se serre. Jamais je ne l'oublierai.

J'évitais de parler sinon pour dire les mots que je connaissais de leur langue, de la tienne : *skaya*... l'eau, *firtzet*... le feu, *itiyé*... ça va. J'ai repris sur le carnet de Lenart la liste que j'avais écrite sur le nôtre et j'y ai ajouté tout ce que j'arrivais à attraper : *nyin*... la ville, *choudya*... l'épaule, et un verbe que j'avais oublié de te demander : *ziliadin*... rire. C'est joli *ziliadin*... à l'intérieur il y a ton nom *Lia*...

Il y avait foule sous les murs de la capitale libérée. Tout un peuple qui affluait de la province pour venir en reprendre possession ou rendre visite à leurs parents assiégés depuis si longtemps. Des hommes, des femmes, des grands-pères et des grands-mères, des enfants, des nourrissons, tous emmitouflés dans leurs vêtements d'hiver, des milliers de visages cuivrés, de joues et de mains rougies par le froid, et la musique de leur langue, la tienne, qui m'était à la fois mal connue et presque familière. Je ne sais pas d'où provenait notre subsistance : des pommes de terre, du poisson séché, de la viande de mouton, du pain noir. C'était étonnant, j'avais quitté un monde en descendant sous la terre de quelques mètres, et j'en trouvais un autre en remontant. Plus un seul soldat de l'armée de Guerolf, plus une seule tente militaire, plus un uniforme, plus rien. Comme si rien de tout ça n'avait jamais existé ici. Malgré le manque de tout, les gens chantaient et dansaient le soir autour des feux. Moi je les regardais, couché sous une couverture, près des flammes, et je me demandais si c'était un rêve.

La famille qui m'avait recueilli se composait d'une trentaine de personnes. Il y avait l'ancêtre, une vieille femme sans âge, paralytique, dont ils prenaient soin et appelaient Talynia. Les autres étaient ses descendants, mais je n'ai jamais réussi à établir tous les liens familiaux.

Quand je me suis senti mieux, quand mon épaule a cessé de me faire souffrir, j'ai dessiné ton visage sur le carnet. Je m'y suis repris à vingt fois et je suis arrivé à quelque chose qui te ressemble. Sauf tes yeux. Ils sont impossibles à reproduire. J'ai montré mon dessin à tout le monde autour de moi en te nommant : Lia. Ils secouaient la tête. Non, ils ne connaissaient pas cette fille. Ils disaient juste *halyit*... jolie. Ça me faisait plaisir, mais ça ne m'aidait pas beaucoup.

Alors, je les ai embrassés tous, les trente, les uns après les autres et je suis entré dans la ville.

Où es-tu, Lia ? Je t'ai cherchée partout dans cette ville immense. J'ai montré mon dessin dix mille fois en disant ton nom. Ils m'ont dit cinq mille fois *halyit* mais ils ne te connaissaient pas.

J'ai survécu parce que je suis bon menuisier. La ville n'était plus que décombres et partout on reconstruisait des abris provisoires avec des pierres tirées des éboulis et des planches de récupération. Même avec un bras et demi, j'ai pu me rendre utile. Je connais des façons d'ajuster, de caler, d'assembler. En le faisant je pensais à mon père qui me les a apprises et je le remerciais.

Je m'embauchais comme ça, sans rien demander. Je m'approchais du chantier et je me mettais au travail sans dire un mot. J'y gagnais un bol de soupe, une chaussette, une pièce. On m'a chassé trois fois seulement parce que j'étais un *fetsat*. Je trouve que c'est peu si on considère ce que les miens ont fait supporter à ces gens, les années de calvaire. Je restais quelques jours, le temps que la construction soit achevée, et je changeais de quartier.

Le printemps est passé, bien court. J'aurais aimé te retrouver au printemps. Me promener avec toi au soleil. Voir ton visage dans sa lumière, et un peu plus de ta peau. Ton cou, tes bras, tes jambes. Je ne t'ai vue dehors que couverte de quatre couches d'habits ou bien au contraire : toute nue dans l'étable de Rodione. J'aurais aimé connaître la demi-mesure.

Au bout de six mois, j'ai compris que tu n'étais pas dans cette ville. Elle est immense et peuplée, mais je t'y aurais retrouvée. En six mois, je t'y aurais retrouvée. Alors je suis parti.

Je me suis dit : « D'accord… jusqu'à l'hiver, Lia… je te cherche jusqu'à l'hiver prochain, dix semaines en tout, pas une de plus et je rentre à Petite Terre… »

J'ai acheté au prix de la viande un vieux cheval malade qu'on allait abattre pour le manger. Je l'ai soigné sans trop y croire et j'ai eu la chance avec moi : il a survécu. Il était moche, avec sa longue tête maigre et ses côtes saillantes, son poil gris et rêche. Je me suis dit qu'on était comme des rescapés, tous les deux, des survivants. Qu'on allait bien ensemble. Je l'ai appelé du premier nom qui m'est venu : Veinard.

J'ai acheté aussi un petit traîneau, à peine plus grand qu'une luge, et j'ai quitté la ville.

J'ai retrouvé le village de Rodione, notre village. J'y ai mis du temps, j'ai erré dans la plaine, je me suis égaré, mais je l'ai retrouvé. Rappelle-toi, on le comparait à un village fantôme, mais ce n'était rien en comparaison de maintenant. Sans Rodione et sans toi, il avait l'air figé pour des siècles dans le silence et le froid. Rien ne bougeait. J'ai dormi dans notre étable. La porte était restée ouverte et toutes nos affaires étaient là en désordre, comme si tu n'y étais même pas revenue. Il ne manquait que notre carnet. Dormir sur notre matelas de feuilles sans toi était d'une tristesse épouvantable. Veinard ne donnait pas la même chaleur que Faxi, loin de là. Et il n'y avait pas les rêves et les délires de Rodione qui nous faisaient tellement rire. Derrière la cloison c'était un silence de mort, et dans mon lit, sans toi, la froideur de la solitude.

Je suis allé au cimetière, sur la tombe de Rodione, j'ai marché dans les rues, j'ai fouillé l'endroit d'où il m'a semblé que venait ta voix quand tu m'as crié de m'enfuir. Ce sont les derniers mots que j'ai entendus de toi : «Aleks, sauve-toi ! » J'ai fouillé dans l'espoir de trouver je ne sais quoi, quelque chose d'infime qui me mettrait sur ta trace. Je n'ai rien trouvé.

Le lendemain, j'ai décidé de quitter ce village sans nom et cette étable où j'avais vécu tant d'événements. Imagine-toi : elle m'a servi de refuge alors que j'allais mourir, j'y ai appris l'amour avec toi et j'y ai retrouvé mon frère perdu depuis des années. Ça fait quelques petites choses qui comptent, non ?

Pour te retrouver, j'ai essayé de me mettre à ta place, seule avec Faxi, le jour où ils m'ont emmené. Tu aurais sans doute cherché ce village d'où Rodione avait rapporté des provisions. C'est ce que j'ai fait. J'ai attelé Veinard et nous avons exploré les environs, chaque jour une nouvelle direction, et nous rentrions le soir. J'ai réussi à notre troisième expédition. Il était temps, mes provisions diminuaient. Le village était caché dans un creux, de l'autre côté de la forêt, à trois heures de marche. Il était habité par une vingtaine de familles stupéfaites de me voir arriver là. J'ai montré le dessin à une femme. Elle a regardé et elle a dit : « Lia… » puis une longue phrase que je n'ai pas comprise. Mon cœur s'est mis à battre très fort. Pour la première fois depuis que je t'avais perdue, je rencontrais quelqu'un qui te connaissait.

– *Lia boratch* ? j'ai demandé. Lia est ici ?

– *Net*, a répondu la femme et elle a pointé son doigt vers le sud, *Lia nyin*… Lia est dans la ville…

– Non, j'ai dit, elle n'y est pas.

La femme a écarté les bras et les a laissés retomber. Elle n'en savait pas davantage. Le court bonheur d'avoir retrouvé ta trace a vite cédé la place au découragement. On me renvoyait là d'où je venais et où tu n'étais pas. Je suis resté deux jours dans ce village. Comme partout où je passais, je faisais le tour de tout ce qui était en bois, cassé ou bancal, et je réparais. J'ai aussi continué à apprendre ta langue, à écrire chaque mot nouveau, chaque tournure nouvelle que j'arrivais à comprendre. C'était difficile. Les gens parlent leur langue sans savoir comment elle fonctionne. Il faut tout démêler soi-même. Il y a des petits mots de rien du tout, qu'on entend à peine et qui changent tout. Il y en a d'autres qui prennent toute la place et qui ne servent à rien. Je me suis acharné à apprendre. J'avais l'intuition que j'en aurais grand besoin.

Ensuite a commencé ma course folle...

J'ai fait le projet insensé de te retrouver coûte que coûte, dans ce pays démesuré, avec pour seule aide un portrait de toi tracé sur mon carnet et les trois lettres de ton prénom : Lia. Et pour seul compagnon un vieux cheval fatigué pas si veinard que ça au fond.

À peine oublié, l'hiver était déjà revenu, sautant par-dessus l'automne, l'avalant.

Je me suis dit : « D'accord, d'accord... jusqu'au printemps prochain, Lia... je te cherche encore jusqu'au printemps prochain, six mois en tout, pas un jour de plus, et je rentre à Petite Terre... »

J'ai séjourné dans cent villages brûlés qu'on était en train de reconstruire. Chacun des cent aurait pu être le tien, où tu serais revenue. Aucun ne l'était.

– *Pedyité souss maa ?* Vous connaissez cette jeune fille ?

Je l'ai demandé un milliard de fois : « *Souss maa, pedyité ?* »

La page du carnet s'est froissée, à force. Mon dessin s'est abîmé. Je l'ai refait mais j'ai moins bien réussi et ça m'a rendu furieux, et triste. Est-ce que ton image s'éloignait déjà de ma mémoire ?

J'ai eu de faux espoirs aussi.

– *Ta*, oui, je connais cette fille... elle est là-bas, tenez, la voilà qui s'en va… vous la voyez, là-bas, de dos, qui s'en va ?

– Elle s'appelle Lia ?

– *Ta, Lia…*

Et c'est vrai que la silhouette te ressemblait vraiment. Je courais, près de défaillir, je dépassais la personne et je regardais son visage. Ce n'était jamais toi. Jamais. Certaines étaient jolies. Mais toi, tu n'es pas jolie. Tu es autre chose de plus, quelque chose que je ne sais pas dire, qui me fait fondre et prendre feu, qui me touche au cœur, qui me donne envie de vivre, de pleurer.

J'ai arpenté le pays du sud au nord, de l'est à l'ouest. Infatigablement. Ou plutôt si : fatigablement ! Épuisablement ! Mais impossible à arrêter. Il aurait fallu me tuer.

J'ai fini par revenir dans ce port où nous avions débarqué, un an plus tôt, mes camarades et moi, sur un grand navire militaire tout neuf, dans nos uniformes tout neufs, avec nos fusils tout neufs. Où étaient-ils maintenant, mes camarades ? Quelques-uns rentrés au pays. La plupart morts. Des cadavres dans la neige, tout neufs. Et moi un vagabond.

J'ai trouvé un bateau en partance pour Grande Terre. De là-bas, ensuite, j'aurais pu continuer le voyage, embarquer pour Petite Terre et retrouver mes parents sans nouvelles de moi depuis si longtemps. J'étais déjà à bord, le bateau allait partir. Alors j'ai changé d'avis. J'ai couru sur la passerelle et sauté à terre.

Je me suis dit : « D'accord, d'accord… deux années encore, Lia… je te cherche deux années encore… pas un jour de plus… et je rentre à Petite Terre… »

Je suis revenu à la capitale. Je t'y ai cherchée partout, pour la deuxième fois. J'y ai revu des gens que j'avais rencontrés l'année d'avant. Ils m'ont dit que j'étais pâle et maigre, que je devrais mieux m'alimenter et faire davantage attention à moi.

Je suis allé au bout des contrées de l'Est, là où il n'y a plus que des loups faméliques aux yeux de braise. On m'a dit qu'ils me mangeraient. Mais j'étais devenu tellement sauvage que c'est moi qui les ai mangés, je crois ! Avant, je leur ai montré mon dessin, et je leur ai demandé s'ils te connaissaient. Ils ne te connaissaient pas… J'ai été malade, là-bas, j'ai eu de la fièvre, tout s'est embrouillé.

Veinard est mort sous moi, dans la neige. Il est tombé et n'a pas pu se relever. J'ai essayé de l'aider. Je l'ai supplié, grondé, mais il avait une jambe fracturée je pense. Alors je me suis couché contre son flanc et je l'ai veillé jusqu'à ce qu'il meure. Je lui ai parlé, je l'ai remercié de m'avoir porté si loin, tiré si loin, sans jamais se plaindre, en obéissant toujours, en supportant ce que je lui infligeais : la faim, le froid et ma tristesse.

Quand ses yeux ont tourné et qu'il est mort, j'ai eu la tentation de ne plus bouger, de rester là avec lui, mon courageux compagnon de misère, et de me laisser partir aussi. Mais il est devenu froid, et moi j'étais bouillant, alors j'ai pensé qu'on n'allait plus si bien ensemble et que c'était mal de rester là. Je me suis levé, j'ai pris sa selle, j'ai caressé sa joue pour lui dire adieu, j'ai couvert sa tête avec de la belle neige blanche. La lune faisait briller ses cristaux. Et je suis parti à pied.

Je suis allé dans les villes du Sud, je suis allé sur les plateaux de l'Ouest, dans tous les villages, les uns après les autres. J'ai eu quatre autres chevaux pendant tout ce temps. Non, cinq avec celui que j'ai volé. Je ne sais plus. Tout se mélange. Le dernier est cette petite jument blanche que j'appelle Mona et qui trotte si bien.

Je suis revenu au port d'embarquement au bout de deux ans, comme prévu. Mais je ne suis même pas monté sur le bateau, cette fois. Je l'ai regardé manœuvrer, sortir du port et s'éloigner dans le ciel blanc comme du coton, sans moi. Et j'ai fait demi-tour, parce que monter à bord, c'était renoncer à toi pour toujours, te perdre. Et je ne veux pas te perdre.

Je me suis dit : « D'accord, d'accord… je te cherche une vie encore, Lia… une vie seulement… pas davantage… et je rentre à Petite Terre. »

14 *Où es-tu ?*

Où es-tu, Aleks ? *Kiét fetsat meyit…* mon petit ennemi… Je te cherche depuis si longtemps.

Tu n'es nulle part. On dirait que l'univers t'a englouti. C'est comme si tu n'avais existé que dans un long rêve incroyable que j'aurais fait, où il y aurait eu une marche épuisante dans le froid, un orchestre symphonique dans le ciel, des baisers glacés et brûlants, la mort qui nous appelle, une étable, un vieux fou dans sa tombe éclairée par la lune, un cheval, des pièges, un lapin des neiges…

Où es-tu, mon amour ? Est-ce que tu sais que je serais très en colère contre toi si tu étais mort ?

Ils m'ont battue pour que je me taise. Je te criais de t'enfuir. L'un des deux me bâillonnait de sa main, et comme je criais encore, l'autre m'a tellement bourrée de coups de poing que je me suis trouvée mal. Quand je suis revenue à moi, j'étais seule. J'ai avancé sur le chemin jusqu'à ce tournant d'où on découvre la plaine et j'ai vu disparaître la troupe. Cela faisait quelques points noirs sur la neige, au loin. J'ai appelé mais tu ne pouvais plus m'entendre.

J'ai couru à l'étable. Ils m'avaient laissé Faxi. Je lui ai attelé le traîneau que tu avais préparé et je suis partie aussitôt à votre poursuite, sans prendre le temps de fermer les portes ni rien, en oubliant tout. Sauf notre carnet, j'ai eu le réflexe de le prendre ! Au fait, il y avait un lapin dans le piège, bien dodu. Je l'ai jeté aux renards. Dommage.

Mon projet n'était pas de vous rattraper. Faxi était bien trop lent pour ça avec son gros derrière, et puis qu'est-ce que j'aurais fait ? Je n'allais pas t'arracher à eux avec mes griffes ! Quoi que…

Non, mon obsession était de ne pas te perdre de vue, de savoir où ils t'emmenaient. J'étais affolée à l'idée de ne jamais pouvoir te retrouver. Comme j'avais raison…

Pauvre Faxi, je l'ai fouetté, injurié, je ne lui ai pas laissé de répit. Je lui hurlais : « Galope ! » Mais il ne sait pas le faire, tu te souviens. À sa pleine vitesse, on dirait qu'il revient tranquillement de la foire. J'ai suivi vos traces vers le sud en me crevant les yeux à l'horizon. Puis le soir est venu, le jour a baissé et je me suis perdue. Faxi n'en pouvait plus. Je me suis arrêtée. Je lui ai donné à boire et à manger. Autour de nous le silence s'est fait. J'ai eu l'illusion que la plaine me parlait : « Tiens, te revoilà, toi… on se connaît, il me semble… est-ce que tu me remets ? Je suis blanche et froide et mortelle, tu te souviens ? » L'angoisse m'a prise.

C'est alors qu'ils sont arrivés par l'est. Une dizaine de cavaliers sur leurs petits chevaux à la crinière pendante, des cosaques, avec leur tunique, leur moustache noire, leur bonnet de fourrure sur la tête et leur longue lance à la main. Ils m'ont demandé où j'allais comme ça. Je ne pouvais pas leur avouer que j'étais avec un *fetsat*. Ce ne sont pas des gens très compréhensifs. Ils l'auraient très mal pris. Je leur ai dit que j'étais cantinière dans un camp et que je m'étais enfuie. C'était vrai, d'ailleurs. Tu t'es enfuie avec un cheval de trait ? Oui, c'est un cheval qui servait à tirer les chariots de ravitaillement. Et tu as emporté toutes ces provisions ? Oui, je les ai volées. Bravo, petite, bravo ! Ils ont ri et m'ont félicitée. J'étais un bon petit soldat.

J'ai résisté autant que j'ai pu, mais ils m'ont obligée à faire demi-tour. Tu vas te perdre dans la nuit, et puis ça va devenir très dangereux là-bas, du côté de la capitale. Pourquoi ? Parce que.

J'ai donc rebroussé chemin et je les ai suivis jusqu'à un village, de l'autre côté de la forêt. Je pense que c'était celui d'où Rodione avait rapporté toutes ses victuailles. Il était envahi de soldats, l'avant-garde de notre armée de cosaques. J'ai appris par eux qu'une grande offensive se préparait pour les jours à venir, qu'ils allaient tomber par milliers sur l'armée de Guerolf, la décimer, la mettre en pièces et libérer la capitale. Alors l'espoir m'est revenu. Peut-être que s'ils étaient assaillis, les tiens n'auraient pas la tête à te fusiller… Ou pas le temps.

Te fusiller… Comment peut-on mettre ces deux mots ensemble ! Comment imaginer cette chose monstrueuse : faire entrer des morceaux de métal dans ton corps pour te faire mourir. Toi si doux et paisible. Je l'ai vu dans tes yeux dès la première fois, quand je t'ai servi ta soupe et qu'il y a eu cette bagarre. Sans elle, je n'aurais certainement pas levé le nez de la marmite. C'était une règle chez nous : ne jamais regarder ceux qu'on servait. Qu'ils n'aillent pas croire qu'on le faisait volontiers ! On était des prisonnières avant d'être des cantinières. Tous les regards étaient tournés vers les combattants, tous sauf les nôtres, qui se sont croisés et qui sont restés accrochés. On était déjà à contre-courant, tous les deux, à l'envers de tout, à l'envers de l'histoire aussi… Deux *fetsat* ! Je suis tombée amoureuse de toi en quatre secondes. Dès ce premier soir, tu aurais pu obtenir de moi tout ce que tu voulais, toute ma personne. Tu aurais pu me dire : « Viens, on part tous les deux, à pied, au hasard dans la nuit glacée, sans doute qu'on va mourir… » Je l'aurais fait.

Mais attends, j'y pense, je l'ai fait, non ?

Où es-tu, Aleks ?

Je t'ai cherché pendant des semaines. J'ai osé des folies : je me suis remise en route avec Faxi et me suis jointe à la débâcle, pour te retrouver. J'ai accosté ces hordes de soldats en déroute qui s'enfuyaient vers l'ouest. Je m'enlaidissais autant que possible pour qu'ils me laissent tranquille, je m'habillais comme un sac, j'enfonçais mon bonnet jusqu'aux yeux, je barbouillais de terre ce qui me restait de visage dans l'espoir de passer pour un garçon. Je les approchais et je demandais : « Aleks Johansson ? » Avec ma plus grosse voix : « Vous connaissez Aleks Johansson ? » Ils me regardaient à peine. Ils me prenaient pour une folle, un fou.

Ils m'ont fait pitié. Beaucoup n'avaient plus la force de suivre. Les bords des routes étaient parsemés de leurs cadavres, dont les corbeaux venaient picorer les yeux. Les autres avançaient comme des spectres hallucinés. On m'a montré au moins quatorze Johansson, et même un Aleksander Johansson ! Il faisait la moitié de ta taille et il louchait.

Le pont sur le fleuve était brisé, ils ont tenté de passer sur la trop fine glace de printemps qui a cédé sous leur poids. J'en ai vu des centaines se noyer. Un cauchemar.

Ils ont installé un camp au bord du fleuve et entrepris de reconstruire le pont. Ce qui restait de leur armée est venu s'entasser ici. En voyant leurs joues creuses, leurs yeux hagards et leurs dents pointues, j'ai compris qu'ils finiraient par abattre mon Faxi pour le manger. J'ai eu peur de ça. J'ai renoncé. J'ai fait demi-tour.

Où es-tu, Aleks ?

On me dit qu'ils exécutaient une fois par semaine seulement. Et l'attaque a eu lieu deux jours après qu'ils t'ont repris. Ils n'ont pas eu le temps de te faire ça, dis-moi ?

Je suis revenue à notre village brûlé, j'y ai retrouvé ma mère et ma grand-mère. Tous les hommes étaient morts chez nous, mon père et mes deux frères. Mon père dès le début de la guerre, mes frères lors de la grande attaque. Nous avons porté leur deuil ensemble, et commencé à reconstruire notre maison avec l'aide de nos voisins.

Un an s'est passé. Pas un jour sans que je pense à toi. Et puis, un matin, je me suis réveillée dans un état d'exaltation incroyable, comme si j'avais bu. Je me suis dit : « Ce pays est trop grand, on n'y retrouve jamais personne, mais le tien est minuscule, je vais aller là-bas, à Petite Terre, je monterai sur un rocher plus haut que les autres, je mettrai mes mains en porte-voix autour de ma bouche et j'appellerai : "Aleks, tu m'entends ? C'est Lia ! Je suis là !"»

Et ton île est si petite que tu m'entendras ! Au pire, si tu ne viens pas, je demanderai où tu habites et, au lieu de te retrouver au bout de trois minutes, je devrai en patienter cinq !

Rien n'a pu me retenir, même pas ma mère dont j'étais le dernier enfant.

Ton île est jolie sous la neige, Aleks, et vraiment petite en effet. Où qu'on se trouve sur elle, on fait dix mètres et on voit la mer, quinze et on tombe dedans ! Ta mère est une personne très douce et rassurante. Ton père est beau comme toi. Quand ils ont compris que j'étais ton amie, ils m'ont considérée comme une apparition céleste. Ils m'ont prise dans leurs bras. En me caressant, c'est comme s'ils te caressaient, toi. Je suis devenue plus que leur fille. Ils ont écouté patiemment mon charabia, tu sais comment je m'y prends, je parle avec les mains et les pieds, tout est bon ! Je leur ai raconté comment on s'est enfui, tous les deux, et comment tu as été repris. Quand je leur ai montré le carnet et qu'ils ont reconnu ton écriture, nous avons pleuré dessus tous les trois.

Je suis restée quatre jours. J'ai dormi dans ta chambre, j'ai vu le petit lit de ton frère Brisco. Ils ne l'ont pas enlevé. Quand je suis repartie, je leur ai laissé mon adresse *adress meyit,* tu te souviens… Ils m'ont promis qu'ils m'écriraient si parfois tu revenais. Nous avons joué à croire que tu pouvais encore revenir. Mais pourquoi reviendrais-tu maintenant ? Tous ceux qui ne sont pas morts sont revenus… Pire : tous ceux qui ne sont pas revenus sont morts.

Ton île est belle, Aleks. Elle a juste un défaut : tu n'es pas dessus… Tu n'es pas là-bas et tu n'es pas ici. Tu n'es plus nulle part. Tu veux que je te dise ce que je crois ? Tu veux que je te le dise vraiment ? Eh bien, je crois qu'ils t'ont mis contre le mur, qu'ils t'ont bandé les yeux si tu l'as demandé, et qu'ils t'ont fusillé. Je crois que tu es mort. Et je suis très en colère.

Ne crois pas une seconde que j'accepte tes excuses à ce sujet. Je te déteste d'être mort ! Tu vas me le payer cher ! Je prendrai dès mon retour le premier garçon qui me tournera autour. J'aurai le choix. Il y en a des dizaines et ils te valent bien ! Et ils sont vivants, eux ! Le premier venu, je te dis, et je me marierai avec lui. Sans la moindre hésitation ni le moindre remords. Je lui ferai des enfants. Autant qu'il en voudra. Je me donne six mois pour t'oublier ! Même pas, quatre !

Non, pardonne-moi, je mens, ce n'est pas vrai.

Je ne suis pas en colère, je me fais seulement croire que je le suis pour que ça me tienne debout. La colère occupe l'esprit et empêche de sombrer.

En réalité, je suis triste, Aleks…

Rien ni personne ne pourra jamais me consoler de toi. Je ferai semblant, bien entendu. Je me forcerai. Je cacherai ma peine. Ça ne se verra presque pas. Mais je garderai ta blessure, silencieuse et profonde, toute ma vie.

Quand je serai une très vieille dame, je prendrai sur mes genoux ma petite-fille ou mon arrièrepetite-fille, et je lui dirai mon secret, à l'oreille, en lui faisant promettre de le garder pour elle jusqu'à ce qu'elle soit vieille à son tour : j'ai aimé ton grand-père bien sûr, ne va pas croire le contraire, mais mon grand amour, c'était un petit *fetsat* de dix-huit ans, il s'appelait Aleks. Il a été le grand amour de ma vie, le premier et le dernier… Pourquoi tu ne t'es pas mariée avec lui, grand-mère, si tu l'aimais tellement ? Parce qu'on me l'a tué, ma petite-fille, on me l'a tué… Je suis triste, mon tendre petit ennemi… mon bel amour de froid et de neige… tellement triste de t'avoir perdu… triste jusqu'au fond de l'âme.

15 *Sous la pierre*

Fenris, qui était resté longtemps préservé de la guerre, en avait connu, à peine incorporé, les deux épisodes les plus terribles : la déroute contre les cosaques et la retraite.

Guerolf, son père, était mort, et dans le flot des soldats en débâcle, il n'était soudain plus le fils de personne. Il s'ajouta à leur nombre, sans dire qui il était, et il éprouva dans cet anonymat une sorte de soulagement. Il s'était battu contre les cosaques, bien sûr, sous les murs de la capitale, il n'avait pas reculé d'un pas, il avait fait par sa bravoure l'admiration de ses camarades de combat, mais cela ne lui suffisait pas. Il partagea avec eux la souffrance commune du retour. Il eut faim, froid et peur. Et plus cela durait, plus il semblait dire : «Alors, vous voyez qui je suis ? Vous le voyez, maintenant ? »

Il connut l'angoisse sans nom de devoir s'aventurer sur un pont branlant jeté au-dessus d'un fleuve et qui céda. Des grappes entières de soldats furent précipitées dans les eaux glacées. On fit demi-tour. Les pontonniers se remirent au travail, au péril de leur vie. On tenta de repasser le lendemain. Sans plus de succès. Quelques centaines de soldats seulement réussirent à passer avant que l'ouvrage ne s'effondre à nouveau.

La situation était la pire qu'on puisse imaginer. Derrière : les cosaques, prêts à surgir et à tuer. Devant : ce fleuve impossible à franchir. Entre les deux : le camp où régnaient la mort et la désespérance. Fenris passa le troisième jour. La plupart des chevaux, pressentant la fragilité du pont, refusèrent d'avancer. Fenris ne cessa de parler à Vent du Sud. « Va va, mon cheval, doucement, c'est bien... » En dessous d'eux, les eaux tumultueuses du printemps charriaient d'énormes blocs de glace qu'on entendait craquer, se fendre et se heurter. Lorsque Vent du Sud posa le pied sur l'autre rive, Fenris descendit, lui prit la tête dans ses bras et le remercia : « C'est bien, mon cheval, c'est bien, maintenant nous rentrons à la maison, viens. »

Les nouvelles tragiques du front étaient depuis longtemps parvenues sur Grande Terre quand Fenris y arriva, et la Louve savait déjà que son homme ne rentrerait pas. Elle savait aussi qu'en perdant son mari, elle perdait bien davantage. Du jour au lendemain, le château se vida de tout visiteur. Ceux qui avaient courtisé Guerolf, chassé avec lui depuis vingt ans, mangé cent fois à sa table disparurent, comme si ce lieu ne signifiait rien sans lui. Pas un seul ne vint s'enquérir de la Louve, pas un ne vint lui dire qu'il partageait un peu de sa peine.

– Ils pourraient au moins faire semblant !

rageait Fenris. Décidément, il n'y aura eu que Berg pour lui être fidèle !

– Oui, répondait la Louve, mais Berg est mort, mon fils…

La seule personne qui ne changea rien à son comportement vis-à-vis de la Louve fut Ottilia, la cuisinière et bonne à tout faire.

– Mes condoléances, madame, dit-elle sans y mettre aucune expression, par pure formalité, quand elle apprit la disparition du maître des lieux.

Et elle continua son service comme avant, silencieuse, sombre, ponctuelle et indifférente.

Les semaines passant, toutefois, Fenris remarqua qu'elle adoptait envers lui une attitude nouvelle et incompréhensible. Cela donnait des choses étranges. Elle se mit à l'appeler « monsieur », alors qu'elle ne lui adressait jamais la parole auparavant. Elle le regarda à la dérobée et se détourna dès que leurs regards menaçaient de se croiser. Elle inventa pour dresser sa serviette de table des figures sophistiquées, en pyramide, en tuyau, en oiseau, alors que celle de la Louve restait posée à plat sur l'assiette. Elle lui mit des couverts en argent. Elle cuisina plus souvent les plats qu'il aimait. Elle finit même par esquisser à son intention, au moment de se retirer, un imperceptible mouvement de révérence, nuque fléchie, genou ployé. La Louve et Fenris s'en amusèrent.

– Qu'est-ce qui lui prend ? demandait-il.

– Je crois, répondait-elle, qu'elle te voit d'un autre œil depuis que tu es rentré. Pour elle, tu es un homme maintenant, et cela ne lui est pas indifférent, je ne vois pas d'autre explication. Elle a des vues sur toi.

Fenris ne se contenta pas d'en rire. Il était intrigué, et un jour que la Louve s'était absentée et qu'il dînait seul, il décida de comprendre.

– Ottilia ! la rappela-t-il alors qu'elle s'enfuyait déjà vers la cuisine après lui avoir servi son dessert favori, un gâteau de riz accompagné de cette confiture épaisse dont elle possédait seule la recette.

– Monsieur ? fit-elle, et elle se figea.

– Vous avez changé votre comportement avec moi. Pourquoi ?

La question était simple et directe. La bonne ne sut que répondre. Elle resta piquée à la porte.

– Vous me considérez mieux qu'avant. Vous me faites des gentillesses.

– Ce ne sont pas des gentillesses, monsieur.

– Qu'est-ce que c'est, alors ?

– Ce sont… des égards.

– Des égards ? Vous ne m'en aviez pas montré beaucoup jusque-là. En quoi est-ce que je les mériterais davantage maintenant ? Je suis le même qu'avant.

– Oui, enfin non… Pas à mes yeux.

Elle regardait les carreaux du sol, à ses pieds. Elle n'était pas accoutumée à parler d'autre chose que de l'intendance de la maison. Elle aurait voulu disparaître.

– Expliquez-vous, Ottilia. Je vous le demande.

– Eh bien… on dit des choses à votre sujet…

– Qui « on » ? Et quelles choses ?

– Les gens. Les langues se sont déliées depuis que le seigneur Guerolf est mort.

– Et que prétendent-elles, ces langues déliées ?

Il ne la lâchait pas du regard.

– Que prétendent-elles ?

– Je ne peux pas le dire.
– Vous ne pouvez pas ou vous ne le voulez pas.
– Je n'ai pas le droit.
– Et pourquoi ?
– C'est un secret.
– Un secret que je serais le seul à ignorer, en somme ?

La pauvre femme était à la torture. Elle tordit son visage disgracieux, se mordit les lèvres.

– On dit que… que vous n'êtes pas n'importe qui…

Fenris tressaillit. Il avait entendu cette même expression de la bouche d'Aleks, dans la cave où celui-ci attendait la mort, quelques mois plus tôt. *Tu n'es pas n'importe qui.* Il l'avait fait taire, alors. Il lui avait crié dessus pour qu'il se taise. Il l'avait menacé. Cette fois il ne s'emporta pas. Mais il ne posa aucune autre question. Il y eut un silence. Ottilia luttait contre une émotion dont il ne l'aurait pas cru capable.

– Merci, Ottilia, dit-il enfin. Apportez-moi une autre carafe de vin blanc et desservez la table. Ensuite vous pourrez disposer. Je n'ai plus besoin de vous.

– Monsieur…, murmura-t-elle.

Elle esquissa son simulacre de révérence et sortit.

Quelques mois passèrent. Il y avait à trois lieues environ du château un de ces endroits magiques dont on parle aux enfants pour les émerveiller, mais auxquels on ne croit pas soi-même. C'était un surprenant rocher en aplomb, couvert d'une mousse épaisse, entre le chemin et la forêt. Il formait une sorte de petite voûte, un abri naturel sous lequel on tenait debout sans peine. On disait qu'il était interdit de mentir lorsqu'on se trouvait là, sinon l'éclair vous frappait, même par le ciel le plus pur, en absence de tout orage. Les enfants qui s'y arrêtaient n'osaient plus parler de peur de dire un mensonge malgré eux et d'être foudroyés. On l'appelait pour cela la pierre de Silence.

Le hasard y amena Fenris et la Louve. Ils rentraient d'une longue cavalcade, elle sur sa jument blanche, lui sur Vent du Sud dont le retour au pays avait ravivé les forces. La pluie les avait surpris, d'abord fine et régulière, puis forte et cinglante. Ils avaient attaché les deux chevaux un peu plus loin, à un arbre, et trouvé refuge sous la pierre.

Ils se tenaient debout, côte à côte, à regarder le rideau de pluie descendre devant eux, à écouter son bruissement. Sans se concerter, ni même y avoir pensé, ils se turent. Et c'est la Louve qui s'amusa la première de cette coïncidence.

– Tu crains la foudre ? C'est pourquoi tu te tais, mon fils ?

Puis, comme il n'avait pas l'air de comprendre, elle lui rappela la légende et l'ancienne croyance. Il sourit.

– Je l'avais oubliée.

La pluie tomba longtemps. Ils gardèrent le silence. Il leur sembla que peu à peu la magie de l'endroit entrait en eux, leur apportant transparence et pureté.

– Dites-moi, ma mère, êtes-vous très affectée d'avoir perdu Guerolf ?

Elle n'eut pas l'air surprise de cette question. Elle répondit d'une voix posée :

– Je m'en étonne moi-même, mais je le suis moins que je l'aurais pensé. Et, ce qui m'étonne le plus, c'est d'oser le dire ! Nos rapports n'étaient plus les mêmes depuis quelques années, depuis que j'ai… changé. Guerolf ne me considérait plus de la même façon. Mais il a continué à tenir beaucoup de place. C'était un homme qui tenait beaucoup de place, tu le sais. C'est pourquoi je ressens un vide immense. Mais peu de tristesse au bout du compte. Tu me trouves odieuse ?

– Non.

– Et toi, que ressens-tu ?

Il hésita.

– J'ai du mal à croire qu'il est vraiment mort. J'ai toujours l'impression qu'il va surgir. Quelquefois même, je l'entends qui m'appelle, et je sursaute. En vérité, j'éprouve un sentiment qui n'est pas vraiment de la tristesse. Je me sens plutôt libéré de quelque chose.

– Je te comprends.

Le rideau de pluie s'épaissit. Ils se turent encore un moment, puis Fenris reprit, l'air lointain :

– Ma mère ?

– Oui ?

– Qui suis-je ?

Ces trois mots, simples et tout juste chuchotés, résonnèrent puissamment. Elle aurait pu répondre : « Qu'est-ce que tu veux dire ? » Ou bien : « De quoi parles-tu ? » Elle ne le fit pas. Dans cet endroit et à cet instant, il n'y avait pas de place pour les faux-semblants, ni pour le mensonge. La pluie giclait à leurs pieds et lançait des gouttelettes étincelantes. Plus loin les deux chevaux, ruisselants d'eau, baissaient la tête.

– Tu es le petit-fils du roi Holund, dit-elle très lentement, de son étrange voix ensorceleuse et presque brisée maintenant.

Il ne bougea pas d'un millimètre. Elle continua :

– Tu es le fils d'Iwan, que Guerolf a fait assassiner par ses hommes. Tu es le fils d'Unne, qui est morte en te mettant au monde.

Il ne réagit pas. Seules ses lèvres bougèrent.

– Redites-moi, s'il vous plaît, le nom de mon père et de ma mère.

– Iwan... Unne..., dit-elle, et les larmes coulèrent sur sa joue, le long de la cicatrice, jusque dans le cou labouré.

– Guerolf a fait assassiner mon père ?

– Oui.

– Comment ?

– Par ses hommes. Ils ont fait croire à un accident de chasse. Les ours...

Vent du Sud, que l'autre cheval bousculait, hennit.

– Ma mère est morte en me mettant au monde ?

– Oui.

– Et qui a pris soin de moi ?

– Une autre femme qui s'appelait Nanna, puis la sorcière Brit qui t'a remis à Selma. Tu es passé de bras en bras, jusqu'aux miens... Fenris, oh Fenris... pardonne-moi...

– La sorcière Brit ?

– Oui, elle est venue ici pour te délivrer. C'est avec elle que je me suis battue pour te garder. Guerolf l'a tuée.

Il laissa passer quelques secondes, le temps que les mots fassent leur chemin dans sa conscience.

– Pourquoi m'avez-vous enlevé ?
– Je t'ai offert à Guerolf. Je l'aimais plus que tout, alors, et je n'étais rien en face de lui. J'ai voulu lui offrir ce qu'il n'était jamais parvenu à trouver : toi. Pour qu'il m'admire un peu. Pour que l'admiration n'aille pas toujours dans le même sens…

Elle pleurait doucement. Il ne la lâcha pas.
– Que voulait-il faire de moi ? Dites-le.
– Je ne peux pas.
– Dites-le. Je veux entendre les mots.
– Il voulait… te… comme ton père…
– Vous le saviez.
– Je le savais.
– Pourquoi m'a-t-il épargné ?
– Parce qu'il voulait faire de toi l'instrument de sa vengeance. Il voulait pouvoir dire un jour à ceux de Petite Terre qui l'avaient chassé : « Regardez, regardez ce que j'ai fait de celui qui devait être votre roi… » Il n'a pas eu le temps. Mais il y a une deuxième raison.
– Dites-la.
– Elle me concerne…
– Dites-la.
– Je m'étais… attachée à toi. Je le lui ai dit. Nous n'avions pas d'enfant.
– Mais s'il avait décidé de me tuer tout de même, moi, un petit garçon de dix ans, vous l'auriez empêché, n'est-ce pas ? Dites-le-moi, ma mère. Nous sommes sous la pierre, dites-moi la vérité. Vous auriez fait quelque chose pour l'arrêter, bien sûr…

La Louve sembla s'imposer un effort prodigieux et elle balbutia :

– Je ne l'aurais pas empêché. Je n'aurais rien fait pour l'arrêter.

Puis elle avança les mains vers l'eau qui tombait devant elle et s'en noya le visage.

– Oh, mon Dieu, qu'est-ce que j'ai dit ? Tu vas me quitter maintenant, n'est-ce pas ? Tu ne pourras pas rester ici. Tu vas me haïr. Tu vas retourner à Petite Terre. En te disant la vérité, je t'ai perdu.

– Je ne peux pas retourner à Petite Terre, ma mère.

Elle s'immobilisa. S'entendre encore appeler « ma mère » lui rendit un peu d'espoir.

– Pourquoi ?

– Je suis maudit, là-bas.

Elle ne comprenait pas. Elle se tourna vers lui.

– Pourquoi es-tu maudit là-bas, mon fils ?

– Parce que j'ai commis un crime pire que le vôtre.

À son tour, il perdit contenance. Ses traits se contractèrent.

– Quel crime as-tu commis qui soit pire que le mien ? Il n'en existe pas.

– Si.

– Dis-le-moi. À toi, maintenant. Nous sommes sous la pierre.

– C'était sur le Continent, sous les murs de la capitale. Mon frère a été condamné comme déserteur et il a demandé mon aide, en souvenir de notre enfance. Il m'a supplié, il l'a écrit avec son sang, il m'a rappelé un serment que nous avions fait autrefois.

– Et tu ne l'as pas aidé ?

– Non, je ne l'ai pas aidé.

– Pourquoi ?
– J'ai voulu être fort, comme Guerolf. Moi aussi j'ai voulu être à sa hauteur.
– Ton frère a été fusillé ?
– Non. Les cosaques nous ont attaqués avant l'exécution.
– Alors il est rentré à Petite Terre...
– Je ne sais pas. Je ne l'ai pas revu. Il y a eu le combat, toute cette folie. Je suis parti. Je l'ai abandonné dans cette cave... Aleks...
La pluie avait faibli, mais ils ne bougèrent pas. Ils étaient tous les deux étourdis d'avoir vidé leur cœur à ce point. Ils restèrent silencieux jusqu'à ce qu'elle cesse tout à fait.
– Qu'allons-nous faire de tout ça, maintenant ? demanda Fenris. De toutes ces vérités ?
– Pourquoi dis-tu ça ? Est-ce qu'elles n'existaient pas avant qu'on se les dise ? Et nous avons bien vécu avec... Ce sera un peu moins lourd, désormais. Peut-être.
Il lui sourit. Elle avait raison. Mais ils ne parvenaient pas à quitter la pierre.
– Une chose encore, ma mère.
– Oui...
– Qui m'a choisi ce nom : Fenris. Est-ce vous ou Guerolf ?
– C'est lui. Cela signifie « le Loup », tu le sais.
– Oui, je le sais. Alors je voudrais vous demander, si vous le pouvez, de revenir à mon vrai nom, à mon nom de là-bas, mon nom d'autrefois.
– Je vais essayer, mon fils.
– Je m'appelle Brisco. Dites-le-moi avant que nous quittions la pierre. S'il vous plaît.
Elle hocha la tête, bouleversée.

– Viens, dit-elle. Les chevaux sont trempés. Rentrons.

Il ne bougea pas.

– Viens, Brisco…, reprit-elle.

16 *Un soldat perdu*

Urs Haarinen faisait le commerce de tout : du bois, du poisson, des peaux, de l'huile et de l'alcool entre Grande Terre et le Continent, depuis plus de trente ans. Ceux qui l'avaient surnommé « le Chauve » ne s'étaient pas trop fatigués. Son crâne lisse et rouge luisait sous le soleil de ce début de printemps. Quelques gouttes de sueur perlaient dessus. Il les essuya avec son mouchoir.

Il se tenait debout sur le pont, satisfait de ses affaires, satisfait du beau temps qu'il faisait, satisfait de son bateau, de son personnel, de son embonpoint, satisfait de tout. Il observait le va-et-vient de ses hommes qui achevaient le chargement. D'ici à moins d'une heure ils appareilleraient pour Grande Terre.

Son second l'interpella depuis le quai :

– Capitaine, il y a là-bas dans l'auberge un gars qui voudrait faire la traversée. Un drôle de paroissien. Il dit qu'il a de l'argent. Il est de Petite Terre. Il a l'air bizarre, mais pas méchant.

Le Chauve n'avait pas l'habitude de prendre des passagers, mais il était lui-même originaire de Petite Terre et très attaché à son île. Il y avait grandi avant de tenter – et de réussir – l'aventure sous d'autres cieux. C'est ce qui l'incita à faire une exception.

– Fais-le monter, on va voir ça.

L'homme qui traversa la passerelle et s'avança vers lui, quelques minutes plus tard, lui parut vieux, de loin, à cause de sa maigreur et de la lenteur de ses mouvements. Mais de près il s'avéra être un assez jeune homme. Il portait un manteau long et des bottes fatiguées, un havresac en bandoulière. Ses cheveux tombaient sur ses épaules. Un vagabond à coup sûr.

– Alors, il paraît que tu veux traverser ?

– Si c'est possible...

– D'où es-tu ?

– De Petite Terre.

– Et tu as de quoi payer ton passage ?

Au lieu de répondre, le jeune homme tira une bourse de sa poche, la délia et en fit glisser le contenu dans la paume de sa main.

– C'est tout ? fit le Chauve. Tu sais faire quelque chose ?

– Je suis... menuisier.

– Tu m'as l'air d'un menuisier, oui ! Qu'est-ce que tu faisais ici, sur le Continent ?

– Je... j'ai marché...

– Tu as marché.

– Oui, je... je cherchais une personne.

Le Chauve nota pour la deuxième fois l'hésitation de son interlocuteur, comme si celui-ci butait sur les mots les plus simples. Il se demanda un instant s'il avait affaire à un simple d'esprit et il adoucit le ton :

– Ah, et tu l'as trouvée, cette personne ?

– Non.

Ce non était dit d'une étrange façon, rêveuse, presque étonnée. Il y eut un silence, puis le capitaine reprit :

– Comment t'appelles-tu ?

– Je m'appelle Aleksander Johansson.

– Bon. Tu peux rester à bord. Je t'emmène jusqu'à Grande Terre. Pour la suite du voyage, tu te débrouilleras. Mais je n'ai pas de cabine pour toi. Tu te trouveras une place pour dormir dans la soute. Et tu peux garder tes sous.

Ils ne s'adressèrent plus la parole durant les deux jours suivants. Le jeune homme resta beaucoup dans la soute à dormir et ne se montra guère sur le pont qu'à l'aube ou à la tombée du jour. Le Chauve finit par être intrigué par son comportement et il l'aborda, un soir, sur le pont arrière. Un faible vent d'est tendait les voiles. La mer était d'huile. Ils la regardèrent un moment, puis le capitaine engagea la conversation :

– Tu te plais sur le bateau ?

– Oui.

– Tu n'es pas malade ?

– Non.

– Tu n'aimes pas parler, hein ?

– J'aime parler, mais… j'ai un peu oublié notre langue… je n'ai plus l'habitude…

– Comment ça se fait ? Tu es sur le Continent depuis si longtemps ?

– Oui, je crois.

– Depuis combien de temps ?

– Depuis…

Il essaya visiblement de compter le nombre d'années mais il n'y arriva pas, et il s'y prit autrement :

– Depuis… la guerre.

– Depuis la guerre ? Tu étais soldat dans l'armée de Guerolf ?

– Oui.

– Tu as fait le siège de la capitale ?

– Oui. Enfin non… Je… c'était fini quand j'y suis arrivé…

– Et tu n'es pas rentré au pays ?

– Non.

– Tu étais prisonnier ?

– Non.

– Tu sais depuis combien de temps elle est finie, la guerre ?

– Non.

– Elle est finie depuis sept ans.

– Sept ans…, murmura le jeune homme, et il siffla doucement entre ses dents, l'air impressionné.

Le Chauve se rappela ces histoires de soldats blessés à la tête, traumatisés ou devenus fous, qui étaient restés sur le Continent, après la débâcle. La plupart erraient comme des fantômes, ignorant la langue, ne sachant plus où ils étaient ni d'où ils venaient, tout juste capables de dire leur nom. Les enfants, avec leur cruauté, les harcelaient et leur lançaient des boules de neige ou même des pierres au cri de *fetsat ! fetsat !* Les adultes montraient davantage de compassion, mais ils les chassaient tout de même, comme ces chiens divagants auxquels on jette un morceau de pain pour s'en débarrasser. On les appelait les « soldats perdus ». Celui-ci en faisait peut-être partie. Il eut pitié.

– Tu m'as dit que tu avais cherché une personne ?

– Oui.

– Tu l'as cherchée pendant sept ans ?

– Oui.

– Et tu ne l'as pas trouvée ?

– Non.

– C'était quel genre de personne ?

– Une personne.

Le capitaine sourit. Il avait l'impression de parler à un enfant, mais un enfant qui, au lieu de dire des choses farfelues pour s'amuser, les aurait faites. Ils se turent un moment, puis ce fut le jeune homme qui reprit, d'une voix hésitante :

– Je peux vous poser une question ?

– Je t'en prie.

– Est-ce vrai que Guerolf a été tué pendant la guerre ?

Le capitaine secoua la tête, incrédule.

– Ça alors ! Tu fais l'idiot, j'espère.

– Non.

– Bien sûr qu'il a été tué, tout le monde sait ça. Il s'est jeté dans la bataille quand tout était perdu, juste avec son épée, pour être bien sûr de ne pas en réchapper. Ce genre de type trop fier, qui ne peut pas survivre à la défaite. Un exalté. Ça n'a étonné personne, en tout cas pas moi.

– Et… son fils ?

– Quoi, son fils ?

– Il avait un fils… comment on dit… d'adoption.

– Ah oui, tu as raison, un fils adoptif. Mais il est

revenu, le fils, et il est resté avec sa mère, je crois, enfin avec sa mère adoptive.

– La Louve ?

– Oh, mais tu en sais des choses, finalement ! Oui, la Louve, c'est ça. Ils vivent reclus dans leur repaire, là-bas, sur Grande Terre. Il paraît que c'est complètement délabré et qu'il n'y a plus grand monde pour aller les voir. La gloire et le succès, c'est comme le commerce, ça va ça vient…

Le jeune homme resta pensif un instant, puis il continua :

– Et… sur Petite Terre, vous y allez, parfois ?

– Ça m'arrive. Je suis de là-bas, comme toi. Tu veux des nouvelles de ce qui s'y est passé depuis que tu en es parti, c'est ça ?

Il sembla au capitaine que le jeune homme tressaillait.

– Oui, dites-moi.

– Eh bien, c'est facile. Le régime de Guerolf s'est effondré avec lui. De héros il est devenu maudit. Sa bande a quitté Petite Terre qui a retrouvé son indépendance. On est revenu dix ans en arrière. C'est beau, non ? Ça te fait plaisir ?

– Oui. Je le savais déjà, mais ça me fait plaisir.

– Tu le savais ?

– Je l'ai entendu dire, sur le Continent, mais je n'étais pas sûr que ce soit vrai.

– C'est vrai. Seulement il n'y a pas de nouveau roi. C'est une époque révolue, les rois. Il n'y en aura jamais plus. Le dernier, c'était ce bon Holund… J'ai l'impression que ça date d'un siècle.

– Je l'ai vu, Holund, l'interrompit le jeune homme. J'ai vu son corps sur la place. J'avais dix ans.

– Ça alors ! Tu y étais ?
– Oui. Avec mon frère jumeau.
– Ah bon. Moi aussi, j'y étais. Et je l'ai vu, le roi, sur son lit de pierre ! Je me souviens, il faisait un froid de canard, on a piétiné des heures. Il neigeait. Peut-être qu'on s'est rencontrés là-bas, tous les deux !
– Peut-être. Vous dites qu'il n'y a plus de roi ?
– Non. Maintenant, il y a une assemblée et un président.
– Vous savez comment il s'appelle, le président ?
– Oui, c'est le même depuis sept ans. Il s'appelle Ketil.
Pour la première fois de la conversation, un léger sourire éclaira le visage du jeune homme.
– Qu'est-ce qui t'amuse ? demanda le Chauve. Tu le connais, ce Ketil ?
– C'est mon oncle.
– Ah, c'est ton oncle ! Eh bien, tu sauras qu'il est apprécié, là-bas.
Le Chauve hésita avant de continuer, mais sa curiosité était piquée maintenant.
– Tu as dit que tu étais sur la Grand-Place avec ton frère, pour les funérailles du roi ?
– Oui.
– Et qu'est-ce qu'il est devenu ton frère ?
– Mon frère… il… je ne sais pas.
Le Chauve hocha doucement la tête, presque certain d'avoir percé le secret de son étrange passager.
– Il était parti avec toi à la guerre, ton frère ?
– Oui.
– Et tu l'as perdu là-bas, hein ? C'est lui que

tu as cherché, pendant sept ans, c'est ça ? Tu as cherché ton frère…

– Oh, non… non… pas mon frère, non… je cherchais… une jeune femme.

Dérouté, Haarinen se demanda à nouveau si le jeune homme avait toute sa tête. Il laissa un temps avant de poursuivre :

– Et… tes parents ? Tu as tes parents sur Petite Terre ?

– Oui.

– Et tu leur as donné des nouvelles pendant tout ce temps ? Ils savaient où tu étais ?

Le jeune homme se tut. Le ciel était devenu presque sombre. Le bateau tanguait doucement. Le pont était désert.

– Tu leur as donné des nouvelles ? répéta le Chauve.

Le jeune homme restait muet, et quand le capitaine se tourna vers lui, il vit que son visage se contractait et tremblotait comme celui de quelqu'un qui lutte contre l'émotion.

– Excuse-moi. Ça ne me regarde pas après tout… J'imagine que tu as fait de ton mieux, hein ? Allez, je te laisse. Bonne nuit.

Il se préparait à partir quand la voix douloureuse et à peine audible du jeune homme le retint.

– Vous croyez qu'ils me pardonneront ?

– Qu'est-ce que tu dis ?

– Mes parents, vous croyez qu'ils me pardonneront de ne pas leur avoir donné de nouvelles ?

– Je ne sais pas.

– Vous pardonneriez, vous ?

Le capitaine prit le temps de réfléchir, puis il soupira.

– Difficile à dire. Je n'ai pas d'enfants. Mais si j'en avais un, il me semble… il me semble que oui. Je serais sans doute heureux de le revoir et je lui pardonnerais. Allez, bonne nuit, cette fois !

Le jeune homme attendit, seul sur le pont, que la nuit vienne, puis il regagna pour y dormir le coin de cale où il avait pris ses habitudes. Il s'adossa à un sac de grain et resta longtemps ainsi, immobile, les yeux grands ouverts dans l'obscurité. Le roulis, le battement de l'eau contre la coque, le passage furtif des rats, rien ne le détourna de ses pensées. Elles allaient bien sûr à Petite Terre, qu'il allait revoir, mais elles le ramenaient sans cesse, comme une obsession, à un autre lieu : un château qu'il imaginait délabré et glacial, quelque part sur Grande Terre, et à ses habitants : une femme blonde d'âge mûr et un jeune homme, qui l'auraient hanté, comme deux fantômes tristes et oubliés de tous.

17 *Retour à Petite Terre*

Aussitôt débarqué du bateau d'Urs Haarinen sur Grande Terre, Aleksander Johansson prit un autre bateau commerçant qui l'accepta et qui contourna la côte par le sud pour filer ensuite plein ouest vers Petite Terre.

Lorsqu'il posa le pied sur son île natale, le lendemain, au début de l'après-midi, huit ans après l'avoir quittée, il fut frappé d'abord par son étonnante petitesse, puis par l'aspect parfaitement ordinaire et normal des choses. L'événement de son retour n'était que dans sa tête. L'eau du port, les maisons, la voiture à cheval qui l'emporta, tout cela l'accueillit avec évidence. Les gens eux-mêmes l'ignorèrent, tout juste intrigués par ce grand garçon chevelu qui écarquillait les yeux en regardant autour de lui.

Ce qui le toucha le plus, curieusement, ce fut le ciel. Il le trouva touchant de petitesse. Le ciel démesuré du Continent était trop grand, sa musique nocturne trop impressionnante, il s'y était noyé, perdu. Celui de Grande Terre était blanc et vide. Celui-ci était le sien, à la bonne mesure, avec ses nuages légers et le cri de ses oiseaux blancs.

Arrivé en ville, il se fit déposer dans une rue

tranquille, loin de la Grand-Place, et continua à pied. La joie de revenir n'était pas celle qu'on pourrait imaginer. Au contraire, l'angoisse l'étreignait. Malgré les paroles rassurantes du capitaine, il se demandait quel accueil on lui réserverait à la maison. Et d'ailleurs, y trouverait-il ses deux parents comme il les avait laissés ? On ne peut pas disparaître pendant huit ans et exiger des gens qu'ils n'aient pas changé, qu'ils vous aient attendu, assis au même endroit, et qu'ils vous ouvrent les bras.

Il croisa plusieurs personnes qu'il connaissait d'autrefois, mais qui ne le reconnurent pas.

Il arriva enfin, en suivant les petites rues, près de la sienne. C'étaient les mêmes pavés, les mêmes murs, les mêmes portes. Il se sentit mal. Il marchait de plus en plus lentement, le cœur battant la chamade, quand il vit Baldur Pulkkinen disparaître à l'angle d'un mur de pierre.

– Baldur ! appela-t-il.

Mais l'autre n'entendit pas.

Il courut et le vit de nouveau.

– Baldur !

L'infirme s'immobilisa, se retourna et observa en clignant des yeux dans le soleil celui qui l'appelait. Puis sa bouche s'ouvrit très grande. Il ne prononça pas un mot. Il claudiqua jusqu'à Aleks et le prit dans ses bras.

– Oh, bon Dieu ! répéta-t-il, oh, bon Dieu de bon Dieu… Aleks ! Tu es vivant !

– Comme toi, répondit Aleks. Disons qu'on est vivants tous les deux.

– Tu as raison, ça arrive à beaucoup de personnes, mais quand même !

Puis il recula d'un mètre pour mieux le voir.

– Hé, tu ne vas pas te montrer comme ça à tes parents ! Viens !

Il l'entraîna par des ruelles jusque dans les bas quartiers de la ville et le fit entrer dans un logement modeste, au plafond bas, mais propre et bien meublé.

– C'est chez moi, ici. Assieds-toi, je vais te faire une beauté.

Il n'y alla pas de main morte. Il donna de grands coups de ciseaux dans la tignasse d'Aleks, il peigna les cheveux qui restaient, il lui frotta le visage et le cou avec un gant savonné, comme une mère ferait avec son enfant, puis il brossa énergiquement le manteau et les bottes, faisant voler la poussière. Les larmes coulaient sur ses joues et de temps en temps les sanglots le faisaient hoqueter.

– Bon Dieu de bon Dieu, répétait-il seulement, je savais que tu reviendrais, mais n'empêche, j'ai l'impression de pomponner un fantôme ! Je m'en suis voulu de vous avoir laissés partir ! Dieu que je m'en suis voulu !

Aleks se laissa faire sans rien dire. Oui, c'est vrai, Baldur lui avait prédit qu'il rentrerait à Petite Terre. Il l'avait « vu ». Mais il avait vu Lia aussi, et en cela il s'était trompé.

– Allez, conclut Baldur, on y va. Tu leur feras un peu moins peur comme ça.

Aleks, qui avait redouté une avalanche de questions, lui fut reconnaissant de n'en poser aucune. Sur le chemin, cependant, Baldur s'arrêta et fixa son ami en fronçant les sourcils.

– Aleks ?

– Oui ?

– Tu vas bien ?

– Oui, je vais bien… Enfin, je vais comme tu vois…

Baldur hocha longuement la tête, songeur.

– Tu me raconteras tout ça…

– Oui, je te raconterai. Ça prendra du temps.

– Oui, j'imagine que ça prendra du temps ! Allez, on est presque arrivés, je te laisse.

De nouveau seul, Aleks se sentit doublement oppressé par l'inquiétude. Et par le doute. Au point de se demander s'il n'allait pas faire demi-tour, retourner au port, prendre un bateau, et repartir là-bas, sur le Continent, pour y continuer cette errance sans fin qui n'était même plus vraiment une recherche, mais qui au fil des années était devenue sa vraie vie. Sans la rencontre fortuite avec Baldur, il l'aurait sans doute fait, mais maintenant qu'on l'avait vu ici, c'était difficile.

L'angoisse lui serra à nouveau la poitrine. Il avança à pas lents. Sans doute que son père était à l'atelier à cette heure de l'après-midi. Et que sa mère se trouvait seule à la maison. Quand il fut devant la porte, il leva la main pour frapper et il lui vint à l'idée qu'il ne l'avait jamais fait. On ne frappe pas à la porte de sa propre maison, on la pousse et on entre… Sauf quand on est parti depuis huit ans et qu'on n'a pas donné de nouvelles.

Il se rappela les centaines de fois où il s'était rué sur cette porte, avec Brisco, autrefois, après une course échevelée – « C'est moi qui arrive le premier ! Non, c'est moi ! » – et qu'ils s'étaient précipités à l'intérieur en riant et en poussant des cris.

Comme la vie allait de soi, alors. Et le bonheur… Et voilà qu'aujourd'hui il se tenait debout devant cette même porte, la main en l'air et qu'il avait peur de frapper. Et Brisco n'était plus là.

Il finit par donner trois petits coups. Il attendit. Le frottement familier des chaussures sur le carreau du sol, à l'intérieur, lui coupa le souffle.

La porte s'ouvrit et sa mère était là devant lui. Il la trouva plus jeune que dans son souvenir. Elle portait son fichu habituel d'où jaillissaient en désordre quelques mèches blondes. Elle avait peut-être forci un peu, mais cela lui allait bien.

– C'est moi, maman, je suis revenu.

– Aleks, dit-elle, mon garçon…

Elle ne se précipita pas. Elle s'avança et vint se blottir contre lui en un mouvement qui n'était que douceur, comme si elle avait craint de briser l'image de son fils, de la faire disparaître par trop de brusquerie.

Il l'entoura de ses bras et demanda pardon. Elle secoua la tête.

– Tu n'as rien à te faire pardonner…

Toutes ses peurs des derniers jours, tous ses raisonnements furent balayés en une seconde. Ils restèrent longtemps ainsi, à pleurer, puis elle se dégagea, prit le visage de son fils entre ses mains et l'observa.

– Tu es beau. Tu as faim ?

Il mangea un morceau de pain et de fromage, but un verre de vin qui lui fit tourner la tête.

– Ton père est à l'atelier, dit-elle. Tu veux y aller ou bien l'attendre ici ?

– J'y vais.

Par la vitre il vit que son père n'était pas seul. Il resta debout à la porte jusqu'à ce que le visiteur s'en aille, un battant de volet réparé sous le bras. Alors seulement il entra dans l'atelier.

Pas de cris. Juste l'étreinte de leurs corps serrés l'un contre l'autre, les larmes et les mots simples :

– Mon fils…

– Papa…

– Tu es là…

– Pardonne-moi…

– Je n'ai rien à te pardonner…

– Si, je ne vous ai pas donné de nouvelles…

– Tu es revenu, tout va bien…

Bjorn abandonna son ouvrage sur-le-champ, ferma l'atelier et ils partirent tous les deux pour aller rejoindre Selma. En suivant les rues aux côtés de son père, Aleks se rappela ce jour lointain où ils avaient marché ainsi tous les deux à la recherche de la sorcière Brit qu'ils voulaient convaincre d'essayer de ramener Brisco…

– Est-ce qu'Halfred est toujours là ? demanda-t-il.

– Bien sûr. On ira le voir si tu veux. Il faudra juste ôter nos bottes à l'entrée, tu te souviens ?

– Je me souviens.

– Lia est venue, ta mère te l'a dit, je suppose, enchaîna Bjorn de manière tout à fait inattendue.

Aleks se figea, stupéfait d'entendre ce nom dans la bouche de son père, ici, à Petite Terre. C'était comme si deux mondes étrangers l'un à l'autre se rejoignaient.

– Tu connais Lia ? Elle est venue ?

– Oui. Juste après la guerre. Elle te cherchait.

– Elle… elle a dit où elle était, là-bas, sur le… sur le Continent ?

Il en bégayait.

– Elle nous a laissé une adresse, mais ça date de six ans, Aleks… six ans… Nous lui avons écrit une lettre, deux ans plus tard, pour lui dire que tu n'étais toujours pas revenu. Elle ne l'a pas reçue, ou bien elle n'habite plus là. En tout cas nous n'avons jamais eu de réponse.

Aleks chancela et dut s'adosser au mur. La tête lui tournait.

– Ça ne va pas ? demanda Bjorn.

– Ça va, bredouilla Aleks. Je… elle est restée longtemps ?

– Non, quelques jours seulement. Elle…

Il hésita avant de finir :

– … elle est charmante.

Il fallut du temps à Aleks pour se retrouver. Il avait pris des habitudes de silence, de solitude, de jeûne, de vagabondage qui convenaient mal au quotidien sur Petite Terre. Il redoutait par-dessus tout d'affronter ses anciennes connaissances et d'avoir à raconter l'inracontable. Alors, mon vieux, qu'est-ce que tu as fait pendant tout ce temps ? Ce que j'ai fait ?

J'ai cherché une fille dans un pays qui mesure quatre mille fois notre île… j'ai marché… je me suis battu contre des loups… j'ai marché… j'ai parlé une langue dont tu ne connais pas un mot… j'ai volé un cheval… j'ai marché… j'ai enterré un vieil homme fou par une nuit de pleine lune… j'ai marché… j'ai demandé un million de fois *souss maa, pedyité ?*… j'ai marché… j'ai mangé des choses qui ne sont pas de la nourriture… on m'a lancé des pierres… le gel m'a fait pleurer des larmes de cristal… j'ai rencontré des braves gens… j'ai marché… Et toi, qu'est-ce que tu as fait pendant tout ce temps ?

Ses parents, eux, surent l'écouter quand il voulait parler, et se taire quand il lui fallait le silence. Il leur raconta tout, à petites touches, enfin presque tout ce qu'on peut dire à ses parents. Il mentit en une seule occasion. C'était un soir, au cours du repas. Après un silence, Selma avait demandé :

– Et Brisco ? Tu ne l'as jamais revu, là-bas.

– Non, avait-il répondu sans la moindre hésitation. Non, je ne l'ai pas revu, je vous l'aurais dit.

– Bien sûr que tu nous l'aurais dit… Je suis bête…

Il n'en fut plus jamais question. Par la suite il se reprocha parfois de ne pas avoir dit la vérité, mais sans doute était-elle indicible. Il lui aurait été plus facile d'annoncer que son frère était mort. Or, ce qu'il était devenu était pire qu'être mort.

Il était revenu depuis six mois déjà quand on organisa chez les Johansson une fête qui, sans qu'on le dise, était celle de son retour. Tous ceux qu'il aimait y vinrent et en premier son oncle Ketil, resté le même malgré ses hautes fonctions. Aleks put constater que le capitaine du bateau n'avait pas menti : Ketil était davantage qu'apprécié, on l'aimait. Sans être roi, il avait restauré à Petite Terre une façon de gouverner qui rappelait celle d'Holund, sage et tranquille. La bibliothèque royale avait été reconstruite presque à l'identique.

Par chance, l'incendie ne s'était pas propagé dans les galeries et on avait pu les remettre en fonction. Mais Aleks s'était refusé à y retourner pour l'instant.

Ils étaient à peine attablés qu'un des convives proposa qu'on boive en l'honneur d'Aleks qui était revenu. Chacun leva son verre et lui dit une gentillesse : « Bon retour, Aleks… Bienvenue au pays… On est heureux que tu sois là… » Les gorges étaient nouées et les yeux brillants. Bjorn prit brièvement la parole et les remercia tous, en son nom et en celui de Selma, pour les avoir soutenus pendant ces années qu'il qualifia, la voix tremblante, de… difficiles.

Passé l'émotion, la fête fut belle et bien arrosée, et elle marqua le retour définitif d'Aleks Johansson parmi les siens. Il s'efforça de considérer cette soirée comme le début de sa nouvelle vie. Une vie au goût d'amertume. Une vie de seconde main, peut-être, mais une vie… Comme il n'en voyait pas d'autre possible, il décida de faire honneur à celle-ci. Il prit la résolution de laisser derrière lui son frère perdu, son amour perdu, ses années d'errance… et de vivre.

Les mois passèrent et il s'y appliqua si bien qu'on aurait pu jurer qu'il était redevenu celui d'avant. Il retrouva sa place auprès de son père, dans l'atelier de menuiserie, il réapprit à parler, à rire, il se laissa entraîner avec Baldur et d'autres camarades dans des virées plus que joyeuses.

Mais il jouait la comédie du bonheur et lui seul connaissait l'invisible blessure, l'inguérissable. Ceux qui étaient au plus proche de lui la devinaient, parfois, dans ces sortes d'absence qui le prenaient, au milieu d'un repas, à son travail, ou dans ce regard perdu qu'il avait de temps en temps. « Où es-tu, Lia ? Où es-tu, Brisco ? Où êtes-vous, tous les deux ? »

– Ça va, Aleks ? lui demandait-on.

– Oui, ça va, pourquoi ?

– Tu rêves ?

– Non non, tout va bien.

Cela dura un peu plus de deux ans, et puis, au début de l'hiver, il arriva ceci.

Il était seul à l'atelier ce matin-là et il achevait de dresser une traverse de chêne pour une table. La varlope chantait sur la pièce de bois, et chacun de ses passages faisait apparaître des arabesques nouvelles et les nervures toutes fraîches. Les copeaux jonchaient le sol, à ses pieds. Il s'arrêta un instant et passa la main sur son ouvrage. Il aimait toucher le bois lisse et parfait, il aimait la chaleur de son apparence, son odeur.

Le ciel était bas, dehors. Pas un souffle de vent. Et les nuages lourds. Sans doute que la neige viendrait bientôt. Comme midi approchait, il rangea son outil sur l'établi et ôta son tablier de menuisier pour l'accrocher au clou. C'est alors que quelqu'un toqua à la porte et la poussa sans attendre de réponse. La tête qui se glissa dans l'ouverture était bien connue d'Aleks. Un petit vieux bavard comme une pie qui habitait la maison voisine de l'atelier et qui venait souvent leur rendre visite, pour avoir de la compagnie. Il était souvent difficile de se débarrasser de lui.

– Vous tombez mal, dit Aleks, je m'en vais. Repassez cet après-midi…

– C'est pas ça, répondit le vieux. T'as de la visite.
– De la visite ?
– Oui. Une jeune femme.
– Où est-elle ?
– Là.

Le vieux avait fait un geste rapide de la tête pour indiquer que la visite était tout près de lui, là, dehors.

– J'arrive, fit Aleks.

Il parcourut la courte distance qui le séparait de la porte dans un état de trouble qui le surprit lui-même. Une sorte de suspension. « Tout est normal, se dit-il, c'est une cliente qui vient te demander de réparer son armoire, ou bien une cousine de passage en ville qui veut te saluer avant de regagner son village. » Mais en même temps qu'il se raisonnait ainsi, une autre voix, montée des profondeurs, lui soufflait : «Aleks, il se passe quelque chose... »

Il y avait devant la menuiserie une petite cour carrée juste assez grande pour y manœuvrer avec une charrette et un cheval. Lia se tenait au milieu, parfaitement immobile dans son manteau d'hiver, les cheveux libres, les mains croisées devant elle, dans sa beauté simple et renversante. Elle gardait la tête légèrement baissée, comme par timidité, ce qui la faisait regarder par en dessous. Aleks ne vit que cela, ces deux yeux noirs qui demandaient, pleins d'incertitude : « Est-ce que j'arrive trop tard ? Est-ce que je dérange ? Est-ce que je suis folle d'être venue ? »

Il s'avança vers elle et voulut l'entourer de ses bras. Elle recula d'un pas pour l'en empêcher et lui prit les mains.

– *Sostdi*… Attends… Tu es marié ? Tu as une femme ?

Elle le dit d'un ton presque farouche, les sourcils froncés.

– Non, répondit-il mécaniquement, *maï gaïnat*… je n'en ai pas…

Elle se détendit un peu, esquissa un sourire.

– *Maï gaïnat*, répéta-t-il.

Et il ne sut plus que faire. La beauté de ce visage le bouleversa comme la toute première fois, lorsque leurs regards s'étaient croisés, au camp, près d'une marmite de soupe, dix ans plus tôt. C'étaient les mêmes yeux sombres et profonds, ces yeux dans lesquels il s'était noyé.

Peut-être était-elle un peu plus femme dans le reste de sa personne.

– Et toi, demanda-t-il, tu as un mari ?

Elle secoua la tête.

– Non, je n'en ai pas. Enfin, j'allais presque en avoir un, alors je me suis dit… ou plutôt je lui ai dit : « Attends un peu, je dois d'abord aller voir… il y a quelque part quelqu'un qui peut-être… il y a une chance sur dix mille… mais avant de te dire oui, je dois être sûre que… » Je lui ai dit… je lui ai dit…

Elle fondit en larmes.

– Oh, Aleks, tu es vivant… je ne sais pas si je vais supporter ce bonheur… ça me fait mal partout… j'ai l'impression que je vais mourir…

Il la prit dans ses bras.

– Tu m'as cru mort ?

– Oui !

Elle l'avait presque crié.

– Ils ne m'ont pas fusillé, tu vois. Ils n'ont pas eu le temps.

Elle pleurait, forçant sa tête contre la poitrine d'Aleks, comme si elle avait voulu entrer dedans.

– Mais qu'est-ce que tu as fait, alors, pendant tout ce temps ? Qu'est-ce que tu as fait ?

– Je t'ai cherchée, Lia.

Il parlait sans effort dans cette langue qui lui était devenue presque aussi familière que la sienne. Les mots coulaient librement de sa bouche :

– Je t'ai cherchée sur le Continent. Pendant sept ans. Et puis je suis rentré.

– Mais je t'ai cherché aussi, moi ! Je suis venue jusqu'ici.

– Je sais. Mes parents t'ont écrit, après.

– Oui, deux ans plus tard, pour me dire qu'ils étaient sans nouvelles de toi !

Elle se mit à le marteler de ses poings.

– Pourquoi, Aleks ? Pourquoi ? Qu'est-ce que tu as fait pendant tout ce temps ?

– Je ne sais pas... je crois que suis devenu fou là-bas... un peu fou... pas complètement... je te cherchais... je n'arrivais plus à rentrer... ni à donner de mes nouvelles... j'étais... perdu...

Elle le regarda avec inquiétude.

– Tu vas mieux, maintenant ?

– Je vais bien. Il ne me manquait que toi. Et tu es là...

– Tu parles ma langue ! s'exclama-t-elle soudain. Comme tu la parles bien ! Tu as un drôle d'accent, mais c'est joli.

Elle l'embrassa, légèrement.

En retrouvant le goût exact des lèvres de Lia, Aleks eut l'illusion délicieuse que les années passées sans elle se réduisaient à rien, à quelques heures. C'était comme s'il l'avait embrassée la veille encore. Rien n'avait changé. Il retrouvait intacte l'émotion perdue. Il était parcouru du même désir, du même affolement.

– Viens, dit-il en l'entraînant, entrons dans l'atelier. Nous irons chez moi plus tard.

En poussant la porte, il se rendit compte que le voisin était resté là depuis le début et qu'il avait assisté à toute la scène, sans en comprendre un seul mot, mais attendri tout de même.

– C'est fermé, lui dit Aleks assez sèchement, revenez cet après-midi.

Le vieux maugréa un peu et s'en alla.

Dans les jours qui suivirent, Aleks ne travailla que les matins à la menuiserie. L'après-midi, il promena Lia dans tous les lieux qu'il aimait et qu'il voulait lui faire découvrir. Le cheval Tempête n'était plus là, mais M. Holm, oui, à peine plus chenu. Ils parcoururent la ville sur son traîneau, de la Grand-Place au palais, ils glissèrent sur les lacs gelés, ils s'aventurèrent dans la plaine, ils se rendirent à la nouvelle bibliothèque royale qu'ils visitèrent ensemble.

Un soir, juste avant que la nuit tombe, ils montèrent sur les hauteurs, jusqu'au cimetière où reposait le roi Holund. M. Holm les laissa à la grille.

Lia trouva la tombe du dernier roi émouvante et très simple. Et rassurante. Comme ils allaient partir, la neige, qui s'était arrêtée depuis le matin, se remit à tomber. C'était beau et serein, et ils restèrent quelques minutes de plus. Lorsque les flocons recouvrirent le nom du roi, gravé dans la pierre, Aleks s'avança et souffla dessus pour les faire s'envoler.

– C'était un bon roi, expliqua-t-il.

Il raconta comment il était allé le voir sur la Grand-Place, jadis, avec Brisco. Il raconta la longue attente, le froid, les briquettes dans leurs moufles, les soldats au garde-à-vous, la neige sur le visage du roi, le défilé sans fin des gens venus lui dire adieu.

Mais il garda pour lui le chagrin du roi mort et le mystère du feu…

Puis il sentit que la neige tombait plus serré et qu'elle lui faisait sur la tête une petite galette blanche. Il passa la main dessus pour la faire tomber et fit de même pour Lia.

– Viens, il ne faut pas faire attendre M. Holm.

– Tu as raison. Allons-y.

Le vieux cocher fit claquer sa langue et le cheval s'en alla au petit trot.

Aleks et Lia se blottirent l'un contre l'autre sous la couverture et gardèrent le silence. Aleks écouta glisser l'attelage. Il lui sembla que sa vie entière tenait dans ce bruit-là : le sifflement des lames d'un traîneau sur la neige.

Table des matières

PREMIÈRE PARTIE
L'ENFANCE

SECONDE PARTIE
LA GUERRE

Vous qui avez aimé *Le Chagrin du Roi mort,* découvrez un extrait d'un autre roman du froid écrit par Jean-Claude Mourlevat :

Extrait

Le Combat d'hiver

Sur un signe de la surveillante, une fille du premier rang se leva et alla tourner le bouton de l'interrupteur métallique. Les trois ampoules nues éclairèrent la salle d'étude d'une lumière blanche. Depuis longtemps déjà, on pouvait à peine lire tant il faisait sombre, mais le règlement était strict : en octobre, on allumait les lampes à dix-huit heures trente et pas avant. Helen patienta encore une dizaine de minutes avant de prendre sa décision. Elle avait compté sur la lumière pour dissiper cette douleur qui logeait dans sa poitrine depuis le matin et remontait maintenant dans sa gorge, une boule oppressante dont elle connaissait bien le nom : tristesse. Pour avoir déjà éprouvé cet état, elle savait qu'elle ne pourrait pas lutter et qu'attendre ne ferait qu'aggraver le mal.

Alors oui, elle irait voir sa consoleuse, et tant pis si on était seulement en octobre et que c'était très tôt dans l'année. Elle arracha une demi-feuille à son cahier de brouillon, et écrivit dessus : Je veux aller voir ma consoleuse. Tu veux bien m'accompagner ? Elle jugea inutile de signer. Celle qui lirait ces mots reconnaîtrait son écriture entre mille.

— — — — — — — — — — — — — — — — —

Elle plia le papier en huit et inscrivit le nom et l'adresse de la destinataire : Milena. Rangée fenêtre. Troisième table.

Elle glissa le message sous le nez de Vera Plasil, sa voisine, qui dormait les yeux ouverts sur son livre de biologie. Le petit courrier passa de main en main, discrètement. Il suivit la rangée du couloir, celle d'Helen, jusqu'à la quatrième table, puis vola sans être vu vers la rangée centrale, parvint à celle des fenêtres et poursuivit sa course à l'autre bout de la salle, jusque dans les doigts de Milena, au deuxième rang. Cela n'avait pas pris plus d'une minute. C'était une règle admise : les messages devaient circuler librement, rapidement et toujours arriver à destination. On les faisait passer sans réfléchir, même si on détestait l'expéditrice ou la destinataire. Ces petits mots interdits représentaient la seule façon de communiquer pendant l'étude comme pendant les cours puisque le silence absolu était de rigueur. Depuis plus de trois ans qu'elle était là, jamais Helen n'avait vu un message se perdre, ni revenir, ni encore moins être lu, et celle qui aurait provoqué cet incident l'aurait payé très cher.

Milena parcourut le message. La masse volumineuse de sa chevelure blonde descendait en cascade dans son dos, une vraie crinière de lionne. Helen aurait donné beaucoup pour avoir ces cheveux-là, mais elle devait se contenter des siens, raides et courts, des cheveux de garçon dont on ne pouvait

— — — — — — — — — — — — — — — —

rien faire. Milena se retourna et fronça les sourcils comme pour gronder. Helen comprit parfaitement ce que cela signifiait : « Tu es folle ! On est en octobre seulement ! L'année dernière tu avais tenu jusqu'en février ! »

Helen eut un petit mouvement rageur de la tête et plissa les yeux : « Peut-être, mais je veux y aller maintenant. Alors, tu m'accompagnes ou pas ? »

Milena soupira. C'était d'accord.

Helen rangea soigneusement ses affaires sous son pupitre, se leva et traversa la salle sous le regard curieux d'une dizaine de filles. Arrivée au bureau, elle nota que la surveillante, Mlle Zesch, dégageait une odeur aigre de transpiration. Malgré le froid, une mauvaise sueur brillait sur ses avant-bras et sur sa lèvre supérieure.

– Je veux aller voir ma consoleuse, chuchota Helen.

La surveillante ne marqua aucune surprise. Elle ouvrit seulement le grand registre noir posé devant elle.

– Votre nom ?

– Dormann, Helen Dormann, répondit Helen, persuadée que l'autre connaissait parfaitement son nom mais qu'elle ne voulait pas le montrer.

La surveillante suivit la liste de son index gras et l'immobilisa sur la lettre D. Elle vérifia que Dormann Helen n'avait pas encore épuisé son compte de sorties.

– C'est bon. Accompagnatrice ?

– –

– Bach, dit Helen, Milena Bach.

La surveillante fit remonter son doigt jusqu'à la lettre B. Bach Milena n'avait pas accompagné plus de trois sorties depuis la rentrée de septembre. Elle releva la tête et poussa un tel beuglement que la moitié des filles sursautèrent :

– BACH MILENA !

Milena se leva et vint se camper devant le bureau.

– Vous acceptez d'accompagner Dormann Helen chez sa consoleuse ?

– Oui, répondit Milena sans regarder son amie.

La surveillante consulta sa montre et consigna l'heure sur une fiche, puis elle récita avec indifférence, comme une leçon apprise :

– Il est dix-huit heures et onze minutes. Vous devez être de retour dans trois heures, c'est-à-dire à vingt et une heures et onze minutes. Si vous n'êtes pas rentrées, ou si l'une de vous deux n'est pas rentrée, une élève sera mise au Ciel et y restera jusqu'à votre retour. Vous avez une préférence ?

– Non, répondirent en même temps les deux filles.

– Alors ce sera… (le doigt de Zesch se promena sur la liste), ce sera… Pancek.

Helen eut un pincement au cœur. Imaginer la petite Catharina Pancek au Ciel lui était très désagréable. Mais une autre règle tacite de l'internat voulait qu'on ne choisisse

— — — — — — — — — — — — — — — —

jamais soi-même la fille qui serait punie à votre place. On en laissait le soin à la surveillante. Celle-ci pouvait bien entendu, si ça lui chantait, s'acharner dix fois sur la même personne, mais au moins la solidarité entre les filles était-elle préservée et aucune ne pouvait être accusée d'avoir provoqué délibérément le malheur d'une autre.

— —

JEAN-CLAUDE MOURLEVAT est né en 1952 à Ambert, en Auvergne. Il a fait des études à Strasbourg, Toulouse, Bonn et Paris, a été professeur d'allemand pendant quelques années, puis a choisi de se consacrer au théâtre. Il a créé alors deux solos clownesques qu'il a interprétés plus de mille fois en France et un peu partout dans le monde. Plus tard, il a monté des pièces de Brecht, Cocteau, Shakespeare... En 1998 est publié *La Balafre*, son premier roman. Depuis, les livres se sont succédé avec bonheur, plébiscités par les lecteurs, la critique et les prix littéraires. *Le Combat d'hiver* a reçu a lui seul le prix France Télévision 2006, le prix Livrentête 2007, le prix Saint-Exupéry 2007, le prix Ado-Lisant 2008 (Belgique), le prix Sorcières 2008 et le prix des Incorruptibles 2008.

Retrouvez Jean-Claude Mourlevat sur son site internet :
www.jcmourlevat.com

Dans la collection

Pôle fiction

filles

Ce que j'ai vu et pourquoi j'ai menti,
Judy Blundell
Quatre filles et un jean
Le deuxième été
Le troisième été
Toi et moi à jamais,
Ann Brashares
LBD
1. Une affaire de filles
2. En route, les filles !,
Grace Dent
Cher inconnu, Berlie Doherty
Qui es-tu Alaska ?, John Green
13 petites enveloppes bleues, Maureen Johnson
Les confidences de Calypso
1. Romance royale
2. Trahison royale,
L'amour, mode d'emploi, William Nicholson
Tyne O'Connell
Jenna Fox, pour toujours, Mary E. Pearson
Le journal intime de Georgia Nicolson
1. Mon nez, mon chat, l'amour et moi
2. Le bonheur est au bout de l'élastique

3. Entre mes nungas-nungas mon cœur balance
4. À plus, Choupi-Trognon...,
Louise Rennison
Code cool, Scott Westerfeld

fantastique

Interface, M. T. Anderson
Genesis, Bernard Beckett
Le cas Jack Spark – saison 1 Été mutant,
Victor Dixen
Eon et le douzième dragon, Alison Goodman
Felicidad, Jean Molla
Le Combat d'hiver,
Jean-Claude Mourlevat
Le Chaos en marche
1. La Voix du couteau
2. Le Cercle et la Flèche,
Patrick Ness
La Forêt des Damnés, Carrie Ryan

2-7-2

Le papier de cet ouvrage est composé de fibres naturelles, renouvelables, recyclables et fabriquées à partir de bois provenant de forêts plantées et cultivées expressément pour la fabrication de la pâte à papier.

Maquette: Dominique Guillaumin
Photo de l'auteur © D.R.

ISBN : 978-2-07-063542-9
Loi n° 49-956 du 16 juillet 1949 sur les publications destinées à la jeunesse
Dépôt légal : octobre 2011.
N° d'édition : 179340 – N° d'impresssion : 166999.
Imprimé en France par Maury Imprimeur - 45330 Malesherbes